神戸平民倶楽部と大逆事件

岡林寅松・小松丑治とその周辺

上山慧
Ueyama Satoshi

風詠社

装幀　２ＤＡＹ

序

一九一〇（明治四三）年の大逆事件（幸徳事件）で、検事総長代理として捜査の指揮をとった平沼騏一郎（のち内閣総理大臣）は、自らの『回顧録』に「被告は死刑にしたが、中に三人陰謀に参与したかどうか判らぬのがゐる。死刑を言渡さねばならぬが、ひどいと云ふ感じを有つてゐた」（平沼騏一郎回顧録編纂委員会編『平沼騏一郎回顧録』平沼騏一郎回顧録編纂委員会　一九五五年　六二頁）と記している。この三人について、大逆事件研究の第一人者である神崎清は、自供のとれなかった坂本清馬と、証拠がなくて検事局が最後まで起訴をためらった神戸の岡林寅松（野花・真冬）と小松丑治（天愚）のことであろうとしている（神崎清『革命伝説　大逆事件④　十二個の棺桶』子どもの未来社　二〇一〇年復刻　一三一頁）。

坂本清馬は、一八八五（明治一八）年七月四日に高知県安芸郡室戸村（現・室戸市）で生まれた。高知二中を中退し、東京の小石川砲兵工廠で働いていたが、日刊『平民新聞』を読んで社会主義の影響を受け、幸徳秋水の書生となった。大逆事件のころは、幸徳と喧嘩別れして東洋印刷に勤務していたので、事件とは無関係であったのにもかかわらず、連座し死刑判決を受けた（翌日無期懲役に減刑）。獄中でも一貫して無実を訴え続けており、一九六一（昭和三六）年に事件連座者の最後の生き残りとして再審請求を起こしたことで知られている。一九七五（昭和五〇）年一月一五日に亡くなったが、墓は幸徳と同じ高知県四万十市の正福寺墓地にあり、二〇一五年一月には幸徳と合同で墓前祭が行われた。

坂本と同じ高知県出身の岡林寅松と小松丑治も、高知市内にあるふたりの墓所に墓標が建てられ、また最近では神戸で「大逆事件を明らかにする兵庫の会」が結成されるなど、高知のみならず、神戸でも名誉回復・顕彰運動がはじまっている。しかし、岡林と小松の名前は、同じ高知県出身の大逆事件連座者である幸徳秋水・奥宮健之《おくのみやけんし》・坂本清馬らとくらべると、事件によほど詳しい者でなければ、あまり知られていないのが現状である。

ところで、日本の社会主義運動は、一九〇一（明治三四）年五月に日本最初の社会主義政党である社会民主党の結党が短期間で禁止されたのちは、安部磯雄・片山潜・堺利彦・幸徳秋水・木下尚江ら社会主義協会における研究会・講演会を中心に、社会主義の研究と啓蒙活動を中心に行われた。日露戦争の開戦が間近になってきたころ、幸徳と堺は、一九〇三（明治三六）年一〇月に平民社を結成し、直面する日本とロシアとの軍事的衝突の危機に対して、戦争の廃絶を主張して広く世論に訴えた。日本における本格的な社会主義運動は、この平民社による日露戦争への非戦論からはじまっている。

一九八〇年代後半以降、中国・北朝鮮・ソビエト連邦・東欧諸国などの社会主義諸国において、経済状況の停滞や民主的自由の欠如などが原因で、社会主義の終焉とまで一時期いわれていた。しかし、日本では、社会民主党がその宣言書の理想綱領のなかで、人種差別反対の人類同胞主義、軍備全廃の平和主義、階級制度廃止の平等主義などをかかげている。平民社の宣言でも、自由・平等・博愛の三大要素を唱えている。これらは、今や人類の普遍的な価値としての理想目標といえよう。しかし、戦前の社会主義政党や結社は、社会主義思想は日本の「国体」と相いれないという政府の方針のもとに、たび重なる弾圧や結社禁止などを受けてきた。その最たるもののひとつが大逆事件であった。また、社会主義者たちも、きびしい弾圧に遭いながらも、非戦・平和・自由・平等を追求し続けてきたのである。そして、一九四五（昭和二〇）年の敗戦により、彼らが追求してきた理念の多くは、日本国憲法の国民主権・基本的人権の尊重・平和主義として実現されたといえよう。

本書では、神戸における社会主義運動のはじまりとその背景から、同地での本格的な社会主義組織である「神戸平民倶楽部」の活動と、その倶楽部員である岡林寅松と小松丑治がどのようにして大逆事件に連座していったのかをあきらかにしていくことにする。それは、神戸の知られざる近現代史をあきらかにするだけではなく、東京の平民社で本格的にはじまった社会主義運動がどのようにして地方で広がりや深まりをみせたのか、そして各地の大逆事件のなかでも最もフレームアップがはなはだしいとされている神戸の事件の解明を通じて、大逆事件の真実の一端をあきらかにすることにもつながるはずである。

なお、引用資料や書簡については、なるべく原文表記によったが、読みやすさを重視して、適宜句読点を補い、旧漢字を新漢字に改めた。また、引用文中で現在から見て差別を助長しかねないとみられる表現もあるが、書かれた時代背景などを考慮してそのまま用いることとする。

神戸平民倶楽部と大逆事件
――岡林寅松・小松丑治とその周辺◇目　次

《第Ⅲ部》

《第Ⅳ部》

【資料編】

《第Ⅰ部》

第一章　草創期の社会主義運動と神戸

資本主義の発展と神戸

日清戦争（一八九四〜一八九五年）の終結後、清国から二億両《テール》（当時の貨幣価値で三億六〇〇〇万円）の賠償金がはいり、台湾を獲得したうえ、清国などの新市場を開拓した。国家的自信を高めた政府は、国運発展を策して軍備を拡張し、国民の間でも実業熱が高まり、資本主義・帝国主義の様相を呈しはじめた。

一八九七（明治三〇）年に金本位制が採用され、一八九九（明治三二）年には一部の関税自主権が回復したことから、銀行・会社・工場が急激に設立されて、その払込金額は戦後一〇年間に戦前の約三倍以上の九億円近くとなった。工場数も一八九四（明治二七）年には約六〇〇〇であったのが、一九〇四（明治三七）年には約一万となり、労働者数も一八九四（明治二七）年の男工一四万、女工二三万九〇〇〇から、一九〇四（明治三七）年には男工二一万、女工三一万と増加した。日本の資本主義は、日清戦争から日露戦争のころ、ようやく産業資本として確立し、近代的な労働者もきわめて不十分ながら一応独立した階級として成立した。[1]

神戸でも、明治二〇年代から明治四〇年代にかけて近代工業が発展していった。[2]

兵庫県の近代産業の出発は、まず紡績業からはじまっている。一八八九（明治二二）年六月、有限責任尼崎紡績会社（現・ユニチカ株式会社）が創立され、兵庫県でも機械制紡績工業が開始された。神戸では、一八九四（明治二七）年六月、鐘淵紡績株式会社（鐘紡）が神戸市東尻池村（現・長田区）で兵庫支店工場の工事に取りかかった。工場は、一八九六（明治二九）年九月にイギリス製の精紡機四万錘をすえて昼夜運転を開始し、同年一〇月一日に開業式を行った。開業当時は三三四八名の職工がおり、そのうち七六・六パーセントが女工であったという。一八九九（明治三二）年七月には、兵庫工場の東に隣接して建設されていた、三井資本による上海紡績株式会社の綿糸工場を合併して兵庫第二工場とし、新たに精紡機約二万錘を加えた。この上海紡績は、日清戦争後に上海に建設される予定であった。しかし、対華投資にともなう重課税を恐れて予定を変更し、兵庫に建設されたもので、一八九七（明治三〇）年一二月から一二五〇名の職工を使用し、一万九八四〇錘もの精紡機で操業をはじめていた。[3]

明治三〇年代にはいると、紡績業などの軽工業に続いて、造船業をはじめとする重工業の発展もはじまった。一八八六（明治一九）年五月に創立された川崎造船所（現・川崎重工業）は、一八九六（明治二九）年三月に造船および航海奨励法が公布され、造船の飛躍的な発展の方向が打ち出されると、同年一〇月に川崎正蔵の個人経営から株式会社に改組された。一八九九（明治三二）年に航海奨励法が改正されると、外国製船舶に対する補助が国内製船舶の半額となったため、船主も外国船の輸入を中止して大型船を国内注文するようになり、造船業が活気づいた。川崎造船所は、一九〇〇（明治三三）年から海軍の軍艦製造も手がけるようになり、以降造船トン数は急増していった。また、川崎造船所に続いて、三菱合資会社も神戸に造船所を建設することになり、今出在家町（現・兵庫区）地先海面一帯の埋め立てを行った。一九〇五（明治三八）年七月、神戸三菱造船所の設立登記が終わり、同年八月八日に開業式が行われ、川崎造船所につぐ兵庫県下の重工業生産の基幹部が誕生した。[4]

神戸で近代工業が発展するにつれて、神戸市の人口も増加した。『兵庫県百年史』（兵庫県　一九六七年）によれば、一八八七（明治二〇）年の神戸市の人口は一〇万二八四一名だったのが、一〇年後の一八九七（明治三〇）年は一九万三〇〇一名、さらに一〇年後の一九〇七（明治四〇）年には三六万三五九三名になっており、それぞれ二倍近くも増加している。一九一〇（明治四三）年の統計によれば、三三万四七〇〇余名の神戸市民のうち、神戸市で出生した者はわずか二九・四パーセントにすぎず、県下各地からの流入が三一・八パーセント、大阪・岡山・徳島・広島など他府県からの移住者が三八・八パーセントとなっている。[5] また、労働者数についても、一九〇二（明治三五）年には五万九八六六名（男性二万二九六〇名、女性三万六九〇六名）であったのが、一九〇七（明治四〇）年から一九一二（大正元）年にかけて急増し、一九一二（大正元）年には八万七一六二名（男性五万三九〇名、女性三万六七七二名）を数えた。性別比では男性が多くなっているが、これは紡績業などの女性を中心とした軽工業から、主に男性を使用する造船業などの重工業への変化によるものである。[6]

高知県出身の小松丑治がなぜ神戸に出てきたのかはわかっていない。[7] しかし、近代工業の発展にともなう人口増加の流れに乗って、ほかの他府県からの移住者と同じように、高知から神戸に出てきたと推測される。

発展の矛盾

明治維新以降、富国強兵政策のもとで急速な近代化政策を推進してきた日本であったが、それとともに資本主義の様々な矛盾も社会的に噴出しはじめた。

一八七七（明治一〇）年の西南戦争では、政府は戦費調達のために不換紙幣を乱発した結果、大規模なインフレーションが戦争後に発生した。大蔵卿・松方正義は、不換紙幣の回収・焼却、煙草税や酒造税などの増税による歳入増加策、軍事費を除く政府予算の縮小など、デフレーション政策を行った（松方デフレ）。しかし、松方デフレの低価格政策は、繭や米などの農産物の価格の暴落を招き、さらに地方税の増加で農民の生活は極度に窮迫した。その結果、農地を売却して離農する農民、自作農から小作農への転落、遠隔地の工場や鉱山への出稼ぎの農民の増加、都市部での失業者によるスラムの形成、貧しい農家出身の子女の遊郭への人身売買など、都市部・農村部を問わず悲惨な生活状態が拡大した。

日清戦後、日本は資本主義・帝国主義の様相を呈しはじめたが、職工や職人になるため工場や商店で働くのは、農村から都市に集まってきた農民で、戦後景気の反動期にはいると、経済界は不況に陥り、労働者は賃金値下げと失業不安に陥り、労働争議が続発した。都市・農村を通じて、貧民層や貧農層の生活は一層困窮し、一大社会問題となった。

神戸でも、実際の労働者の生活をみると、紡績業の職工は一日一一時間前後もの労働時間にもかかわらず、日給は二銭五厘から七銭ぐらいだった。[8] 寄宿舎で生活している職工は、食費などで一日六〜七銭を要するので、[9] 経済的な余裕がほぼないことがうかがえる。なかには、徹夜業の厳しい労働条件や、ほとんど貯えの残らない低賃金、不衛生な環境に耐えかね、逃亡する者も多くいたという。[10] 実際、鐘紡では、一九〇〇（明治三三）年のはじめ一万一七二一名いた職工のうち、その年中に七七〇一名が退社している。その理由は、逃亡除名六三三一名、解雇一〇八九名、病気帰休二六〇名、死亡三一名であり、逃亡が圧倒的に多かった。[11]

大阪とならんで盛んであったマッチ工業も、女工・幼年工の賃金が出来高払いだったこともあり、朝未明から夜一〇時まで休息なしで働く者が多く、住居も建坪二坪、畳三枚敷きの狭い棟割長屋に、五〜六人の家族と住むという粗末なものであった。[12] 寄宿舎での粗末な食事や軟禁同然の監督のもとで、女工は肺結核をはじめとする呼吸器病、消化器病や脚気などに侵されることが多く、寄宿工の疾病による解雇や死亡では肺結核が最も多かったという。[13]

さらに、一八九七（明治三〇）年三月四日、神戸市は県令第五二号を制定し、労働者や無宿人の生活拠点である木賃宿の営業区域を北長狭通一丁目（現・中央区）、古湊通一〜四丁目（現・中央区）、今出在家町、門口町（現・兵庫区）に指定した。[14] この営業区域の指定には、木賃宿が神戸でたびたび流行していたコレラやペストなどの伝染病の温床のひとつとみなされていたことが背景にあった。しかし、これらの営業区域が市区の中心部に近接するようになったため、一八九九（明治三二）年七月一七日には、一八八六（明治一九）年一二月二二日に発布した宿屋営業取締規則を改正し、一八九九（明治三二）年から翌一九〇〇（明治三三）年にかけて木賃宿の強制移転を行った。また、それと同時に、木賃宿から追い出された住人が潜り込むのを防ぐため、長屋裏屋の移転も計画され、これらの移転先として指定されたのが新川地区であった。[15] このような木賃宿の営業地域の限定や、長屋裏屋の移転は、スラム（貧民窟）の形成を推し進めることにつながった。実際、新川地区の人口は、一九〇一（明治三四）年の段階では戸数四六五戸、人口一六〇〇名であったのが、七年後の一九〇八（明治四一）年には戸数一六四六戸、人口五八五九名と増加している。[16] この時期の葺合区《ふきあいく》（現・中央区）全体の戸数の増加は一・七倍、人口の増加は二・二倍であったことから、[17] 新川地区の人口増加と過密居住の進行がいかにすさまじいものであったかがうかがえる。

　神戸のスラムには、一九〇九（明治四二）年一二月二四日にキリスト教社会運動家の賀川豊彦が移り住み、自ら救済活動に乗り出したことはよく知られている。しかし、その四年前の一九〇五（明治三八）年一二月ごろ、岡林寅松は岡林真冬の名前で「同志の内に貧民窟の附近に居住する者がありますが社会主義的夜学校を設け或は少年の為社会主義日曜学校をやるとの話です」[18]と書いており、岡林をはじめとする神戸の社会主義者にとっても、スラム問題は関心のひとつであったと思われる。

労働組合の結成

　日清戦後に生じた労働問題をはじめとするさまざまな社会問題は、労働運動の発生をうながし、各地で労働争議が起こされるようになった。一八九七（明治三〇）年四月六日、アメリカで実際に労働運動を見聞してきた高野房太郎・城常太郎・沢田半之助らにより職工義友会が結成された。この会は、労働組合の創設を呼びかける目的で組織された研究・宣伝機関であったが、同年七月五日には片山潜・佐久間貞一・島田三郎らの参加を得て労働組合の設立を目的とした労働組合期成会へ発展的に改組された。

兵庫県下では明治二〇年代から労働運動が発生しはじめた。しかし、このころの労働運動は、水車業者・輸出屏風製造職工・石工・陶工・酒樽職工など職人と呼ばれた人たちによって起こされたものであった。また、明治二〇年代の時点では労働者の賃上げ要求もまだ難しく、労働争議が起こるようになったのは日清戦後になってからであった。[19]

一八九五（明治二八）年一一月、船員給料の最高限度と、船内食料定額が船主によって一方的に決定された。この決定に対して、船員は船舶の隷属物視する船主の無理解な態度に不満を抱き、やがて自然発生的に団結の機運が高まり、一八九六（明治二九）年一月、船員らによる海員倶楽部が設立された。この倶楽部は、表面は海事に関する学芸技芸の研究と、会員相互の親睦を目的としていたが、実際は船員の共同の利益の防衛という労働組合的要素をもっていた。[20]

一八九八（明治三一）年一二月には、労働組合期成会の城常太郎によって、神戸でも労働組合研究会が結成された。この研究会では、産業界における合同の方向や、翌年から実施される日英通商航海条約による外国資本の国内進出に対抗するとともに、機械制工場の発展による低賃金に反対して労働者の地位向上を求めた。[21]

神戸で労働組合研究会を結成した城は、一八六三（文久三）年一月に熊本で生まれた。一八七八（明治一一）年に神戸へ出て、靴工の修業をしたのち、一八八八（明治二一）年にアメリカ・サンフランシスコへわたり、現地における日本人靴製造業の先駆者となった。また、サンフランシスコに在住していたとき、現地で労働運動家の高野房太郎と知り合い、一八九一（明治二四）年夏、高野や洋服仕立工の沢田半之助とともに職工義友会を結成した。一八九六（明治二九）年にアメリカから帰国すると、高野・沢田らと職工義友会を再組織し、労働組合期成会の創設にも参加した。一八九八（明治三一）年に神戸へ再び居住し、労働組合研究会を結成したのちは、高野の誘いで中国にわたり、一九〇一（明治三四）年一一月に天津製靴会社を設立するが、一九〇五（明治三八）年七月二六日に満四二歳という若さで亡くなった。[22]

これらの労働運動は、一九〇〇（明治三三）年に政治結社を取り締まる法律である治安警察法が公布されたことなどにより、その芽をつまれて発展の機会を失った。[23] しかし、その後も県下ではマッチ職工や塩田労働者によるストライキが日露戦争まで続いた。[24]

社会主義研究会と豊崎善之介

日清戦後の労働・農民などの社会問題は、識者の間でも緊急の課題として関心が高まりはじめた。そのひとつとして、一八九八（明治三一）年一〇月ごろ、キリスト教プロテスタントの一派で「自由神学」を掲げるユニテリアン協会において、「社会主義研究会」が結成された。この会は、日本最初の社会主義の研究を目的とした研究会で、日本の社会主義運動の起源といえる組織である。研究会の会員は、会長の村井知至《ともよし》や幹事の豊崎善之介をはじめ、安部磯雄・岸本能武太・新原俊秀・佐治実然（ユニテリアン）・神田佐一郎（ユニテリアン）・片山潜・幸徳秋水・杉村楚人冠（『東京朝日新聞』記者）・高木正義（東京帝国大学社会学講師）・河上清（キリスト教社会主義者）などである。会員のうち、村井・安部・岸本・新原の四名は同志社出身で、豊崎は関西学院出身であった。

ここで兵庫県ゆかりの社会主義研究会会員として、豊崎善之介についてふれておきたい。豊崎は、一八六三（文久三）年七月一日に現在の兵庫県西宮で生まれた。一八七六（明治九）年五月に一三歳で洗礼を受けて、一八九三（明治二六）年に関西学院神学部を卒業した。一八九八（明治三一）年春に上京して、国民英学会教授をしていたが、一八九九（明治三二）年五月にユニテリアン協会の牧師となった。キリスト教思想・評論雑誌である『六合雑誌《りくごう》』の第二〇三号（一八九七年一一月一五日）に、「社会主義の福音」を掲載するなど、社会主義に関心をもっており、社会主義研究会に参加したのちは幹事をつとめている。その後、一九〇一（明治三四）年七月より三年間イギリスのオックスフォード・マンチェスター大学を中心に、ドイツ・フランス・アメリカを転学し、帰国後は社会主義の反対を唱えた。日露戦争後の一九〇六（明治三九）年九月、立憲政友会系の『人民新聞』主筆をつとめている。一九一〇（明治四三）年一月二三日、「東京ユニテリアン協会」（会長・安部磯雄）の発足にともない評議員に就任しているが、その当時は『実業之日本』主幹であった。著書に『社会主義批判』（警醒社　一九〇六年）、『仏蘭西の銀行及金融』（大倉書店　一九一六年）がある。[25]

一八九八（明治三一）年一〇月一八日、東京・芝区三田の惟一館（ユニテリアンの会堂）で研究会の第一回例会が開かれた。[26] 参加者は、村井・佐治・神田・豊崎・岸本・新原・片山・河上・高木の九名で、全員がクリスチャンであった。社会主義研究会は、その後も月一回例会を開いていたが、一八九九（明治三二）年一〇月二二日の第九回例会で、安部磯雄から「我が研究会は前回に於いて大略社会主義の歴史的研究を終れり。故に是よりは、社会主義の各部に就いて実際的に研究するの必要あり」との提言があった。[27] この安部の提言を受けて、それから五ヶ月後の一九〇〇（明治三三）年二月、「社会主義研究会」は「社会主義協会」と改称し、社会主義の研究団体から、現実問題を解決するための実践的な団体に改組された。

神港倶楽部での演説会

一九〇三（明治三六）年一月一二日夜、その社会主義協会は神戸市内にあった神港倶楽部で演説会を開いている。[28] 会場となった神港倶楽部は、現在の花隈城跡公園（神戸市中央区花隈町）付近にあった倶楽部である。一八九一（明治二四）年に神戸の有力者によって建てられ、一八九六（明治二九）年には日本ではじめて活動写真を公開しているが、戦時中の空襲で焼失した。

この演説会は、社会主義協会の関西遊説の一環で開かれたものであり、『神戸又新日報《ゆうしんにっぽう》』と『神戸新聞』の協力のもと、日時・会場も神戸教会牧師でのちに同志社大学総長となる原田助《たすく》の斡旋で五日ほど前に決まったのである。一九〇三（明治三六）年一月六日、社会主義協会の西川光二郎らは、神戸教会の原田のもとを訪ねて会場の斡旋を依頼した。翌七日、西川らは原田の紹介状を持参して、神港倶楽部幹事の梅田某のもとを訪れ、神港倶楽部を借りることができた。当初、西川らは演説会を一月八日に開催することを計画していたが、会場が当日空いていなかったので、一月一二日夜に開くことに決定した。会場と開催日が決まると、その足で『神戸又新日報』と『神戸新聞』を訪問して、「種々便宜を与ふべし」と協力をとりつけている。面談の相手は、『神戸又新日報』では佐藤勝三郎と浦川牛之介、『神戸新聞』では国木田修三であった。演説会当日の一月一二日午後、神戸基督教青年会幹事の高原亀三が西川らのもとを訪ね、当日の会場の庶務を青年会員が引き受けることを快諾している。

演説会の講師と演題は、西川光二郎「社会主義は何人にも必要なり」、片山潜「社会腐敗と社会主義」、矢野文雄「社会主義の綱領」であった。午後六時半に開会し、聴衆は五〇〇余名で、なかには師範学校（兵庫県御影師範学校と思われる）の学生が八〇名ほど含まれていた。これには、西川も「学生の中で一番保守的なる又一番元気のなき彼等が、兎に角社会主義を聞こうとの心を起し、学校が又コレを許せしとは、如何にも不思議に感ぜらる、コレも時勢の然らしむる所乎、噫時勢なる哉、時勢なる哉」と書いている。演説はそれぞれ一時間ずつ行われ、閉会は午後一一時であった。

この神港倶楽部での演説会は、神戸における最初の社会主義演説会であった。しかし、これは東京の社会主義協会が神戸の新聞記者やクリスチャンを頼って開催したものであり、地元神戸で企画・主催されたものではなかった。

幻の社会主義演説会

神港倶楽部での社会主義演説会から三ヶ月後の一九〇三（明治三六）年四月五日から六日にかけて、社会主義協会の片山潜・安部磯雄・木下尚江らによって「大阪社会主義大会」が催され、五日夜と六日夜の二回にわたって社会主義大演説会が行われた。[29]

五日の演説会は、午後六時より中之島公会堂を会場にしてはじまった。聴衆は七～八〇〇名で、「公会堂開会以来初めての盛会」であったという。講師には、オーストリアの社会主義者エックスタインが滞在先の京都から来会し、安部が通訳をつとめた。この日の演説会は午前〇時に閉会した。

六日は、会場を土佐堀青年会館に移し、午後一時から大会が開かれた。参加者は数百名で、なかには愛知県や鳥取県からも来会者がいた。夜の演説会では、『大阪朝日新聞』経済記者の三宅磐《いわお》が「大塩平八郎と天保飢饉」について話し、社会主義詩人の児玉花外《かがい》も自作の大塩平八郎の詩を吟じた。続いて、安部が「最も能き時間に立つて充分社会主義の本領を発揮」し、最後に木下が当時大阪・天王寺で開かれていた第五回内国勧業博覧会での芸妓踊り問題を批判して、「大に聴衆の心を動して無事閉会」した。

翌七日、片山と木下のふたりは、大阪から神戸へ演説におもむいたが、「凡の手順整頓せず、遂に開会に到らずして、直に帰京せり」という。[30] この演説会の計画も、神港倶楽部での社会主義演説会と同じ社会主義協会の会員によって発案され、このときも神戸在住の新聞記者やクリスチャンを頼って開こうとしていたと思われるが、結局演説会が開催されることはなかった。
神港倶楽部での演説会や、片山と木下らによる演説会の計画から、この時期の神戸には社会主義に関心をもっている個人はいたが、その運動を受けいれるだけの条件はまだ整っていなかったといえよう。神戸で本格的な社会主義運動がはじまるのは、日露戦争に対する非戦論と、週刊『平民新聞』の創刊からであった。

〈注〉

1 絲屋寿雄『幸徳秋水』(清水書院 一九七三年)六二〜六四頁。
2 兵庫県史編集委員会編『兵庫県百年史』(兵庫県 一九六七年)四二一頁。
3 同右 四二二〜四二五頁。
4 同右 四三四〜四三七頁。
5 同右 五三四〜五三五頁。
6 同右 四四八〜四四九頁。
7 岡林寅松が神戸に出てきたのは、あとでもふれるが、さきに移住していた小松丑治の紹介によるものである。
8 前掲『兵庫県百年史』四五〇頁。
9 同右 四五〇頁。
10 同右 四五〇頁。

11　同右　四五一頁。
12　同右　四五二頁。
13　同右　四五一頁。
14　安保則夫『ミナト神戸　コレラ・ペスト・スラム　社会的差別形成史の研究』（学芸出版社　一九八九年）一九九～二〇〇頁。
15　同右　二二〇～二二五頁。
16　同右　二五六頁。
17　同右　二五六頁。
18　岡林真冬「神戸より」『光』第一巻第五号　一九〇六（明治三九）年一月二〇日。
19　前掲『兵庫県百年史』四五三～四五四頁。
20　兵庫県労働運動史編さん委員会編『兵庫県労働運動史』（兵庫県商工労働部労政課　一九六一年）二一頁。
21　前掲『兵庫県百年史』四五四～四五五頁。
22　城の経歴は、牧民雄『日本で初めて労働組合をつくった男　評伝・城常太郎』（同時代社　二〇一五年）参照。
23　同右　六七七頁。
24　同右　四五五頁。
25　豊崎の経歴は、太田雅夫「社会民主党の誕生」（「社会民主党百年」資料刊行会編・山泉進責任編集『社会主義の誕生―社会民主党100年』論創社　二〇〇一年）参照。
26　「社会主義研究会記事」（『六合雑誌』第二一五号　日本ゆにてりあん弘道会　一八九八年一一月二五日　七五頁）。

27 「社会主義研究会記事」(『六合雑誌』第二二七号　日本ゆにてりあん弘道会　一八九九年一一月一五日　五九～六〇頁)。
28 西川光二郎「関西遊説の記(上)」『労働世界』第七年第三号　一九〇三(明治三六)年一月二三日。
29 片山潜「大阪社会主義大会」『社会主義』第七年第一〇号　一九〇三(明治三六)年四月一八日。
30 同右資料。

第二章　神戸平民倶楽部の結成

週刊『平民新聞』の創刊

一九〇三（明治三六）年にはいると、頭山満・近衛篤磨ら「対露同志会」、戸水寛人・金井延・寺尾亨・高橋作衛・小野塚喜平次・富井政章・中村進午ら東京帝国大学の七博士、全国青年同志会などが相次いで対露強硬論を主張し、国内では「挙国一致の聖戦」や「ロシア討つべし」といった日露開戦論が急速に高まった。新聞や雑誌も、『萬朝報《よろずちょうほう》』、『毎日新聞』、『二六新報』、『六合雑誌』を除いて開戦論を支持した。しかし、ほどなくして『萬朝報』を除くほとんどは世論に押されて開戦論に転じた。[1]

『萬朝報』は、一八九二（明治二五）年一一月一日、黒岩涙香《るいこう》（周六）が東京で創刊した日刊紙である。権力者のスキャンダルについて執拗なまでに追及したり、プライバシーを暴露する醜聞記事で売り出したりするなど、日本におけるゴシップ報道の先駆けでもあった。とくに、第三面に政治家をはじめとする著名人たちの「名士妾しらべ」などの醜聞を取り上げたことで「三面記事」という言葉を生み出した。「永世無休」を掲げ、「一に簡単、二に明瞭、三に痛快」をモットーとして、低価格による販売と、黒岩自身による翻案小説の連載、家庭欄や英文欄の創設などで大衆紙として急速に発展し、最盛期には一二万部を発行した（同時期の『東京朝日新聞』は五万三九七〇部だったという）。

また、「摘発記事」を売り物とする「悪徳新聞」などと批判されることを心外と考え、新聞の品位を保つため、内村鑑三など優秀な新聞記者を積極的に招聘している。

そして、一九〇三（明治三六）年一〇月、最後に残った『萬朝報』もついに開戦論へ転じた。これに対して、『萬朝報』で非戦論を主張していた記者の幸徳秋水・堺利彦・内村鑑三は、同紙に「退社の辞」（幸徳・堺は一〇月一二日、内村は翌一三日）を発表した。

『萬朝報』を退社した幸徳と堺は、改めて非戦論を訴え、社会主義の宣伝・普及を行うために「平民社」を結成し、一九〇三（明治三六）年一一月一五日、週刊『平民新聞』を創刊した。その創刊号の一面の「宣言」で次のことを説いている。

一、自由、平等、博愛は人生世に在る所以の三大要義也。

一、吾人は人類の自由を完からしめんが為めに平民主義を奉持す、故に門閥の高下、財産の多寡、男女の別より生ずる階級を打破し一切の圧制束縛を除去せんことを欲す。

一、吾人は人類をして平等の福利を享けしめんが為めに社会主義を主張す、故に社会をして生産、分配、交通の機関を共有せしめ、其の経営処理一に社会全体の為めにせんことを要す。

一、吾人は人類をして博愛の道を尽さしめんが為めに平和主義を唱導す、故に人種の区別、政体の異同を問はず、世界を挙げて軍備を撤去し、戦争を禁絶せんことを期す。

一、吾人既に多数人類の完全なる自由、平等、博愛を以て理想とす、故に之を実現するの手段も、亦た国法の許す範囲に於て多数人類の与論を喚起し、多数人類の一致協同を得るに在らざる可らず、夫の暴動に訴へて快を一時に取るが如きは、吾人絶対に之を非認す。[2]

この「宣言」では、自由・平等・博愛というフランス革命において唱えられた市民革命の目標を掲げ、それらを実現する手段として平民主義（デモクラシー）・社会主義・平和主義の必要性を訴えている。そして、週刊『平民新聞』は、日露戦争が開戦してからも非戦論を訴え続けた。

一九〇四（明治三七）年二月八日、日本海軍連合艦隊によるロシア旅順艦隊への攻撃で日露戦争が開戦し、同日には日本陸軍先遣隊四個大隊が韓国・仁川に上陸して、その日のうちにソウルに入城した。それから六日後の同年二月一四日の週刊『平民新聞』第一四号には、幸徳秋水の「戦争来」、「兵士を送る」、「戦争の結果」が掲載された。その内容は、「戦争は来れり、平和の攪乱は来れり、罪悪の横行は来れり」と書きはじめて、「吾人は戦争既に来るの今日以後と雖も、吾人の口有り、吾人の筆有り紙有る限りは、戦争反対を絶叫すべし」との態度をあきらかにする。[3] 兵士に対しては、「行矣従軍の兵士、吾人今や諸君の行を止むるに由よし／諸君今や人を殺さんが為めに行く、否ざれば即ち人に殺されんが為めに行く」と呼びかけて、「一個の機械」となって働かざるを得ない状況に同情しながらも、「露国の兵士も又人の子也、人の夫也、人の父也、諸君の同胞なる人類也、之を思ふて慎んで彼等に対して残暴の行あること勿れ」と説いている。[4] さらに、戦争の結果にまで言及して、戦争の責任は政府にあるとしても、その結果は「平民」が受けることになるとして次のように主張する。①公債に対する利息の負担が子孫にまで及んでいくこと。②「苛重な増税」が待っていること。③軍国主義が跋扈すること。加えて投機が勃興し、物価が上がり、風俗が堕落すること。これらは日清戦争のときに経験したことではないか。戦争によって一時的に労働者にとっては職業が増え、賃金にありつけることがあるとしても、戦後には「失業者の出来」をみるだけのことではないのかと述べている。[5]

週刊『平民新聞』は、創刊号が八〇〇〇部、一九〇四（明治三七）年三月初旬で四五〇〇部（そのうち「直接発送」が一〇〇〇部、「卸売」が三〇〇〇部余り）、同年六月初旬で三七〇〇部（そのうち「直接発送」が一二〇〇～一三〇〇部）発行されていた。一九〇四（明治三七）年七月現在で、週刊『平民新聞』の直接購読者は全国で一四〇三名もいたとされている。そのうち、二〇名以上の読者がいる道府県は、東京四五三、北海道九七、群馬五五、長野五四、高知三七、新潟三五、兵庫三四、千葉三四、静岡三四、茨城二九、福岡二八、神奈川二七、秋田二六、京都二五、長崎二四、福島二一、岐阜二二、岡山二一、和歌山二〇となっている。とくに、東京・横浜・名古屋・仙台・札幌などの大都市では、書店・新聞店での売りさばきが行われており、その数は直接購読者数の約二倍にもなっていたという。[6]

それまでの社会主義運動は、社会主義者の地方遊説もさかんに行われていたが、そのほとんどが東京を中心にして展開されていた。しかし、週刊『平民新聞』の創刊により、東京を中心に展開されていた運動は、やがて地方にも広がりや深まりをみせるようになった。

神戸での週刊『平民新聞』創刊の反応

週刊『平民新聞』が創刊された際、祝辞を寄せた者のなかに、神戸の竹中清と兵庫の小立花福子がおり、[7]但馬のフシモトトシロも「ヘイミンシンブンハツカンヲシユクス」と電報を打っている。[8]また、英字新聞『神戸クロニクル』は「同紙が現時の労働者階級改善の急に応ずるに於て有功《ママ》なるを疑はず」、[9]『神戸デーリーニュース』は「是れ永く待焦がれたる所の社会主義者の新紙なり、吾人は其盛大なる発達を望んで已まず」[10]と紹介し、いずれも週刊『平民新聞』第一号の「宣言」を訳載している。

日本社会主義運動の生き字引的存在である荒畑寒村によれば、『神戸クロニクル』は内村鑑三の非戦論をしばしば掲載しており、一九〇四（明治三七）年二月一四日には「日露戦争について」、三月一日には「世界歴史より観察したる日本の外交的政略」、四月五日には「歴史における戦争」を発表している。[11]政府が週刊『平民新聞』に対して弾圧方針をとったときには、その社説で「日露戦争に関して、英米両国民が殊に日本に同情する所以のものは、ただ日本が露国に比して文明なるが故である。それ故、日本政府が一個の非戦論をも容れることができないで、これを圧迫しようとするがごときは却って英米諸国の同情を失う所以である」[12]と政府の方針を批判している。

兵庫県の岡野某は、「万歳、不景気、餓死」と題した通信を寄せており、「汽車沿道の人民が軍隊を満載したる列車の着する毎に狂奔して万歳を唱ふる」一方で、市中では「閉ざされたる商家処々に散見し、其他の各商家にても不景気の為め店頭に人影を見ざる有様にて、沿道の景気とは反比例」している。しかも、「軍隊送迎にて何かと費用を取られ、其上万歳を唱ふべく出張所へ行かざれば罰金を取るとか云はれ」ており、労働者の多くは、「此頃は戦争の為め問屋より仕事を渡さず、労働者の常とて一日休めば其日の衣食に差支ゆる次第にて、家族多き家などは非常に困難に陥」っている。これが「長く推移せば多くの餓死者を生ずるならん」と伝えている。[13]

小松丑治も、自身のノート『随筆録』で、「須磨の海浜を散歩しつゝ、ありし（明治三十七年三月廿七日）夕名古屋兵出征中の汽車が下りて来ました、男女拾数人の漁夫は網を引きツ、ありしに今や引網を投げやりて汽車近く駆け行き狂せる如くに出征軍人を祝して万歳を称ふ、余は之を見て云ひ知らぬ感に打たれ胸迫りて涙を催した」[14]と書いている。

日露戦争と神戸

ここで日露戦争下における神戸の状況についてふれておきたい。

一九〇四（明治三七）年三月以来、神戸から乗船し戦地に向かった将兵は、三万四六〇〇余名にものぼった。そして、戦地へ出征する将兵のために、連日花火と楽隊で景気づけが行われた。兵庫県下出身の兵士の動員数は、くわしい数字はわかっていないが、一九〇五（明治三八）年三月末で、出征軍人戸数三万三一二〇戸、人員三万七五一八名で、そのうち神戸市出身は出征軍人戸数三一一四戸、人員約五〇〇〇名であった。なお、当時の兵庫県下の現住戸数は三五万八六二二戸で、人口は一八四万一九四〇名である。

市民の戦争協力への姿勢も一段と整備された。日露開戦とともに、神戸市奉公会・神戸市婦人奉公会・神戸奉公同志会などが設立・充実された。神戸市奉公会は、神戸市長・坪野平太郎を会長として、軍人留守家族や遺族の救護、戦病死者の追悼などを行った。神戸市婦人奉公会は、一〇年前の日清戦争時に組織されていたが、その活動で特徴的なものが児童保育所の設置であった。保育所は、葺合《ふきあい》（現・中央区）の八幡神社境内と、楠町（現・中央区）の仏通寺別院に設置されたのをはじめに、南逆瀬川町（現・兵庫区）薬仙寺、羽坂通（現・兵庫区）福昌寺、宇治野町（現・中央区）徳照寺などにも増設され、収容児童数は二〇〇〇名を超えた。神戸奉公同志会は、原田助を会長として、神戸市の各キリスト教会や婦人会・青年会の発起で組織された。このほかにも、愛国婦人会兵庫支部も動き、一九〇三（明治三六）年末で一八六一名の会員に過ぎなかったが、開戦後の一九〇四（明治三七）年末には一万八六七四名に急増し、慰問活動などに従事した。

戦費は、国債の発行によって賄われたが、兵庫県でも五回にわたって応募が行われ、その総額は八五七二万五六五〇円にものぼり、そのうちの五四・四パーセントにあたる四六六一万三〇七五円が神戸市からの応募である。応募のなかには、市内の資産家や、居留外国人もあった。しかし、一般市民にとっては、国債は一種の増税にほかならず、第一回応募で集まった一〇〇六万二二〇〇円のうち、額面二〇〇円以下の小口は一万二〇〇〇名を占めていた。また、戦時非常特別税をはじめ、国税が増税されたことにともない、神戸市の国税滞納者は、一九〇五（明治三八）年度には一九〇三（明治三六）年度の三〇倍に増加した。

祝賀会も熱狂的に行われ、宣戦布告翌日の一九〇四（明治三七）年二月一一日午後六時から、湊川神社境内で市民総出による提灯行列が行われた。同年五月には、神戸同盟銀行午餐会が発起となり、神戸市にある銀行や会社の一大提灯行列が企画され、三日、三井銀行神戸支店を先頭に、三井物産・大阪商船・三十四銀行・住友銀行・日本郵船・岸本銀行など三〇社が参加した。また、一九〇五（明治三八）年一月一日の旅順陥落の際には、一五日に神戸市主催で市民大祝賀会が湊川神社境内で開かれ、五〇〇〇名の市民が集まり、夜には数千名の提灯行列が行われた。七日には神戸税関・山陽鉄道などの諸団体による提灯行列が行われ、九日にも艀業組合の従業員二〇〇〇名による港内大提灯行列があった。戦勝の熱狂がピークに達したのは日本海海戦の勝利祝賀のときであり、六月二日に新聞関係者七〇〇余名による提灯行列があったのをはじめ、四日にも湊川公園で神戸市主催による祝賀会が開かれ、数万人の市民が集まっている。[15]

第一回例会

週刊『平民新聞』の創刊から一〇ヶ月後の一九〇四（明治三七）年九月一〇日、「神戸平民倶楽部」が結成された。その第一回例会の様子は、「神戸市の読者会（第一回）」として次のように報告されている。

去る十日夜七時より当市下山手通荒川氏宅にて開会、出席者は十名（新聞記者三、官吏二、医一、銀行員一、商人一、学生一、不詳一）にして、荒川氏の開会の辞ありて後、臼谷氏の国家社会主義論あり、之に対して質問反論等続出し甚だ愉快なりき、散会に先ち本会の規約を左の如く定めたり

△本団体を神戸平民倶楽部と称し東京にて発行せる平民新聞の読者を以て組織し社会主義に関し研究討議するを目的とす△倶楽部員は順次に当番となりて毎月一回第二土曜日其の宅に於て例会を開く事

次回の会合は十月第二土曜日（八日）東出町一丁目百六十五小松氏宅にて開き「神戸市に於ける浮浪人の取締法を如何にすべきや」「社会主義神髄に就て」等を重なる話題と為す筈[16]

この通信をみてもあきらかなように、「神戸平民倶楽部」は神戸市の週刊『平民新聞』の読者会として組織されたのであり、社会主義に関する研究や討議を目的としていたのであった。週刊『平民新聞』の創刊以降、全国各地で社会主義の地方組織や社会主義新聞・雑誌の読者会が生まれていた。その状況は次の通りである。

一九〇四（明治三七）年四月三日　岡山平民新聞読者会（岡山いろは倶楽部）
同年四月六日　佐賀平民新聞読者会
同年四月　信州上田社会主義研究会
同年　信州今井村社会主義研究会
同年六月七日　丹後平民倶楽部
同年七月一九日　名古屋平民新聞愛読者茶話会
同年　水戸共同研究会
同年七月二四日　千葉県福岡町平民新聞読者社会主義有志談話会

同年八月一八日　横浜平民結社
同年九月一〇日　神戸平民倶楽部
同年九月一八日　下関社会主義研究会
同年九月二三日　函館平民新聞読者会
同年一〇月二日　諏訪社会主義研究会
同年一〇月二四日　信州神川村読者会
同年　北総平民倶楽部
一九〇五（明治三八）年一月八日　大阪同志会
同年七月四日　土佐平民倶楽部
同年七月四日　福岡平民新聞読者会
同年　遠陽同志楽談会

金沢大学経済学部教授の橋本哲哉によれば、活動の形跡がわずかでも確認することができるものも含めて、社会主義に関する組織や、社会主義新聞・雑誌の読者会は、全国で九六団体もあったとしている。[17]「神戸平民倶楽部」も、このような状況のなかで結成されたのである。

第二回以降の倶楽部例会

第一回例会以降の「神戸平民倶楽部」の例会は、開催されるごとに週刊『平民新聞』、それが廃刊したあとはその後継雑誌である『直言』に通信された。週刊『平民新聞』と『直言』にみられる第二回以降の例会は次の通りである。

一九〇四（明治三七）年一〇月八日　第二回例会
午後七時より東出町一丁目一六五小松丑治宅で開催。話題は「社会主義と宗教」、「当地労働者の境遇」など。来会者は一〇名。[18]

同年一一月一二日　第三回例会
午後七時より上橘町四丁目一三九ノ一の谷村某宅で開催。「初めて来会せられし人」が三～四名。話題は「社会主義と宗教」、「教育及商業」の話題。[19]

同年一二月一〇日　第四回例会
午後六時より東出町一丁目一六五小松丑治宅で開催。小松天愚（丑治）の論文朗読「焼芋主義」、岡林野花（寅松）の演説「マルクス、エンゲルスの学説」、羽山の言文一致の論文朗読「我が個人主義の解釈」、兎園の演説「社会主義者となりし動機」、社会主義と宗教についての討論。来会者は一一名。午後一〇時ごろ散会。[20]

同年一二月一七日　臨時例会
雲井通の林謙宅で開催。「社会主義伝道行商」の小田頼造・山口義三（孤剣）をむかえて。来会者は神戸署の探偵を含めた九名。午後一〇時散会。[21]

一九〇五（明治三八）年一月一四日　第五回例会
午後六時より奥平野二九六番の九永井実宅で開催。話題は普通選挙についてなど。来会者は相生橋署の刑事二名を含めた七名。午後一一時散会。[22]

同年一月三〇日　臨時例会
週刊『平民新聞』廃刊を追悼して。来会者は一〇名。午前二時散会。[23]

同年二月一一日　第六回例会
午後六時より雲井通七丁目三七の六岡醤油店で開催。岡林野花の主義の講演、小松天愚の消費組合の話、「罪ということと罪人を救う方法」に関する話題。この例会から会場前に平民倶楽部の赤提灯をつるす。来会者に「出獄人保護事業に骨を折て居る人」と「明石から遥々来会された熱心家」など六名の新顔。午前〇時散会。[24]

同年三月一一日　第七回例会
午後六時より奥平野村三一八永井実宅で開催。「神戸の労働者口入屋に就ての問題」の話題。来会者に「海員」と「元巡査で露国教会信者の或所の官吏」の二名の新顔。[25]

同年四月八日　第八回例会
午後六時より東出町一丁目一六五小松丑治宅で開催。「大阪平民社」の森近運平が来会。午前二時散会。[26]

同年五月一三日　第九回例会
東出町一丁目一六五小松丑治宅で開催。森近運平と「新顔の熱心者」の三人が来会。[27]

同年六月一〇日　第一〇回例会
午後七時より奥平野村三一八永井実宅で開催。雑誌評などの話題。当日は暴風雨のため、来会者は岡林寅松・小松丑治・永井実の三名のみ。午後一〇時半散会。[28]

同年七月八日　第一一回例会
午後七時より東出町一丁目一六五小松丑治宅で開催。[29]

同年八月一二日　第一二回例会
午後七時より東出町一丁目一六五小松丑治宅で開催。[30]

同年九月九日　第一三回例会
午後七時より東出町一丁目一六五小松丑治宅で開催。[31]

例会は当番となった会員宅を会場にして開かれ、毎月第二土曜日の午後六時もしくは七時から午後一〇時まで、ときには午前二時まで行われた。来会者は多くても一〇名前後で、第五回例会は「僅かに五名で相生橋署の刑事二名も桁にあげてヤット七名」[32]であった。このときの例会での「話端は先づ刑事との間に開かれ所謂朝憲紊乱に就いて徒らに誤解せないやう願ふと説き次に普通選挙の話をしたら刑事君「自分も大に賛成だ」と言下に答へた」[33]という。

一九〇四（明治三七）年一二月一七日の臨時例会では、「社会主義伝道行商」の小田頼造・山口義三（孤剣）をむかえているが、ふたりは同年一〇月五日に東京を出発して、郷里である山口県下関まで、徒歩で社会主義書籍を満載した赤い箱車を引きながら踏破しようとしていた。下関には一九〇五（明治三八）年一月二六日に到着しているが、兵庫県には一九〇四（明治三七）年一二月に足を踏み入れ、尼崎でマッチ製造をしていた小島種吉に会っている。小田と山口が週刊『平民新聞』に寄せた

「伝道行商の記」は、西宮・神戸・須磨・明石・加古川・姫路・赤穂での様子を伝え、同年一二月二四日に岡山県三石（現・備前市）へはいっている。[34]

会員の構成

「神戸平民倶楽部」の会員について、岡林寅松は、一九四六（昭和二一）年秋に開かれた幸徳富治・坂本清馬との対談のなかで、「僕は神戸で、小松（丑治）と社会主義研究の神戸平民倶楽部といふのをこしらへて、大石（誠之助）や東京の連中が来て、毎月やつて居た。新聞記者も、校長も、判事も来てをつた」[35]と語っている。また、一九四六（昭和二一）年一二月三日付で弁護士・森長英三郎に寄せた手紙でも、「当時会合するもの判事あり検事あり、小学校長あり船員あり、質屋の番頭あり銀行員あり、市役所書記あり、多方面の人達でなかなか面白く、荒畑勝三（注・寒村）君や山口義三君など通過中に来会したこともありました」[36]と記している。

これらの回想や手紙をみるかぎり、社会主義は、神戸においては、まず労働者層ではなく、知識人層や中間層に受けいれられたといえよう。実際、「神戸平民倶楽部」の第一回例会の来会者をみると、新聞記者三、官吏二、医師一、銀行員一、商人一、学生一、不詳一の計一〇名と、労働者層からの来会者は一人もいない。不詳一名もほかの来会者と同じように、知識人層・中間層からの来会者だったと思われる。このような傾向は、神戸だけにかぎったものではなく、ほかの地方都市で結成されていた社会主義団体の会員や、社会主義新聞・雑誌の読者層にもみられる。

一九〇四（明治三七）年夏ごろの北海道函館における週刊『平民新聞』の読者は、わずか一五、六名ほどだが、その内訳は税関吏一、小学校教師一、水上警察官一、陸軍少佐一、宣教師一、活版職一で、残りは全員商人だったという。[37] また、一九〇四（明治三七）年一〇月に『大阪朝日新聞』経済記者の三宅磐、『基督教世界』記者の杉山富史、当時『大阪朝報』で記者をしていた管野須賀子らによって計画された「大阪同志会」は、翌一九〇五（明治三八）年一月八日に第一回読者会が開かれたが、そのときの来会者は医師・銀行員・軍人・教員・新聞記者・学生など一一名であった。[38] いずれも、医師・教員・軍人・商人などの知識人層・中間層だけで、労働者層はひとりもいない。

幸徳秋水は、一九〇五（明治三八）年一月一三日に東京・神田青年会館で行った演説で、地方都市における社会主義組織と、その読者層について次のように述べている。

▲日本に於ては、全国各県、平民新聞の読書及び吾人の同志あらざるなし、既に倶楽部を組織し茶話会等の催しありて、一種の支部となれる者すら北海道、上総、下野、常陸、信濃、越後、丹後、紀伊、京都、大阪、神戸、駿河、尾張、備前、山口、肥前、豊前、日向、筑前、土佐、讃岐等の廿余県に亘る

▲而して其階級を問へば、学生、小商人、労働者尤も多く、官吏にもあり、会社銀行にもあり、女学校にもあり、某々数ヶ所の師範学校にもあり、政府が信頼して金城鉄壁となせる警察及び軍隊にも亦之れあり、現に本年元旦に第一番に平民社の門を叩いて、年賀を述べしは二人の軍人なりしにあらずや[39]

幸徳は読者層のひとつに労働者をあげているが、地方からの通信では労働者層はあまりみられない。明治社会主義は、神戸をはじめとする地方都市では、まずは知識人層・中間層に広がりや深まりをみせたのである。

例会テーマの特徴①　非戦論に関する論議がみられない

郷土史家の小野寺逸也は、論考「神戸平民倶楽部と大逆事件」(『歴史と神戸』第一三巻第二号　神戸史学会　一九七四年)で、「神戸平民倶楽部」の例会のテーマあるいは話題にみられる特徴として、非戦論についての論議がみられないことと、宗教と社会主義についての論題が三～四回もみられることの二つをあげている。[40]

ひとつ目の理由について、小野寺は官憲からの弾圧を考慮してのことであろうとしており、[41]実際に「神戸平民倶楽部」は官憲からの監視のもとで例会を開催していた。「神戸平民倶楽部」が結成されたのは、日露戦争のさなかである一九〇四(明治三七)年九月のことなので、戦争は倶楽部員にとって最大の関心事であったと思われる。岡林は、終戦後の一九四六(昭和二一)年一二月三日付で、森長英三郎に次のような手紙を寄せている。

私と小松君とが、社会主義を抱くようになったのは日露戦争の時分で、当時私共は万朝報を購読してゐましたが、同新聞主筆の幸徳秋水、堺枯川、そして内村鑑三の三人が同じく非戦論を唱へて共に万朝報を退社したとき、私も小松君も共に非戦論を是となし、引いて社会主義の正論たる

ことを知った次第で、その後神戸で小松君と共に平民クラブを設けて社会主義研究会を催してゐました[42]

一九三一（昭和六）年の『高知新聞』のインタビューでも、岡林は「丁度、日露戦争の初《ママ》まる前でした、（略）其頃、よんだ幸徳の非戦論や人道主義論に非常な感銘を覚えて知らず識らずの中に、社会主義の読物を回読するやうになりました」[43]と述べている。また、岡林は週刊『平民新聞』に「決死隊の心情」という文章を寄せている。

或地の連隊に決死隊を志願した一等卒があつた。其心情を聞いて見ると、家には両親が老いぼれて、まだ祖母も存命して居るが、二人の子供を産んだ妻と実弟とは長く病牀に臥して居る。之まで自分と妹と働いてもヤリきれない折柄召集されたので、イツソ自分の身を殺した年金で一家を支へようと決心したのであつた。（野花生投）[44]

小松も、『随筆録』で「主戦主義は只無邪気なる一の敵愾心から興った」ものであるとし、「今の社会は非戦論に耳を傾ける程度量がない、又ソシアリズムに疑問を置かんとする丈けの諏《ママ》味を持たない」と述べている。そして、「戦争は生存上避クべカラザル現象」という主戦論者の言葉や、戦争の後の「永久ノ平和」を「大誤解デアルト共ニ大乱暴ナ語デアル、戦争後ノ所謂平和ナルモノハ戦ニ疲レタ有様デ、即チ修養時代デアル、劣敗者ガ大ニ酬ヒントスル覚悟ノ時代デアルノダ」と批判している。[45]岡林と小松はいずれも非戦論者であり、非戦論については岡林と小松のみならず来会者全員に共通していたと思われる。

日露戦争が開戦されると、政府は「臨時事件費に関する法律」（三月二〇日公布）により戦争予算を組み、また「非常特別税法」（四月一日公布）を制定して、地租の三・三パーセントから四・三パーセントへの増税などを含む一一科目の税率引きあげを計画した。[46] この増税に対して、週刊『平民新聞』では一九〇四（明治三七）年三月二七日付（第二〇号）の社説に、幸徳秋水の論説「嗚呼増税！」を発表した。幸徳の論説は、この「六千余万円」の増税を問題とし、「戦争の為め」という「麻酔剤」によって「其常識を弃て、其理性を抛」った議会や政党を批判するとともに、「今の国際的戦争が、単に少数階級を利するも、一般国民の平和を攪乱し、幸福を損傷し、進歩を阻礙するの、極めて悲惨の事実たるは吾人の屡ば苦言せる所也」と戦争を否認したものである。[47] しかし、この「嗚呼増税！」の掲載により、週刊『平民新聞』の発行兼編集人である堺利彦が新聞紙条例違反に問われ、同年四月五日に堺は軽禁錮三ヶ月の判決を受け、週刊『平民新聞』は発禁処分となった。その後、堺は控訴し、四月一六日の控訴院判決では、週刊『平民新聞』の発禁処分は棄却され、堺の軽禁錮刑も二ヶ月に短縮された。

小松は、『随筆録』で、この週刊『平民新聞』への政府による弾圧と関連して、次のことを記している。

嗚呼増税を発表した平民新聞は発売停止の災に遭ふた、平民社は社会主義の主戦家である、吾は其の主義の上カラモ方法の上カラモ絶対的の平和論者である、剣を持てる敵なき共に筆を取てる敵なからん事を望むである、国家なるものが戦争を営む時に増税は自然の現象で其の計画を非難

> するは其の本末を誤つて居るのである、戦争を好むは現社会組織併《ママ》に教育が然からしむる処で其の戦争なる結果を非難した処で仕方がない、精神的改革を施して社会組織の改良を促さねば百年の大計は出来ない、不善の人を矯正せんとして其の欠点を指摘すれば其の人は悪感情を抱き其の目的を達する融はばして反対の現象を見る事がある如く軍国主義に心酔せる国民に向つて戦の惨を語るの必要がない、彼等は其の惨を以て惨とする程同情がない、戦後困難なる財政に注意せさる程熱心である、故に社会をして暫時戦の悲惨なるを悟らしめねばならぬ、吾々平和論者は迷惑であるけれどもおつき合をせねばならぬ、同伴者は其の后れて来るをも待ち合はすの義務あるなり[48]

小松は、幸徳・堺らと同じ非戦論者だが、その非戦論は「嗚呼増税！」のように増税計画など開戦後の政府を批判するのではなく、むしろ精神的な改革による社会組織の改良を促すことで、戦争の悲惨さを国民に理解させなければならないとしている。この小松の記述は、中央における社会主義運動の弾圧に対する地方での反応とともに、「神戸平民倶楽部」が非戦論や社会主義運動を展開するうえでの基本路線だったと考えられる。

例会テーマの特徴②　宗教と社会主義に関する論議がみられる

ふたつ目の宗教と社会主義については、それを取り上げた例会は、週刊『平民新聞』や『直言』をはじめとする社会主義新聞・雑誌への通信から確認できるだけで、第二回例会、第三回例会、第四回例会の計三回である。大逆事件時の小松の聴取書によれば、岡林は宗教的見地より社会主義を研究しており、小松もこの点については同様としている。[49]実際、小松は非戦論に関係して「キリストも釈か《ママ》も八百八神も殺人の為めに使はる」[50]と自身の手帳に書いている。また、中村浅吉も聖書の研究などをしていて宗教心があり、[51]「愛ト云フ人道ヲ基トシテ社会主義ヲ観」[52]ていたという。宗教と社会主義を例会のテーマに取り上げたのは、これらの理由のためであろう。第三回例会の様子を記した岡林の通信によれば、「来会者の中に基督教信者ありしことより自然に「社会主義と宗教」と云ふことに就て議論に花が咲き、或は社会主義と宗教の差別論を為すものあり、或は其の優劣を論ずるものあり、又或は両者の併行すべきものたることを論ずる人があつた」[53]という。例会への来会者のなかに「基督教信者」がいたため、社会主義とキリスト教の関係について論議されていたことがうかがえる。

それだけではなく、社会主義と仏教の関係についても論議されたと思われる。岡林は、仏教雑誌『新仏教』に岡林真冬の名前で、「私は、新仏教第一号よりの読者です。自ら新仏教徒を以て任じて居ます。森近赤人（注・森近運平）君は、よく通常会へ出ますねェ。神戸で新仏教の読者は、井上秀天君と、小松天愚君と二人知ツて居ます」[54]と寄せているように、岡林寅松・小松丑治・井上秀天《いのうえしゅうてん》は、いずれも『新仏教』の読者であった。また、井上は『新仏教』などで社会批評や平和論に関する論説を数多く発表し、東洋思想・仏教研究家として著書も出している。

とくに、岡林は、仏教雑誌『我生活』（『無我の愛』）[55]を発行していた元真宗大谷派僧侶・伊藤証信に、「『我生活』甚だ面白く楽しく残るくまなく通読いたしました。直に友人にも披露致しました」[56]と通信しており、『新仏教』のみならず『無我の愛』の読者でもあった。一九一〇（明治四三）年一二月二六日付で大逆事件被告の弁護人である今村力三郎に寄せた書簡でも、岡林は自らの思想について次のように書いている。

私の無政府主義は聞《ママ》取書もあらん通り勿論理想で、是は仏教の思想加わり（新仏教は十二年前より見てる）、寧ろ思想の一致点を認め、私共の死後の極楽天国とぜす《ママ》、此世界に理想郷を作る、これは世が進めば来るへ《ママ》き理と信し《ママ》て漠然なか《ママ》らも数世紀の後の光明を望み向上発展して行くのが人生の帰趣《ママ》であり、生活の意義と考へ、所謂宗教的信念で、無論皇室に如何なと《ママ》の考は更にありませぬ[57]

この手紙からは、岡林の社会主義・無政府主義は、社会主義の自由・平等・博愛の思想と、仏教の平和・平等思想が一体となった理想主義であるといえよう。

井上も、一九〇六（明治三九）年一月一月発行の『新仏教』第七巻第一号に掲載された論説「須磨病間録」で、「予は今の政府当局者大官連の保持せる徳操と、彼等の敵視せる社会主義者の徳操と比較して見たく欲するものなり」[58]と書いている。井上はアジア諸国の大学で原始仏教を研究していたといわれている。[59]その原始仏教には、「生きものを（みずから）殺してはならぬ。また（他人をして）殺さしめてはならぬ。また他の人々が殺害するのを容認してはならぬ。世の中の強剛な、また怯えているすべての生きものに対する暴力を蔵めて」[60]、「かれらもわたくしと同様であり、わたくしもかれらと同様であると思って、わが身に引きくらべて、生きものを殺してはならぬ。また他人をして殺させてはならぬ」[61]といった教えがある。井上も、これらの原始仏教の教義を学んでいたと考えられる。そのため、井上は自らが学んだ原始仏教の教義と、社会主義の理論が一致するという認識をもっていたと推測される。

ところで、岡林は、一九〇五（明治三八）年四月八日灌仏会の日に開かれた第八回例会の様子を記した通信に、「四月八日—一切平等絶対非戦主義の親玉お釈迦様の誕生日—に第八例会を東出町一丁目小松天愚宅にて開く」[62]と書いている。例会テーマにみられる特徴のひとつ目として、非戦論に関する論議がみられないことを官憲による弾圧への考慮によるものとしたが、宗教と社会主義を数回も取りあげたのは、非戦論に関する論議を官憲の監視からカモフラージュする目的もあったと思われる。

思想伝道

「神戸平民倶楽部」は、神戸市における週刊『平民新聞』の読者会という同志的なサークルだが、閉鎖的なグループではない。むしろ一般市民に対して、積極的に社会主義の思想伝道につとめているといえる。その結果であろうか、一九〇五（明治三八）年二月一一日の第六回例会では、「出獄人保護事業に骨を折て居る人」や「明石から遥々来会された熱心家」[63]など六名の「思はぬ新顔の人」をむかえており、この例会から会場前に平民倶楽部の赤提灯をつるしている。[64]なお、「明石から遥々来会された熱心家」とは、和歌山県新宮の大石誠之助の「住所氏名録」に書かれている「明石郡魚住村ノ内西岡村　縄本百太郎」と思われる。同年三月一一日の第七回例会では、「海員」と「元巡査で露国教会信者の或所の官吏」の二名の新顔が来会している。[65] この例会に参加した海員と同一人物と思われる者が、『直言』に「海員社会にも」という通信を寄せている。

私は卑賤なる一海員であります、病気で神戸海民病院に入院する事凡そ三ヶ月有余、○《マ》○○《マ》野花といはるゝ人は熱心なる社会主義者で、人道の為め、労働者の為め、非常に奔走せらるゝ御方である、私も主義者の一員と成りたるので直言を愛読して居ります、願はくば吾等海員社会にも早く此の伝播せんことを希望します[66]

「神戸平民倶楽部」の思想伝道が、一般市民のみならず、海員をはじめとする労働者にも積極的に行われていたことがうかがえる。岡林と小松は、海員のための医療機関である神戸海民病院に勤務しており、仕事を通じて労働者の生活の実態を見聞きしていたため、労働者への伝道も行うようになったのであろう。

一九〇五（明治三八）年五月一三日に小松宅で開催された第九回例会のときには、あらかじめキリスト教会の説教聴衆者などへ数百枚の「社会主義檄と例会広告」を撒いて宣伝している。しかし、クリスチャンはひとりも集まらず、「大阪平民社」の森近運平と「新顔の熱心者」が三人来会しただけで、「意外の少数」であった。[67]

なお、岡林は、この会合の様子を記した通信のなかで、「近頃警察が特別の保護を遊ばすことに就て一同腕を扼して感謝しました」[68]と皮肉的に書いている。同年五月一九日に岡林が森近運平に送ったはがきには、「此間神戸例会に来た海員でない新顔は甚だ怪しい様子があります、あれはスパイかドッグか知れませせぬ」[69]とあり、小松も「先夜の会合の時、鼻の高い人は全く犬でありましたらしい、阿ゝ」[70]と記している。日露戦争終結後の一九〇五（明治三八）年一二月二〇日発行の『光』第一巻第三号に、岡林は「毎月第二土曜日に例会を開いてをりますが、刑事君が臨場するので出席者が余りありませぬ、しかし何とかして倶楽部会館を設けたいと考へてをります」[71]と通信している。また、翌一九〇六（明治三九）年一月一日発行の『光』第一巻第四号にも、「僕等は之れから刑犬の来る例会は第二土曜日と定めておいて、其の外の日に誰れでも遠慮も心配もなく来ることの出来る集会を開くつもりです」[72]と寄せている。このような地方における小規模な例会でも、官憲の監視のもとで行わなければならず、それは日露戦争が終結したあとも弱まることなく続いていたのである。

〈注〉

1　『大逆事件アルバム　幸徳秋水とその周辺』（日本図書センター　一九七二年）一二五頁。
2　「宣言」週刊『平民新聞』第一号　一九〇三（明治三六）年一一月一五日。
3　幸徳秋水「戦争来」週刊『平民新聞』第一四号　一九〇四（明治三七）年二月一四日。
4　幸徳秋水「兵士を送る」週刊『平民新聞』第一四号　一九〇四（明治三七）年二月一四日。
5　幸徳秋水「戦争の結果」週刊『平民新聞』第一四号　一九〇四（明治三七）年二月一四日。
6　「平民新聞直接読者統計表」週刊『平民新聞』第五三号　一九〇四（明治三七）年七月一〇日。
7　「同情を寄せられたる諸氏」週刊『平民新聞』第一号　一九〇三（明治三六）年一一月一五日。

8　「同情語録」週刊『平民新聞』第二号　一九〇三（明治三六）年一一月二二日。
9　「諸新聞と本紙（二）」週刊『平民新聞』第三号　一九〇三（明治三六）年一一月二九日。
10　同右資料。
11　荒畑寒村『平民社時代』（中央公論社　一九七三年）一一二頁。
12　同右　三三二頁。
13　岡野某「万歳、不景気、餓死」週刊『平民新聞』第二四号　一九〇四（明治三七）年四月二四日。
14　小松丑治「随筆録」（大逆事件記録刊行会編『大逆事件記録第二巻　証拠物写（下）』世界文庫　一九六四年五九二頁）。
15　『神戸市史　本編総説』（神戸市役所　一九二一年）三二九～三三二頁、『兵庫県百年史』（兵庫県　一九六七年）五一八～五二一頁、『新修　神戸市史　歴史編Ⅳ　近代・現代』（神戸市　一九九四年）三四二～三四八頁。
16　「神戸市の読者会（第一回）」週刊『平民新聞』第四五号　一九〇四（明治三七）年九月一八日。
17　橋本哲哉「日本における初期社会主義研究の意義―とくに地方の活動に関する研究を中心に―」（『金沢大学経済学部論集』第四巻第二号　金沢大学経済学部　一九八四年　三六頁）。
18　「神戸平民倶楽部例会（第二回）」週刊『平民新聞』第四九号　一九〇四（明治三七）年一〇月一六日。
19　「神戸平民倶楽部例会（第三回）」週刊『平民新聞』第五二号　一九〇四（明治三七）年一一月六日、岡林生「神戸平民倶楽部例会（第三）」週刊『平民新聞』第五五号　一九〇四（明治三七）年一一月二七日。
20　「神戸平民倶楽部第四例会」週刊『平民新聞』第五六号　一九〇四（明治三七）年一二月四日、隣賢生「神戸平民倶楽部例会」週刊『平民新聞』第五九号　一九〇四（明治三七）年一二月二五日。
21　小田頼造・山口孤剣「伝道行商の記（十二）」週刊『平民新聞』第五九号　一九〇四（明治三七）年一二月二

22　五日、隣賢生「神戸平民倶楽部例会」週刊『平民新聞』第五九号　一九〇四（明治三七）年一二月二五日。「神戸平民倶楽部例会（第五）」週刊『平民新聞』第六一号　一九〇五（明治三八）年一月八日、兎園生「神戸平民倶楽部例会（第五）」週刊『平民新聞』第六三号　一九〇五（明治三八）年一月二二日。
23　「神戸平民倶楽部より」『直言』第二巻第二号　一九〇五（明治三八）年二月一二日。
24　「神戸平民倶楽部第六例会」『直言』第二巻第一号　一九〇五（明治三八）年二月五日、「神戸平民倶楽部第六例会」『直言』第二巻第三号　一九〇五（明治三八）年二月一九日。
25　「神戸平民倶楽部第七例会」『直言』第二巻第五号　一九〇五（明治三八）年三月五日、「神戸平民倶楽部第七例会」『直言』第二巻第八号　一九〇五（明治三八）年三月二六日。
26　「神戸平民倶楽部第八例会」『直言』第二巻第九号　一九〇五（明治三八）年四月二日、野花「神戸平民倶楽部第八例会」『直言』第二巻第一一号　一九〇五（明治三八）年四月一六日。
27　野花「神戸平民倶楽部第九例会」『直言』第二巻第一七号　一九〇五（明治三八）年五月二八日。
28　岡犬王「神戸平民倶楽部（第十例会）」『直言』第二巻第二一号　一九〇五（明治三八）年六月二五日、「岡林野花　森近赤人宛はがき（一九〇五年六月八日消印・神戸〈発〉）」（「弓削家森近資料」「森近運平を語る会」保管　森山誠一氏提供）。開催の日時について、『直言』への通信は六月二日となっているが、森近へのはがきでは六月一〇日となっている。「神戸平民倶楽部」の例会は毎月第二土曜日に開かれていたため、森近へのはがきの日時のほうが正しいと思われる。
29　「神戸平民倶楽部例会」『直言』第二巻第二三号　一九〇五（明治三八）年七月九日。
30　「神戸平民倶楽部例会」『直言』第二巻第二七号　一九〇五（明治三八）年八月六日。
31　「神戸平民倶楽部例会」『直言』第二巻第三一号　一九〇五（明治三八）年九月三日。

32 前掲兎園生「神戸平民倶楽部例会（第五）」。
33 同右資料。
34 前掲「伝道行商の記（十一）」、小田頼造・山口孤剣「伝道行商の記（十二）」週刊『平民新聞』第六〇号 一九〇五（明治三八）年一月一日。
35 幸徳富治・岡林寅松・坂本清馬談「大逆事件座談会」（中島及編・幸徳秋水著『東京の木賃宿』弘文堂 一九四九年 四七頁）。
36 「岡林真冬 森長英三郎宛書簡（一九四六年一二月三日）」（渡辺順三編『菊とクロハタ』新興出版社 一九六〇年 二〇六頁）。
37 内藤正一「函館より」週刊『平民新聞』第四三号 一九〇四（明治三七）年九月四日。
38 「大阪同志会の設立」週刊『平民新聞』第六二号 一九〇四（明治三八）年一月一五日。
39 「社会主義に対する迫害と其効果」週刊『平民新聞』第六三号 一九〇四（明治三八）年一月二二日。
40 小野寺逸也「神戸平民倶楽部と大逆事件」（『歴史と神戸』第一三巻第二号 神戸史学会 一九七四年 九〜一〇頁）。
41 同右 九頁。
42 前掲「岡林真冬 森長英三郎宛書簡（一九四六年一二月三日）」二〇六頁。
43 「幸徳秋水 大逆事件の同志 岡林寅松と語る（七） 土佐平民倶楽部の幹部と秘密文書の往復」（スクラップ帳『藻屑籠 一』個人旧蔵）。
44 岡林野花「決死隊の心情」週刊『平民新聞』第三七号 一九〇四（明治三七）年七月二四日。
45 前掲「随筆録」五九二〜五九三頁。

46　山泉進『平民社の時代　非戦の源流』（論創社　二〇〇三年）七四〜七五頁。
47　幸徳秋水「嗚呼増税！」週刊『平民新聞』第二〇号　一九〇四（明治三七）年三月二七日。
48　前掲「随筆録」五九三頁。
49　「小松丑治　聴取書」（『森長訴訟記録・Ⅳ』森長英三郎所蔵　五〇頁）。
50　小松丑治「手帳」（前掲『大逆事件記録第二巻　証拠物写（下）』五九四頁）。
51　前掲「神戸平民倶楽部と大逆事件」一六頁。
52　「小松丑治　第五回調書」（『森長訴訟記録・Ⅳ』森長英三郎所蔵　七〇頁）。
53　前掲岡林生「神戸平民倶楽部例会（第三回）」。
54　「人間消息」（『新仏教』第八巻第二号　新仏教徒同志会　一九〇七年二月一日　一一二頁）。
55　『無我の愛』は、真宗大谷派僧侶で真宗大学研究生の伊藤証信が主宰する「無我苑」の機関雑誌として一九〇五（明治三八）年六月に創刊された。同年一〇月、伊藤は運動を進めるために僧籍を返上し真宗大学を退学すると、大きな反響を呼び、徳冨蘆花・幸徳秋水・堺利彦などが賛辞を寄せた。同年一二月には、河上肇が学習院の教職を辞して、無我苑に入苑した。翌一九〇六（明治三九）年三月、無我苑の急速な発展が教団化の道をたどることを恐れた伊藤は、「修行未熟」を理由に無我苑を閉鎖したが、一九一〇（明治四三）年四月、東京・千駄ヶ谷で雑誌『我生活』を発刊し、のちに雑誌名をもとの『無我の愛』にもどした。
56　岡林野花「神戸だより」（『我生活』第七号　無我苑　一九一〇年一二月一二日　八頁）。
57　「岡林寅松　今村力三郎宛書簡（一九一〇年一二月二六日）」（専修大学今村法律研究室編『大逆事件（二）』専修大学出版局　二〇〇二年　六九頁）。
58　井上秀天「須磨病間録」（『新仏教』第七巻第一号　新仏教徒同志会　一九〇六年一月一日　八五頁）。

59 森長英三郎『内山愚童』（論創社　一九八四年）一八五頁。
60 中村元訳『ブッダのことば―スッタニパータ』（岩波書店　一九五八年）六九頁。
61 同右　一二八頁。
62 前掲野花「神戸平民倶楽部第八例会」。
63 大石誠之助「住所氏名録」（大逆事件記録刊行会編『大逆事件記録第二巻　証拠物写（上）』世界文庫　一九六四年　二三九頁）。
64 前掲「神戸平民倶楽部第六例会」『直言』第二巻第三号　一九〇五（明治三八）年二月一九日。
65 前掲「神戸平民倶楽部第七例会」『直言』第二巻第八号　一九〇五（明治三八）年三月二六日。
66 「海員社会にも」『直言』第二巻第二一号　一九〇五（明治三八）年六月二五日。
67 野花「神戸平民倶楽部第九例会」『直言』第二巻第一七号　一九〇五（明治三八）年五月二八日。
68 同右資料。
69 「岡林野花　山辺赤人（森近運平）宛はがき（一九〇五年五月一九日消印・神戸〈発〉、同日消印・大阪〈着〉）」（「弓削家森近資料」「森近運平を語る会」保管　森山誠一氏提供）。
70 「小松天愚　森近運平宛はがき（一九〇五年五月二〇日消印・神戸〈発〉、同日消印・大阪〈着〉）」（「弓削家森近資料」「森近運平を語る会」保管　森山誠一氏提供）。
71 岡林野花「神戸より」『光』第一巻第三号　一九〇五（明治三八）年一二月二〇日。
72 岡林野花「神戸より」『光』第一巻第四号　一九〇六（明治三九）年一月一日。

第三章　大阪平民社との交流

大阪平民社と森近運平

「大阪平民社」とは、一九〇五（明治三八）年三月二〇日、森近運平によって東京の平民社の大阪支社として設立された社会主義組織である。「神戸平民倶楽部」は、この「大阪平民社」と最も密接に交流しており、森近も「地方の団体で僕が関係が深いのは岡山いろは倶楽部と、神戸平民倶楽部」[1]と述べている。岡林も森近について「森近は幸徳と同じ東京の巣鴨町に住んでゐたが、一時は大阪に出て来て、本部を置き、主義の宣伝に活躍した人であるから、私は度々、往来して談合しました」[2]とのちに回想している。ここでは、地方における社会主義者たちのネットワークの一端として、結成当初の「神戸平民倶楽部」と「大阪平民社」との交流についてみていくことにする。

森近運平は、一八八一（明治一四）年一月二〇日に岡山県後月《しつき》郡高屋村（現・井原市高屋）に生まれた。一九〇〇（明治三三）年三月に岡山県農学校を首席で卒業し、一九〇二（明治三五）年には岡山県庁農政担当職員（兼属技手《ぎて》）となった。しかし、一九〇四（明治三七）年三月、浄土真宗本願寺派僧侶で岡山監獄教誨師の鷲尾教導らとともに、「平民新聞読者会」（のちに「岡山いろは倶楽部」と改称）を結成し、日露戦争への非戦論や社会主義運動に参加したため、県庁を免職となっている。その後、森近は東京の堺利彦らの勧めで大阪に出て、「大阪平民社」を設立し、大阪で社会主義運動を展開するようになった。

二〇〇九年夏、森近の妻・繁子の実家である弓削家（岡山県浅口市）から、書簡やはがきなど森近夫妻に関する八〇〇点を超える資料群が新たに見つかった。この資料群は、弓削家のくぐり門横の中二階の片隅で、一〇〇年もの間ひっそりと眠り続けていたものである。[3] そして、八〇〇点を超える資料群のなかには、岡林と小松が森近に寄せたはがきが一五通（岡林一二通、小松三通）も含まれていた。

土佐平民倶楽部との交流

「神戸平民倶楽部」は、「大阪平民社」が設立される以前にも、岡林と小松の郷里である高知市の週刊『平民新聞』読者会「土佐平民倶楽部」とも交流をもっていた。

この「土佐平民倶楽部」は、「神戸平民倶楽部」の結成から三ヶ月後の一九〇四（明治三七）年一二月四日に結成された。その中心人物となったのは、大阪砲兵工廠帰りの松岡戌雄《いぬお》と、長岡郡大津村（現・高知市大津）生まれで県立一中（現・追手前高校）を卒業したばかりの西内信意《のぶい》である。会員は、松岡と西内をはじめ、高知県会計課勤務の島田栄など一〇名程度で、なかには高知市から約二〇キロ離れた高岡町（現・土佐市高岡町）より徒歩で通っていたものもいたという。「土佐平民倶楽部」でも、「神戸平民倶楽部」と同じように、定期的に例会が開かれ、毎月第二土曜日に会合がもたれた。

会場は、当初は高知市鉄砲町（現・桜井町）上一丁目の松岡宅で行われていたが、官憲からの監視を逃れるために、土佐郡下知村（現・高知市宝永町）多賀神社前の曽我部某宅に移し、最終的には高知市中新町（現・桜井町）一丁目南側の内田久寿亀《くすき》宅の裏屋敷を常設の倶楽部とした。例会では、安部磯雄の著書『社会問題解釈法』の輪講や、『共産党宣言』の訳文についての討論などを行っていたという。会費は、月五銭であったが、のちにその人の出資能力に応じて納めることとし、またその資金のないものは納金せずともよく、しかも発言や採決の場合の権利は最大出資者と同一とすることに変更された。[4]

「土佐平民倶楽部」の元会員で『高知新聞』ジャーナリストの中島及《きゅう》によれば、「神戸平民倶楽部」と「土佐平民倶楽部」は、暗号やあぶり出しの方法で絶えず秘密の連絡をもっていたという。[5]岡林は、「土佐平民倶楽部」と、その交流について、のちに『高知新聞』のインタビューで次のように述べている。

記者「土佐にも、土佐平民倶楽部といふのがあつて、官憲の眼をぬすんでは秘密文書の往復をやつてゐたやうですね。」
岡林「そんな事もありました。」
記者「アブリ出しといつて、端書や手紙をアブつたら、秘密文書が出るといふやうな遣り方や、表面平穏な文章だが、或る特種の文字のみを拾ひ集めると、秘密文書が出たといふ方法を採つて、意見の交換をやつたといふ話ですが。」

岡林「そんなことも、あつたやうに記憶します。」
記者「その時分、あなたは野花と号して、和歌を熱心につくられ、土佐平民倶楽部の同志に送つたさうですね。」
岡林「歌は好きでしたから、随分つくりました。」（略）
記者「土佐平民倶楽部には、どんな人がゐましたか。」
岡林「領袖が松岡戍雄君で幹部としては西内信意君、○○○○君等がゐました。」
記者「松岡、西内両君も逝去しましたね。」
岡林「松岡君の死去は知つてゐますが西内君も死にましたか。」
記者「西内君は、○○を○○して投獄され、遂に獄死したさうです。」[6]

しかし、運動の核となる週刊『平民新聞』が廃刊になったことや、官憲からの弾圧が日増しに強まったこと、さらには倶楽部の中心人物である松岡戍雄が結核で亡くなったことにより、結成からわずか半年後の一九〇五（明治三八）年七月に「土佐平民倶楽部」は解散に追い込まれた。

神戸での社会主義書籍・雑誌の取り次ぎ

一九〇五（明治三八）年三月二七日、小松は森近に次のようなはがきを送っている。

謹啓　今度愈々御尽力により御当地に平民社御創立の由し吾人同志は万歳を称ふると共に一層力強く感じます。当地へも昨夏以来研究会催ふしては居ますけれど微々たるものですから何卒今後御助力を願ひます。当地の熱心なる岡林野花兄は目下宇品に公用の為め旅行中ですが四月御当地の例会には一度御訪ねいたしたいと二人が相談して居ります。[7]

「大阪平民社」の設立を祝うとともに、「大阪平民社」との協力関係の構築を願い出ている。「大阪平民社」が設立されたのは三月二〇日のことなので、「大阪平民社」とは設立された直後から交流していたことがうかがえる。

この小松のはがきから五日後の同年四月一日、岡林も森近に全文赤インク字で書かれたはがきを出している。

はがき頂きました。先夜は御来神くださいましてありがたく存じます。さて山田君御来阪の由、二十二日には　なるべく私も参りたいと存じます。神戸の演説会は御世話をしてみたいと存じますが、何れ再び申上げます。

申兼ねますが村井氏の「社会主義」、矢野安倍《ママ》氏「社会講演」、片山氏「我社会主義」を直に郵送願いたい。代金は何れ後より。

天愚君の病気軽快してきています。御安心を。

藤原君其外の諸氏へよろしく。　不一[8]

岡林は、このはがきのなかで、村井知至『社会主義』、矢野文雄・安部磯雄『社会講演』、片山潜『我社会主義』といった社会主義に関する書籍を送るよう森近に依頼している。このころの岡林と小松が森近に寄せたはがきには、『直言』や社会主義書籍の名前がたびたびみられる。これらの雑誌や書籍は、「神戸平民倶楽部」の会員が購読するためもあると思われるが、神戸市内の書店に取り次ぐという目的もあった。この時期の「大阪平民社」の活動は大きくいってふたつであった。ひとつは研究会・茶話会活動、もうひとつは『直言』をはじめとする社会主義雑誌や書籍の販売である。「大阪平民社」では、『直言』や社会主義書籍の拡張普及については、森近の郷里である岡山県の同志にも依頼するなど多方面にわたって緻密な事業計画を立てていたという。[9]「神戸平民倶楽部」でも、森近からの『直言』や社会主義書籍の拡張普及の依頼を引き受けていてもおかしくはない。実際、一九〇五（明治三八）年四月六日、岡林は森近に次のようなはがきを寄せている。

大阪平民社御設立斯主義のため賀します。一度手紙を差上げんと思ふうち御むさたになりました。来八日の例会へは御出席下さる由、喜ばしく存じます。但し微々たるものでわざわざ御来神ならば恐入りますが当地書店とも御取引の御用向もありとの事、小松天愚君目下病床にあります故当日は出来得る限りは御周旋私にせよとの事であります。私も千万自由ならぬ身ではありますが、しかし御着神の上は奥平野天王海民病院にて私を御訪ひ下さるやう願ひます。萬御面会の上にて。[10]

「大阪平民社」の設立の祝賀や、「神戸平民倶楽部」の例会への来会のお礼とともに、神戸市内で書籍を取り次ぐ書店の斡旋についても書いている。この書店への取り次ぎは実現しており、岡林が森近に寄せたはがきには、「五銭本や平民文庫、小説など沢山に御持参ならば書林へ置きたく存じます」[11]、「良人の自白十部　火の柱五部　如何いたしませう。これは書林よりの注文でしたの故即金払のわけです。神戸市元町四丁目　日東館書店宛送付ノ事」[12]、「良人の自白、火の柱は日東館へ廻しました」[13]、と、木下尚江の『良人の自白』、『火の柱』などが取り次がれていたことがうかがえる。また、小松も「本日革命婦人（注・平民社同人の著書）十五部正に落手　明朝は早速書林に持って参ります」[14]と森近に寄せており、書店への取り次ぎは、岡林個人によるものではなく、「神戸平民倶楽部」を通して行われていたと思われる。

しかし、『良人の自白』の中巻については、神戸への着荷が遅れたらしく、岡林は森近に催促のはがきを送っている。

足下御病気如何切に御養生願ひます。先達の小説の十部代まだ書林より受取ませぬが何れ次の例会に持て参る考へです。もし不参の時は為替します。良人の自白の中編二十部は預金の注文をうけまた外に二三十部位送て頂きたい。一日でも早く着荷を願ひます。[15]

為替はお受取と存じます。

更に注文しました良人の自白中巻まだ着荷しませぬか。七月二日発売ですので私は再三催促何卒至急送て頂きたい。まだ着荷してをりませねば東京本社より直接私方まで送て頂いてもよろしいかと存じます。

令室と令嬢とによろしく。[16]

『良人の自白』の中巻は七月中旬までに着荷したとみられ、「良人ノ自白　前十　中十五部天愚宅にて受取りました。中十五部別に日東館へ御送りと存仕候」[17]と森近に送っている。『直言』のほうについては、当初は売れ行きが悪かったのか、「『直言』が何時も売れ残るのは困りきりますよ」[18]、「直言の売れ残るに閉口です」[19]と書いているが、のちに「『直言』二十五号至急に十部送てください」[20]と森近に依頼している。

日本最初の『共産党宣言』の翻訳

「大阪平民社」では、さきにふれた『直言』や社会主義書籍の販売のほか、社会主義研究会や茶話会もしばしば開催されている。とくに社会主義研究会のほうは毎月二回の例会をもっていた。[21]一九〇五（明治三八）年五月一五日に開かれた「大阪平民社」の第四回例会に、「神戸平民倶楽部」の会員のなかから岡林が参加している。このときの例会の来会者は六名で、森近運平が「国家の運命」、『大阪日報』記者の高尾楓蔭《ふういん》が「富者の脱税」についてそれぞれ話し、岡林は「共産党宣言第二章」について講演している。[22]岡林は、一九〇四（明治三七）年一二月一〇日に開かれた「神戸平民倶楽部」の第四回例会でも「マルクス、エンゲルスの学説」について話しており、[23]早い時期からマルクス主義に関心をもっていたことがうかがえる。

『共産党宣言』は、一八四八年にドイツのカール・マルクスとフリードリヒ・エンゲルスによって書かれ、共産主義の目的と見解をはじめてあきらかにした著作である。この『共産党宣言』が日本で最初に翻訳されたのは、一九〇四（明治三七）年一一月一三日発行の週刊『平民新聞』第五三号で、幸徳秋水と堺利彦が共訳して掲載したものである。これは、週刊『平民新聞』創刊一周年を記念して掲載されたが、原典のドイツ語からの翻訳ではなく、マルクスの友人であるサミュエル・ムーアによる英語訳からの重訳であった。また、『共産党宣言』は全四章で成り立つが、社会主義及び共産主義の諸学説を扱う第三章は、原稿の締め切りの関係などで省略された。堺の回想によれば、当時幸徳・堺らはまだ社会主義の歴史と理論についてはほとんど何も知らず、幸徳や堺はおろか、安部磯雄や片山潜であっても、『共産党宣言』の名前は聞いているが、まだ読んだことはないという程度であったという。[24]

この『共産党宣言』の翻訳が掲載された週刊『平民新聞』は、即日発売禁止処分となり、幸徳・堺らは社会秩序を壊乱したとして新聞紙条例違反で起訴され、罰金八〇円の刑に処せられた。しかし、堺は弾圧に怯むことなく、裁判の判決文に、純粋に学術研究に関わる資料であれば、その内容が穏当さを欠くとしても、公表・刊行することは差し支えないという一句があったことに着眼し、この判決文を盾に取って、一九〇六（明治三九）年三月一五日に創刊された『社会主義研究』第一巻第一号で、週刊『平民新聞』で欠落していた第三章の翻訳も加えて全文を訳載した。日本国内で『共産党宣言』が全文翻訳・紹介され、一定の普及を遂げたのはこれが最初であった（このとき処分は受けなかった）。[25]

「大阪平民社」の例会で、岡林が講演した『共産党宣言』の第二章は、「平民と共産党」である。その内容は、共産主義の特徴は「一般財産の禁止にあらず、唯だ紳士的財産の禁止のみ」であり、共産党の直接の目的は「平民を糾合して一階級となす、曰く、紳士の権勢を顚覆す、曰く、政権を平民の手中に収む」ることである。世間では共産党が「私有財産を廃絶せんとするを見て恐怖」しているが、紳士閥が支配する現在の社会では、「人口の十分九は既に私有財産を喪へるにあらずや、而して少数人が之を所有するを得るは、一に是等十分九の多数が無一物なるが為めにあらずや、故に今の財産制は、実に社会大多数の無一物てふことを以て、其存在の要件となすもの」である。また、共産主義とは「人が社会的生産の分配に与るの権力を奪ふものにあらず、其奪はんとする所は、唯だ是等の分配方法に依て、他人の労働の圧抑するの権力のみ」と説いている。

そして、「平民をして権力階級に登らしむる」ことができれば、「平民は其政権を以つて漸次に一切の資本を紳士閥より奪取し、一切、生産機関を国家の手即ち権力階級を成せる平民の手に集中し、而して能ふ限り速に生産力の全体を増加す」ることができる。その手段方法は、国によって差異はあるが、「土地所有権の廃止及び一切の地代を公益事業に用ゐる事」、「重き累進率の所得税」、「一切相続税の廃止」、「移民及び反逆者の財産没収」、「国家の資本を以て全然独占の国民銀行を作り信用機関を集中統一する事」、「交通及び運輸機関の国有」、「国有工場及国有機関の拡張、荒蕪地の開墾、及び画一制度に応ずべき一般土地の改良」、「平等に就職の便を与ふる事、産業的（殊に農業的）軍隊の設立」、「農業と製造工業の連絡、全国の人口を按排し、漸次に都会と地方との区別を廃する事」、「公立学校に於て一切の児童に無料の教育を施す事、現在行はる、如き児童の工場労働を廃止する事、教育と産業との連絡等」である。

最後に『共産党宣言』の第二章は、「斯くの如くして漸次に発展し、階級の差別が遂に消失し、一切の生産が全国民大協同の手に集中せらる、に至れば、当時の公的権力は其政治的性質を失ふ」、つまり「階級と階級争闘とより成れる旧紳士社会を廃し、之に代ふるに、各人自由に発達すれば万人亦従つて自由に発達するが如き、協同社会を以てせんと欲するなり」と結論づける。[26]

岡林は、海員のための医療機関である神戸海民病院に勤務していた。そのため、仕事を通じて接触した海員をはじめとする神戸における労働者の実態をまじえつつ、「共産党宣言第二章」について説いたと思われる。

森近の神戸平民倶楽部への来会

岡林が「大阪平民社」の例会に参加したことにふれたが、森近も「神戸平民倶楽部」の例会に来会している。

森近が最初に「神戸平民倶楽部」の例会に参加したのは、一九〇五（明治三八）年四月八日の第八回例会のときである。そのときのことを岡林は『直言』に次のように報告している。

> 四月八日——一切平等絶対非戦主義の親玉お釈迦様の誕生日——に第八例会を東出町一丁目小松天愚宅にて開く。大阪平民社の森近君の《ママ》来席されたので、談話に花が咲いて、遂に翌朝の二時になりました。吾々同志のみの会合では仕方がないから、来月は公開演説会を催したいとの希望には皆々一致しました。（野花）[27]

報告には、来月に公開演説会を開きたいとあるが、実際に開催されたという記録や資料は残っていないため、計画のみに終わったのであろう。森近は続く同年五月一三日の第九回例会にも参加しており、その二日前の五月一一日、岡林は森近に例会への誘いのはがきを送っている。

神戸平民倶楽部第九例会
五月十三日（第二土曜夜）午后七時より兵庫東出町一丁目百六十五小松方、御都合つけば同志御誘引御来神下さいな。

五銭本や平民文庫、小説など沢山に御持参ならば書林へ置きたく存じます。

「直言」が何時も売れ残るのは困りきりますよ。

御蔭様で激《ママ》は大方まきました。

御令閨も御同伴如何です。今ならば私方で二三日は滞在できますよ。[28]

第八回例会の二日前の一九〇五（明治三八）年四月六日に岡林が森近に寄せたはがきには、「来八日の例会へは御出席下さる由、喜ばしく存じます」[29]とあり、第八回例会も第九回例会と同じように「神戸平民倶楽部」からの誘いで参加したと思われる。第九回例会の様子については、岡林が『直言』に報告している。

五月十三日の夜、東出町小松宅に開会す。兼て耶蘇協会の説教聴衆者などへ数百枚の社会主義檄と例会広告とを撒いてありました故、それだけの効能はあると思ひきや、耶蘇信者は一人も見えず。意外の少数でありましたが、新顔の熱心者が三人来会あり。大阪平民社の赤人君（注・森近運平）も来てくれました。近頃警察が特別の保護を遊ばすことに就て一同腕を扼して感謝しまし

た。（野花）[30]

岡林は、一九〇五（明治三八）年六月一〇日に第一〇回例会を開く際にも、誘いのはがきを森近に寄せている。

神戸平民クラブ第十例会
六月十日（第二土曜ノ夜）午後七時集会八時開会十時散会、奥平野村三一八永井方（日曜学校楼上）
御来神下さいますなら会場は私の病院より遠くありませぬ故私方まで願ひます。
　良人の自白、火の柱は日東館へ廻しました。
　火の柱、の表情的朗読おもしろいね。
かしこ[31]

しかし、「かねて周囲の湯屋などへ室《ママ》内広告をしておきましたが、当夜は折柄暴風雨で、会場の永井君と天愚生と野花生との三人のみ。種々の雑誌の評などして、十時半に切りあげました」[32]と通信しているように、暴風雨のためであろうか、森近は来会せず、参加者も岡林寅松・小松丑治・永井実のわずか三名だけであった。

大阪平民社の閉鎖

「神戸平民倶楽部」をはじめとする社会主義団体との交流や、社会主義研究会や茶話会の開催など積極的な活動を展開していた「大阪平民社」だったが、一九〇五（明治三八）年七月ごろから積極的な活動はあまりみられなくなった。[33]その理由は官憲からの厳しい迫害・弾圧である。警察は、研究会への来会者を内偵するだけではなく、昼間でも常時二名の制服警官が「大阪平民社」の前を見張らせ、「大阪平民社」への常連にはすべて尾行がつけられた。[34]この状況にさらに追い打ちをかけたのが、同年九月五日の日露戦争講和反対の日比谷焼き打ち事件後の弾圧強化による『直言』廃刊と、東京の平民社の解散である。

一九〇五（明治三八）年一〇月九日、岡林は森近に次のようなはがきを送っている。

平民社も解散するとや大阪は如何なさるか。神戸平民は決して決してこれは団体ですから経済上の恐もないです。

直言は直行団より発行せらる、でせうね。先達為替しましたが差引ての勘定書送て下さい。良人自白　中が七部残而ますよ。

火の柱一部送て下さいな。[35]

小松も同年一〇月一四日に森近へはがきを送っている。

社会主義が真理ならざればそは自然に亡びんのみ、吾等は正義公道を解散する能わず、神戸平民は内部愈々固く今夜例の如く例会を開く、君どうしたの。[36]

これらのはがきから、岡林や小松をはじめ「神戸平民倶楽部」の会員は、東京の平民社解散後も活動を続けていくことだけではなく、一九〇五（明治三八）年一〇月ごろには、「大阪平民社」は設立からわずか半年で窮地に立たされていたことがうかがえる。しかし、これらのはがきが森近に寄せられたのと前後した時期に、「大阪平民社」は閉鎖を余儀なくされた。「大阪平民社」閉鎖後、森近は同年一一月に単身上京し、堺利彦と相談のうえ、平民舎ミルクホールの経営を決意する。

〈注〉

1　森近生「編輯だより」『光』第一巻第一四号　一九〇六（明治三九）年六月五日。
2　「幸徳秋水　大逆事件の同志　岡林寅松と語る（九）　同志を推薦しただけで死刑　森近運平のこと」（スクラップ帳『藻屑籠　一』個人旧蔵）。なお、岡林は森近について「曽ては、何んでも高知の附近、布師田《ぬのしだ》方面に住んでゐたやうです」とも述べているが、これは奥宮健之（現在の高知市布師田出身）の記憶違いと思われる。
3　森山誠一編「「大逆事件」関連の新たな森近関係書簡類―新発見の「森近運平夫妻関係弓削家資料」より」（『初期社会主義研究』第二二号　初期社会主義研究会　二〇一〇年　一七一頁）。
4　「土佐平民倶楽部」の活動については、山泉進「日露戦争と土佐平民倶楽部」（『土佐史談』第二三〇号　土佐史談会　二〇〇五年）、鍋島高明『高知新聞ブックレット№１４　反骨のジャーナリスト　中島及と幸徳秋水』（高知新聞社　二〇一〇年）、鍋島高明編『中島及著作集　一字一涙』（高知新聞社　二〇一四年）参照。
5　中島及編・幸徳秋水著『東京の木賃宿』（弘文堂　一九四九年）一五〜一六頁。
6　「幸徳秋水　大逆事件の同志　岡林寅松と語る（七）　土佐平民倶楽部の幹部と秘密文書の往復」（スクラップ帳『藻屑籠　一』個人旧蔵）。

7 「小松天愚 森近運平宛はがき（一九〇五年三月二七日消印・神戸〈発〉）」（「弓削家森近資料」「森近運平を語る会」保管 森山誠一氏提供）。以下、「弓削家森近資料」の岡林寅松・小松丑治書簡の判読は別役佳代氏と森山誠一氏による。

8 「岡林野花 森近運平宛はがき（一九〇五年四月一日消印・大阪〈着〉）」（「弓削家森近資料」「森近運平を語る会」保管 森山誠一氏提供）。

9 大阪社会労働運動史編集委員会編、渡部徹・木村敏男監修『大阪社会労働運動史 第一巻 戦前編』（大阪社会運動協会 一九八六年）三二五頁。

10 「岡林野花 森近運平宛はがき（一九〇五年四月六日消印・神戸〈発〉、同日消印・大阪〈着〉）」（「弓削家森近資料」「森近運平を語る会」保管 森山誠一氏提供）。

11 「岡林野花 森近赤人宛はがき（一九〇五年五月一一日消印・大阪〈着〉）」（「弓削家森近資料」「森近運平を語る会」保管 森山誠一氏提供）。

12 「岡林野花 山辺赤人（森近運平）宛はがき（一九〇五年五月一九日消印・神戸〈発〉、同日消印・大阪〈着〉）」（「弓削家森近資料」「森近運平を語る会」保管 森山誠一氏提供）。

13 「岡林野花 森近赤人宛はがき（一九〇五年六月八日消印・神戸〈発〉）」（「弓削家森近資料」「森近運平を語る会」保管 森山誠一氏提供）。

14 「小松天愚 森近運平宛はがき（一九〇五年五月二〇日消印・神戸〈発〉、同日消印・大阪〈着〉）」（「弓削家森近資料」「森近運平を語る会」保管 森山誠一氏提供）。

15 「岡林野花 森近運平宛はがき（一九〇五年六月二八日消印・神戸〈発〉、同日消印・大阪〈着〉）」（「弓削家森近資料」「森近運平を語る会」保管 森山誠一氏提供）。

16　「岡林野花　森近運平宛はがき（一九〇五年七月六日消印・神戸〈発〉）」（「弓削家森近資料」「森近運平を語る会」保管　森山誠一氏提供）。
17　「岡林野花　森近運平宛はがき（一九〇五年七月一六日消印神戸〈発〉、同年七月一八日消印・大阪〈着〉）」（「弓削家森近資料」「森近運平を語る会」保管　森山誠一氏提供）。
18　前掲「岡林野花　森近赤人宛はがき（一九〇五年五月一一日消印・大阪〈着〉）」。
19　「岡林野花　森近赤人宛はがき（明治三八年六月三日消印・神戸〈発〉、同日消印・大阪〈着〉）」（「弓削家森近資料」「森近運平を語る会」保管　森山誠一氏提供）。
20　「岡林野花　森近赤人宛はがき（一九〇五年七月二五日消印・大阪〈着〉）」（「弓削家森近資料」「森近運平を語る会」保管　森山誠一氏提供）。
21　荒木傳『なにわ明治社会運動碑（下）』（柘植書房　一九八三年）四二五頁。
22　「社会主義研究会（大阪平民社）」『直言』第一七号　一九〇五（明治三八）年五月二八日。
23　隣賢生「神戸平民倶楽部例会」週刊『平民新聞』第五九号　一九〇四（明治三七）年一二月二五日。
24　堺利彦「共産党宣言日本訳の話」（『労農』第四巻第二号　労農社　一九三〇年　一五九頁）。
25　同右　一五九〜一六〇頁。
26　幸徳秋水・堺利彦共訳「共産党宣言」週刊『平民新聞』第五三号　一九〇四（明治三七）年一一月一三日。
27　野花「神戸平民倶楽部第八例会」『直言』第二巻第一一号　一九〇五（明治三八）年四月一六日。
28　前掲「岡林野花　森近赤人宛はがき（一九〇五年五月一一日消印・大阪〈着〉）」。
29　前掲「岡林野花　森近運平宛はがき（一九〇五年四月六日消印・神戸〈発〉、同日消印・大阪〈着〉）」。
30　野花「神戸平民倶楽部第九例会」『直言』第二巻第一七号　一九〇五（明治三八）年五月二八日。

31　前掲「岡林野花　森近赤人宛はがき（一九〇五年六月八日消印・神戸〈発〉）」。
32　岡犬王「神戸平民倶楽部（第十例会）」『直言』第二巻第二一号　一九〇五（明治三八）年六月二五日。
33　前掲『大阪社会労働運動史　第一巻　戦前編』三二五頁。
34　同右　三二五頁。
35　「岡林野花　森近運平宛はがき（一九〇五年一〇月九日消印・神戸〈発〉、同日消印・大阪〈着〉）」（「弓削家森近資料」「森近運平を語る会」保管　森山誠一氏提供）。
36　「小松天愚　森近運平宛はがき（一九〇五年一〇月一四日消印・神戸〈発〉、同日消印・大阪〈着〉）」（「弓削家森近資料」「森近運平を語る会」保管　森山誠一氏提供）。

《第Ⅱ部》

第四章　社会主義運動の分裂とその影響

社会主義運動の分裂①　唯物派とキリスト教派

一九〇五（明治三八）年九月五日の日露戦争講和反対の日比谷焼き打ち事件後の弾圧強化にともない、同年九月一〇日発行の第三二号で『直言』は廃刊となり、平民社も一〇月九日に解散となった。平民社が解散したのち、「非戦論」という共通の理念を失った社会主義運動は、対立・分裂の道をつきすすんでいくことになった。「神戸平民倶楽部」は、中央での社会主義運動の分裂後、どのようにして活動を続けていたのであろうか。まずは中央での社会主義運動の分裂の経緯についてみていくことにする。

最初にまず分裂したのが、キリスト教社会主義者と唯物派の社会主義者である。両者はそれぞれの機関雑誌として、キリスト教社会主義者は『新紀元』、唯物派の社会主義者は『光』を創刊した。『新紀元』の中心人物は、安部磯雄・石川三四郎・木下尚江であり、「吾人の所謂革命は（略）物慾の覇者を倒して至愛なる神の王国を建設せんと欲するに在り」[1]を基本的な運動の理念としていた。そのため、『新紀元』は主に知識人層を対象にした総合雑誌というべき性格をもっていた。一方の『光』は、山口義三（孤剣）・西川光二郎が中心となり、創刊号の第一面の欄外に「凡人主義の新聞《ママ》」[2]と大きく書いているように、大衆向けの雑誌を理念としていた。

また、地方の運動に対する姿勢も、『新紀元』と『光』では異なっていた。経済学者の隅谷三喜男が「『新紀元』には地方的組織ないしグループというものは殆んど存しなかった」[3]と指摘しているように、『新紀元』には地方からの通信はほとんど掲載されていない。一九〇五（明治三八）年一一月一〇日発行の第二号に、「湘南平民倶楽部の移転」として、「湘南平民倶楽部は横須賀逸見四、九四平民舎に移転す、又同所に於て機関雑誌、書類取次、又小説貸本等の事を営む」という通信が唯一掲載されているのみである。[4]これに対して、『光』は「社会運動彙報」や「同志の運動」といった欄を設けて、地方の社会主義者からの通信を毎号にわたって掲載している。幸徳秋水・堺利彦をはじめ、明治四〇年代に活躍する社会主義者の多くはこの『光』を支持していた。

キリスト教社会主義者と唯物派の社会主義者は、分裂したものの、キリスト教を信仰するか否かの点を除いては、対立というほどのものではなかった。分裂した社会主義運動のなかでも、はげしく対立をしていたのが、直接行動派と議会政策派であった。

社会主義運動の分裂②　直接行動派と議会政策派

一九〇六（明治三九）年一月七日、日比谷焼き打ち事件の責任をとるかたちで総辞職した第一次桂太郎内閣にかわって、第一次西園寺公望内閣が成立した。これを機に、同年一月一四日、西川光二郎らが日本平民党、一月二九日には堺利彦らが日本社会党の結社届けを出し、いずれも受理された。同年二月二四日、合併した両党は第一回大会を開き、二月二八日には結社届けが受理され、日本で最初の合法的な社会主義政党「日本社会党」が結成された。日本社会党は、党則の第一条で「本党は国法の範囲内に於て社会主義を主張す」[5]と述べているように、当初は議会政策の合法主義を採っていた。しかし、この主義を変化させたのが、アメリカから帰国した幸徳秋水であった。

一九〇六（明治三九）年六月二八日、幸徳の帰国歓迎会が開かれ、その席で幸徳は「世界革命運動の潮流」について演説し、労働者によるゼネラル・ストライキを訴えた。幸徳の直接行動論は、中央の社会主義者の間に急速に広がり、片山潜・田添鉄二ら議会政策派との対立が次第に目立つようになった。そして、一九〇七（明治四〇）年二月一七日の日本社会党第二回大会では、幸徳らの直接行動派と田添ら議会政策派とがはげしく対立した。

第二回大会では、党則の第一条が「本党ハ国法ノ範囲内ニ於テ社会主義ヲ主張ス」から、「本党は社会主義の実行を目的とす」に改正された。これは、社会主義は啓蒙の時代から実行の時代に入ったことを意味しており、日本社会党は啓蒙の党から実行の党に変化していた。大会での直接行動派と議会政策派の対立は、評議員提出の決議案をめぐって表面化した。

我党は現時の社会組織を根本的に改革して生産機関を社会の公有となし人民全体の利益幸福の為に之を経営せんと欲する者なり

我党は此目的を持し現時の情勢の下に於て左の件々を決議す

一、我党は労働者の階級的自覚を喚起し、其団結訓練に勉む

一、我党は足尾労働者の騒擾に対し遂に軍隊を動かして之を鎮圧するに至りしを遺憾とし之を以て甚しき政府の失態なりと認む（注・この大会の直前、栃木県足尾銅山の坑夫たちが待遇改善などを訴えて暴動を起こし、鎮圧のために軍隊が投入されている）

一、我党は世界に於ける諸種の革命運動に対し深厚なる同情を表す

一、左の諸問題は党員の随意運動

い、治安警察法改正運動

ろ、普通選挙運動

は、非軍備主義運動

に、非宗教運動

この決議案に対して、田添鉄二と幸徳秋水がそれぞれ修正案を提出した。

田添は、足尾銅山暴動事件に関する第二項の前に「一、我党は議会政策を以て有力なる運動方法の一なりと認む」という一項を加え、「ろ、普通選挙運動」を削除するよう要求した。一方の幸徳は、第一項の「我党は」のあとに、「議会政策の無能を認め専《もっぱら》」の一文を加えて、田添と同じく「ろ、普通選挙運動」を削除するよう要求した。[6]これらの案をめぐって、田添の議会政策論と、幸徳の直接行動論との論戦が展開された。

まず、田添は次のように主張した。

日本全体に於ける労働階級に対する教育手段としては成るべく一般的の材料を取らねばならぬ

（略）一般平民階級の自覚を喚起するに最も適したる材料は此議会政策を措いて他にないと信ずるものであります（略）我々は大に議会政策を行ひ総ての平民階級の上に政治的教育をやらねばならぬ此理由よりして私は向後も此議会政策を以て党の有力なる一方針として持続して行きたい（略）殊に此議会政策は権力階級紳士閥に対して最も有力なる一個のデモンストレーション（示威運動）の機会、場所、仕事である（略）議会は日本の政治組織の中枢である（略）現社会を組織する権力階級資本家制度の利害の中心点は議会である此の彼等の利害の中心点に向つて労働団結の勢力を向け平民自覚の弾丸を抛つと云ふ事は最も必要にして且つ有効なる事業であります（略）議会といふ門を開いて権力者が此処から談判にお出でくださいと云つてるのに態々（略）裏へ廻つて壁を破つたり窓を打たずとも可いでは無いか私は行かれる所まで（略）行くのがどうしても順序であると思ふ[7]

田添に続いて、幸徳が議会政策を批判し、直接行動の必要性を説いた。

抑も議会なるものは（略）今の紳士閥即ち中等階級が、貴族の専制政治を倒す為に造つた器械である、而して一方には専制政治を倒すと共に、我々労働階級の血と汗とを搾り取る為に案出せられたる器械である、（略）然るに労働階級が今此紳士閥を倒す為にも矢張り此機械に依らねばならぬと云ふ必要何処にある、（略）労働者に（略）自覚を以て議会に迫る力が出来た以上は何も議会と云ふ門を通らねばならぬと云ふことはない、直ちに権力階級に肉薄すればよいのである（略）実際労働階級の自覚と訓練によりて、全く資本を公有にすると云ふ場合には、決して労働者に首領の必要はない（略）労働者が自覚して団結すれば、此団結に敵する力は世界にない、議会は解散し、買収することが出来る然し労働者の直接行動はそうではない、（略）昔の革命は中等階級、即ち第三階級が貴族に対する革命であつたから、議会に依て出来たのである、今日の革命は労働者の革命である、労働者は議会に上るの必要はない、議会は取れなくてい丶、土地を取ればい丶、金を取ればい丶、取る可き権利ありと信ずる所のものさへ取ればい丶、何月何日から労働者を引渡すと云ふような法律を決めてから取るの必要はない、（略）普通選挙（略）の如きは、我々が遣らなくても紳士閥が之を遣て居る、何も社会党が夫を遣ることはない、況んや普通選挙が却て邪魔になる場合がある、即ち労働者の自覚が出来た場合に、代議士の存在は却て革命の気焔を弱める、（略）今日社会党が議会政策や議員の力を信ずるか、或は労働者自個の力を信ずるかと云ふ分岐点は、将来社会党が紳士閥の踏台となるか否かの運命を決する分岐点となることを信ずる[8]

田添と幸徳らの論戦が終結したのち、採決が行われ、結果は田添案二票、幸徳案二二票、評議員案二八票であった[9]。大会決議案は評議員提出の原案が可決されたが、田添の議会政策論よりも、幸徳の直接行動論を支持する者が多かったことがうかがえる。

これに対して、政府は日本社会党第二回大会の決議と、田添と幸徳の演説を掲載した日刊『平民新聞』第二八号（一九〇七年二月二八日）を、社会秩序を乱すものとして告発した。そして、一九〇七（明治四〇）年二月二二日、日本社会党は治安警察法によって結党禁止を命じられ、日本最初の合法的な社会主義政党はわずか一年で消滅した。

このようにして、日本の社会主義運動は、幸徳秋水・大杉栄ら直接行動派、片山潜・田添鉄二・西川光二郎ら議会政策派、堺利彦・森近運平ら中間的折衷派（議会政策・直接行動併用論者）、キリスト教社会主義者の安部磯雄・木下尚江・石川三四郎ら『新紀元』同人などに分裂したのである。

神戸にも波及した日露講和反対運動

日露戦争講和反対の日比谷焼き打ち事件の騒動は、全国各地に波及し、やがて神戸にも飛び火した。当時神戸で発行されていた新聞には、「断然和同を破棄すべし」、「吁、屈辱の和議」（『神戸新聞』一九〇五年九月三日）、「是国民奮起の秋」（『神戸新聞』一九〇五年九月四日）、「果して宣戦の目的を達したる乎」（『神戸又新《ゆうしん》日報』一九〇五年九月五日）などの社説を掲げたのをはじめ、政府を非難し講和に反対する記事や投書で紙面は埋め尽くされた。『神戸又新日報』には、「講和成立に対する寄書」欄が設けられ、「神戸市民は眠れるか、屈辱的講和に甘んずるか、何故に大会を開いて満天下の同胞に訴へざるか」などの投書が掲載された。一九〇五（明治三八）年九月六日夜、神戸市選出の代議士、市会議員、区会議員、新聞記者たちの会合があり、九月九日に市民大会を開くことを決定した。

しかし、市民大会の開催に先立って、同年九月七日午後七時、湊川神社前の大黒座で非講和演説会が開かれ、詰めかけた群衆で会場の舞台の支柱が折れるほどの盛会であった。この演説会のあと、聴衆の一部が湊川神社に入り込み、境内にあった初代兵庫県知事・伊藤博文の銅像を引き倒し、そのまま綱を銅像にかけて行進をはじめた。行進に加わったのは数百名にものぼった。そして、道すじの相生町派出所を襲撃したのち、有馬口派出所にも投石し、さらに西門筋を西に荒田筋を折れて、多聞通に出て福原口派出所前に銅像を捨てていった。福原口派出所前には灯のついたままの掛提灯が投げ込まれ、派出所前の商店は投石された。午前〇時ごろ、群衆は市民大会が開催される「明後日がある」と叫びながら解散した。

警察側では八日午前〇時になって憲兵隊とともに警戒体制を整えたが、同日午後七時半、湊川神社で再び講和反対の演説会が有志によって開かれた。警察は、数十名の警官を急行し、演説会を散会させたが、群衆が湊川神社西門で再び街頭演説会を開こうとしたため、これを阻止しようとした警官隊と乱闘となった。これによって、暴徒化した群衆は福原口などの派出所を襲撃し投石を行った。暴徒は、警官隊の包囲によって午前二時半ごろに解散し、一四名が逮捕された。神戸では、民衆の暴徒化が先行するかたちで市民大会が開かれることになったのである。

九月九日午後〇時ごろ、新開地（現・兵庫区）の湊川遊園地で市民大会が開かれ、参加者は三万人にものぼった。大会が終わっても、群衆はなかなか解散せず、再び騒擾を引き起こした。午後七時半ごろ、群衆は荒田町・湊川神社西門・有馬道などの派出所を襲撃したが、湊川で警官隊一〇〇余名と群衆四〜五〇〇名が対峙し、群衆は指導者が逮捕されてはじめて解散した。その後、再び派出所が襲撃されるなど、各所で警官との小競り合いがみられた。群衆は夜半になっても解散せず、一〇日午前一時半には湊川遊園地などに二〇〇余名が集まったため、一〇〇名近い警官が出動し、四八名が逮捕され、午前二時半になってようやく群衆は解散した。

この三日間の騒擾での被検挙者は七二名にものぼった。そして、その多くが荒田町（現・兵庫区）・東川崎町・楠町・相生町（現・中央区）などのスラムに住む仲仕・鍛冶職・雇人・店員・鉄工などの下層労働者であった。[10] さきにふれたように、「神戸平民倶楽部」の会員は中間層や知識人層が大半を占めていたが、このころの労働者層には非戦論や社会主義がまだあまり普及していなかったことがうかがえる。

『直言』は、日比谷焼き打ち事件後の弾圧強化にともない、廃刊となったが、神戸での講和反対運動が「神戸平民倶楽部」にどのような影響をもたらしたのかは不明である。ただ、それから四年後、岡林は自身の『明治四十二年懐中日記』に「天長節なれと吾は関せす焉」（一一月三日）、「伊藤公（注・伊藤博文、この年の一〇月二六日にハルピン駅構内で暗殺された）の葬式なりこれも吾関せす焉」（一一月四日）と書いている。[11] そのため、大逆事件の供述調書でこれらのことを追及されている。

問、其日記ノ十一月三日ヲ見ルト　天長節ナレド我関セズ焉ト書アルカ是ハ如何ナル事カ

答、私ノ自宅ナドニハ国旗モ掲ゲハ致シマセヌシ拝賀ニ往クノデモナク平日ト異ツタ事ハアリマセヌカラ其通リ書キマシタノデス

問、小松モ被告同様ニ此佳節ナドニ於テ国旗等ハ掲テハナヒノカ

答、私同様掲ゲハ致シマセヌ

問、其翌四日ニハ「伊藤公ノ葬儀ナリ我関セズ焉」ト書アルガ矢張リ被告ガ書タノカ

答、新聞ニハ余誇大ニ書キマスガ私共カラ見レバ普通ノ人ガ死ダト格別違ヒアリマセヌ故、ソレデ書キマシタデス[12]

日露戦争終結直後の神戸平民倶楽部

日露戦争が終結した直後の一九〇五（明治三八）年一二月ごろ、岡林は『光』に次のような通信を寄せている。

旧臘二十日神戸奥平野付永井氏宅で同志の忘年会を開きました。私は年と共に忘れたいことは或意味に於て日露戦争及びこれに附帯するありとあらゆる罪悪なりと叫びましたが、凡夫の悲しさ忘れきれませぬ。それで今年よりは一生懸命で運動をやらうと思ひます。同志の内に貧民窟の附近に居住する者がありますが社会主義的夜学校を設け或は少年の為社会主義日曜学校をやるとの話です。

忘年会の福引に「今夜の集会」に空箱が当りました。「犬も猫もかぎつけぬ」ですと。それから「己れが執つて動かぬは断じて此の」に下駄の杉台が当りました。これは杉台は「主義ダイ」の洒落ですと。（岡林真冬）[13]

この通信で「今年よりは一生懸命で運動をやらうと思ひます」と述べているにもかかわらず、一九〇六（明治三九）年はじめから翌一九〇七（明治四〇）年前半にかけて、「神戸平民倶楽部」の表立った活動はほとんどみることができない。岡林も、一九〇七（明治四〇）年五月一七日に、「大阪平民社」の森近運平に寄せた手紙のなかで、「神戸平民は振ひませぬ」[14]と記している。しかし、そのような活動状況のなかでも、次のふたつだけは確認することができた。

一九〇六（明治三九）年二月に日本社会党が結成されると、岡林は「医士」の肩書で岡林真冬の名前で入党しており、[15]同年五月二九日から六月一四日の間に金三〇銭を寄付している。[16]『光』には党員名簿が掲載されているが、そこには小松らの名前が見られないため、岡林の入党は「神戸平民倶楽部」を代表したものであろう。

また、この年の春から夏にかけて、『赤旗』という社会主義雑誌の発行を計画している。[17]この『赤旗』の発行計画は、岡林寅松・小松丑治・北川龍太郎・中村浅吉・松尾涙村によるものであったが、[18]資金不足や印刷を引き受けてくれるところがなかったため、発行には至らなかったという。[19]『赤旗』の発行計画は、『光』でも「岡林野花氏　は神戸の同志を中心として『赤旗』と称する社会主義雑誌を発行する由」[20]と伝えている。岡林は大逆事件時の供述調書で『赤旗』を「社会主義ノ学術的雑誌ヲ拵ヘル計画テアリマシタ」[21]と述べており、「学術的雑誌」とは秘密出版ではない合法的な研究雑誌という意味合いと思われる。創刊号予定の原稿は、大逆事件の家宅捜索の際に、中村のもとから「雑誌「赤ハタ」原稿ト題スル原稿綴　壱綴」として押収されており、[22]その発刊の辞は中村が書いたものである。[23]大逆事件の判決書では、無政府共産主義を「鼓吹センカ為メ赤旗ト称スル雑誌ヲ発刊セント図リ」[24]と、『赤旗』の発行計画を重視しているが、岡林と小松の聴取書や予審調書をみるかぎりではあまり深く追及されていない。そのため、井上秀天が「忙中閑話」という題の原稿で「多年忠君ノ鑵詰ヤ、武士道ノエキスヤ、愛国ノ煮〆ヤ、金鵄勲章ノミルクヤ、正○位ノ飴ヤ、勲○等ノ砂糖水ニ飽キ果テタ」[25]などの鋭い社会風刺の文章を書いていたことを除いては、あまりラジカルな内容ではなかったと考えられる。

神戸平民倶楽部への弾圧

一九〇六（明治三九）年はじめから翌一九〇七（明治四〇）年前半にかけて、「神戸平民倶楽部」の表立った活動がみられない要因について、まず考えられるのが官憲からの弾圧である。一九〇五（明治三八）年末ごろ、岡林は『光』に次のような通信を立て続けに寄せている。

毎月第二土曜日に例会を開いてをりますが、刑事君が臨場するので出席者が余りありませぬ。しかし何とかして倶楽部会館を設けたいと考へてをります。（岡林野花）[26]

僕等は之れから刑犬の来る例会は第二土曜日と定めておいて、其の外の日に誰れでも遠慮も心配もなく来ることの出来る集会を開くつもりです。第二土曜会は兵庫東出町一丁目百六十五小松方で開きます。（岡林野花）[27]

さきにふれたように、倶楽部の例会は常に官憲の監視のもとで行われており、それは日露戦争が終結した後も弱まることなく続いていた。「刑事君が臨場するので出席者が余りありませぬ」と述べているように、官憲からの監視と干渉で会員が例会に参加することができなくなっていたのであろう。そして、このような社会主義団体に対する弾圧は、神戸だけにかぎったことではなく、ほかの地方でもみられたと考えられる。一九〇六（明治三九）年五月二〇日発行の『光』第一巻第一三号には、「各地方の社会主義団体」として、次の一〇団体をあげている。

▲曙会（横浜市戸部町三丁目吉田只次方）
▲焔会（常陸柿岡町小木曽克堂方）
▲同胞会（下野佐野町近藤政平方）
▲いろは倶楽部（岡山県窪郡大高村大字老松）
▲渋茶会（弘前市笹森修一方）
▲平民倶楽部（紀伊新宮町）
▲社会主義研究会（紀伊串本矢倉松太郎方）
▲北総平民倶楽部（下総印旛郡八生村坂宮半助方）
▲神戸平民倶楽部（兵庫東出町一ノ一六五小松方）
▲湘南平民倶楽部（横須賀辺見四九四）
右は何れも毎月定期に研究会茶話会等を開きて主義の研究及び伝道に尽力しつゝある団体なれば同地方の読者は互に一致協力せられんを望む。尚ほ不明なる団体少なからざれば各地の団体の所在地と主任者とを御一報を乞ふ。[28]

橋本哲哉は、活動の形跡がわずかでも確認することができるものも含めて、社会主義に関する組織や、社会主義新聞・雑誌の読者会は、全国で九六団体もあったとしているが、[29]日露戦中や戦後の官憲による弾圧から生き残った地方の社会主義団体は、これら一〇団体だけしかなかったと考えられる。「神戸平民倶楽部」も生き残った団体のなかのひとつであったが、県庁所在地での団体は神戸のほかには横浜しかないため、とくに大都市での弾圧が著しかったのであろう。

岡林寅松の病気

「神戸平民倶楽部」の表立った活動がみられない要因で、もうひとつ考えられるのが、倶楽部の中心人物である岡林の病気である。一九〇七（明治四〇）年三月ごろ、小松は日刊『平民新聞』に次のような通信を寄せている。

明石の縄本君からの通信に神戸の研究会を開けとの事ですが岡林野花君も小生も旧冬以来業務多忙の為め運動も出来ませなんだ、春早々には大にやるつもりでしたが又々野花兄は一ヶ月前より病気にて大に弱つて居りましたが昨今では床中にて四十二章経を研究して居る、然し未だ仏さんにはならぬから安心してくれ玉へ。（神戸平民倶楽部にて　天愚）[30]

岡林の病気については、岡林自身も前掲の森近への手紙のなかで、「春来貧と病とに疲れし」[31]と通信しており、病気によって海民病院での仕事のみならず、「神戸平民倶楽部」の活動もできなかったことを意味しているのであろう。

小松の通信には、「岡林野花君も小生も旧冬以来業務多忙の為め」とあり、岡林の病気は過労によるものと思われる。のちに岡林は、神戸海民病院での仕事について、「僕は当時湊川病院（注・神戸海民病院）で事務をやって居り、院長代理のやうなこともやってをつた」[32]と述べている。『神戸市伝染病史』によれば、一九〇五（明治三八）年から一九一〇（明治四三）年にかけて、神戸市ではペストが流行していたため[33]、岡林と小松の「業務多忙」にはペストの流行と関係があったと推測される。しかし、自身の研究への意欲は衰えておらず、病のなかでも仏教最初の漢訳経典とされる『四十二章経』を読んでいたことがうかがえる。

「神戸平民倶楽部」と交流のあった「土佐平民倶楽部」は、さきに述べたように、官憲からの弾圧と、倶楽部の中心人物である松岡戌雄が亡くなったことにより、倶楽部は解散に追い込まれた。一九〇六（明治三九）年はじめから翌一九〇七（明治四〇）年前半にかけての「神戸平民倶楽部」も、「土佐平民倶楽部」と同様で、日露戦争終結後も弱まることのない官憲からの弾圧と、倶楽部の中心人物である岡林の病気により、活動ができなくなっていたといえよう。

〈注〉

1　「日本国民の使命」『新紀元』第一号　一九〇五（明治三八）年一一月一〇日。

2　『光』第一巻第一号　一九〇五（明治三八）年一一月二〇日。

3　隅谷三喜男「『新紀元』解説」（労働運動史研究会編『明治社会主義史料集第三集　新紀元』明治文献資料刊行会　一九六一年　Ⅷ頁）。

4　『新紀元』第二号　一九〇五（明治三八）年一二月一〇日。
5　「日本社会党々報」『光』第一巻第八号　一九〇六（明治三九）年三月五日。
6　「日本社会党大会」日刊『平民新聞』第二八号　一九〇七（明治四〇）年二月一九日。
7　「田添鉄二氏の演説要領（一昨日社会党に於ける）」日刊『平民新聞』第二八号　一九〇七（明治四〇）年二月一九日。
8　「幸徳秋水氏の演説要領（一昨日社会党に於ける）」日刊『平民新聞』第二八号　一九〇七（明治四〇）年二月一九日。
9　前掲「日本社会党大会」。
10　兵庫県労働運動史編さん委員会編『兵庫県労働運動史』（兵庫県商工労働部労政課　一九六一年）二四～二五頁、『兵庫県百年史』（兵庫県　一九六七年）五二二～五二五頁、『新修　神戸市史　歴史編Ⅳ　近代・現代』（神戸市　一九九四年）三五四～三五八頁。
11　岡林寅松「明治四十一年懐中日記」（大逆事件記録刊行会編『大逆事件記録第二巻　証拠物写（下）』世界文庫　一九六四年　五六五頁）。
12　「岡林寅松　第四回調書」（『森長訴訟記録・Ⅳ』森長英三郎所蔵　九二頁）。
13　岡林真冬「神戸より」『光』第一巻第五号　一九〇六（明治三九）年一月二〇日。
14　「東西南北」『大阪平民新聞』第一号　一九〇七（明治四〇）年六月一日。
15　「日本社会党党報」『光』第一巻一二号　一九〇六（明治三九）年五月五日。
16　「日本社会党党報」『光』第一巻一五号　一九〇六（明治三九）年六月二〇日。
17　「岡林寅松　第五回調書」（『森長訴訟記録・Ⅳ』森長英三郎所蔵　九四頁）、「小松丑治　第六回調書」（神崎

清所蔵・大逆事件の真実をあきらかにする会刊『大逆事件訴訟記録・証拠物写　第八巻』近代日本史料研究会　一九六〇年　一七〇頁）。
18　「小松丑治　聴取書」（『森長訴訟記録・Ⅳ』森長英三郎所蔵　五〇頁）。
19　「岡林寅松　調書」（『森長訴訟記録・Ⅳ』森長英三郎所蔵　八〇頁）。
20　「知れる人、知らざる人」『光』第一巻第九号　一九〇六（明治三九）年三月二〇日。
21　「岡林寅松　第六回調書」（前掲『大逆事件訴訟記録・証拠物写　第八巻』一六六頁）。
22　前掲『大逆事件記録第二巻　証拠物写（下）』五九八頁。
23　森長英三郎「大逆事件と大阪・神戸組」（『大阪地方労働運動史研究』第一〇号　大阪地方労働運動史研究会　一九六九年　一六頁）。
24　「大逆事件判決書」（専修大学今村法律研究室編『大逆事件（一）』専修大学出版局　二〇〇一年　一二四頁）。
25　森長英三郎『内山愚童』（論創社　一九八四年）一八五頁。
26　岡林野花「神戸より」『光』第一巻第三号　一九〇五（明治三八）年一二月二〇日。
27　岡林野花「神戸より」『光』第一巻第四号　一九〇六（明治三九）年一月一日。
28　「各地方の社会主義団体」『光』第一巻第一三号　一九〇六（明治三九）年五月二〇日。
29　橋本哲哉「日本における初期社会主義研究の意義―とくに地方の活動に関する研究を中心に―」（『金沢大学経済学部論集』第四巻第二号　金沢大学経済学部　一九八四年　三六頁）。
30　小松天愚「読者の領分」日刊『平民新聞』第四六号　一九〇七（明治四〇）年三月二〇日。
31　前掲「東西南北」。
32　幸徳富治・岡林寅松・坂本清馬談「大逆事件座談会」（中島及編・幸徳秋水著『東京の木賃宿』弘文堂　一九

四九年　四七頁）。

33　『神戸市伝染病史』（神戸市役所衛生課　一九二五年）七三～七七頁。なお、神戸市でのペストの流行のピークは一九〇九（明治四二）年のことである。

第五章　明治四〇年ごろの神戸平民倶楽部の活動

倶楽部の再開

一九〇六（明治三九）年はじめから翌一九〇七（明治四〇）年前半にかけて、「神戸平民倶楽部」の表立った活動はあまりみられなかった。しかし、一九〇七（明治四〇）年六月、再び大阪に拠点を移した森近運平によって、「大阪平民社」が再興され、半月刊の『大阪平民新聞』（のちに『日本平民新聞』と改題）が創刊されたことより、大阪では社会主義運動が再び活発となった。これに対して、岡林は「平民新聞廃刊後貴兄等の消息を聞きたいと思てゐました。今度は愈々貴兄の主任で大阪で旗揚げをなさるとの事勇ましきことであります」[1]と森近に祝辞を寄せている。この「大阪平民社」の再興に刺激を受けたのであろうか、「神戸平民倶楽部」も再び活発な運動を展開するようになった。

一九〇七（明治四〇）年七月ごろ、岡林と小松は共同で夢野村熊野神社東脇の一軒家を借り、そこを当分の「神戸平民倶楽部」として、毎月第二・第四土曜日に例会を開くことにした。同年七月六日には早速例会が開かれており、岡林は森近にこれらのことを報告している。

岡林君の来書に曰く、私も天愚君と一緒に夢野村熊野神社東脇の一軒家に借家した。これが当分の神戸平民クラブ。例会は毎月第二第四土曜日の夜に開会の筈です。去六日の例会八名の来会者よ。仲々談話に花が咲いたと、森近生申す。此次の例会には参りたし。[2]

この岡林の通信に対して、森近は「此次の例会には参りたし」と感想を寄せているが、同年八月二四日の例会には「大阪平民社」から森近が来会しており、「国家社会主義と自由社会主義との区別」について話をしている。このときの例会の参加者は八名であったが、同年七月六日に開かれた例会には八名が参加しているため、このころの「神戸平民倶楽部」の会員数は八名程度だったと推測される。なお、森近の来会については、大阪の警察からの電報によって、神戸の「二名の角袖」（私服警官）が、岡林と小松の勤務先である神戸海民病院で森近の訪問を待ち受けていたという。[3]

（一）大阪での幸徳秋水歓迎会

歓迎会のこと

一九〇七（明治四〇）年一一月三日、ロシアの無政府主義者ピョートル・クロポトキンの著書『麺麭の略取』の翻訳と病気療養をかねて、東京から郷里の高知県幡多郡中村町（現・四万十市）に帰郷する途次に大阪へ立ち寄った幸徳秋水をむかえ、「大阪平民社」で幸徳の歓迎会が開かれることになった。森近運平は、その前日の一一月二日、井上秀天に次のようなはがきを送っている。

御手紙拝見、明日幸徳君歓迎会を開きます故グリフス君を伴れて来て下さい、午後三時に中の島公園図書館前に集まつてこれより本社へ帰つて談話会を開きます、会費二十銭、すしの弁当[4]

はがきの冒頭に「御手紙拝見」とあるため、幸徳が大阪に来ていることを知った井上が、幸徳の歓迎会について森近に問い合わせをし、そのことに対して森近が返事としてこのはがきを井上に送ったのであろう。この幸徳の歓迎会の案内のはがきは、井上に寄せたものしか見つかっていないが、小松が「森近ニ於テ幸徳ガ大阪ヲ通過スルニ付キ歓迎会ヲ開クカラ来ナヒカト云フ葉書ヲ寄越シマシタ」と述べているため、小松や岡林をはじめ「神戸平民倶楽部」の会員たちにも同様の案内が送られたと思われる。

幸徳の歓迎会には、森近運平のほかに、大阪での森近の右腕的存在である武田九平、「大阪平民社」の常連で『大阪日報』記者であった荒畑寒村らが出席したのをはじめ、神戸からは小松丑治と井上秀天が出席しており、井上が歓迎のことばを述べている。岡林が出ていないのは、ふたりで病院をあけるわけにはいかないので、留守番にまわったためである。小松は、大逆事件時の予審調書で、幸徳の歓迎会について次のように述べている。

問、其席上ニハ如何ナル者ガ寄ツタカ

答、総計人員ハ弐十名余デアリマシタケレドモ尽ク名前ヲ存ジマセヌカラ申上ゲル事ハ出来マセヌガ之レヲ知テ居ル者ハ森近運平、荒畑某（雅号寒村）、武田九平、福田某（注・福田武三郎）、神戸ヨリハ私ト井上秀夫《ママ》、京都ヨリモ参会致シテ居タ者ガアリマシタガ皆ナ其名前ハ知リマセヌデス

問、大阪デハ三浦安太郎、岡本頴一郎、平野迪等ガ寄ツテ居タ筈ダガ果シテ名前ヲ知ラヌカ

答、何ウモ能ク記憶致シテ居リマセヌ

問、各人皆其集会ニ於テ感想ヲ陳ベタリ又タ幸徳ガ一場ノ演説ヲシテ筈ダガ一チ〳〵其事柄ヲ云ツテ見ロ

答、何ント云フヒトデスカ存ジマセヌガ華族ノ落胤トカ云ツテ身ノ上咄ヲシタヒトガアリマシタ又井上デシタカ誰デシタカ幸徳ノ境遇ハ甚ダ悲惨ノモノデアルト云フ様ナ咄ヲ致シ、荒畑寒村ハ何ンデモ大変ニ央バ泣テ咄ヲ致シマシタガ要点ハ忘レテ仕舞ヒマシタ、幸徳ハ社会ノ進歩ハ科学、労働者ノ生産力、「レボルト」ノ三ツノモノニ拠テ往クモノデアルガ我国ニ於テハ終ノ一ツナル「レボルト」ガ発達シナイカラ社会ガ進歩シナヒ故ニ之レヲ遺ル様ニシナケレバナラヌト云フ主意ヲ陳ベマシタ[6]

井上の「幸徳ノ境遇ハ甚ダ悲惨ノモノデアルト云フ様ナ咄」とは、幸徳への歓迎のことばと思われる。しかし、「井上デシタカ誰デシタカ」と小松の記憶が明確でないうえ、幸徳の歓迎会における井上の発言の内容に関する資料が見当たらないため、井上が歓迎会の席上で「幸徳ノ境遇ハ甚ダ悲惨ノモノデアル」というようなことばを述べたのかはあきらかではない。

ところで、この小松の予審調書によれば、幸徳は歓迎会で「「レボルト」ガ発達シナイカラ社会ガ進歩シナヒ故ニ之レヲ遺ル様ニシナケレバナラヌ」と説いたという。この「レボルト」の意味を予審判事から問われると、小松は「幸徳ノ咄ニハ反抗ト云フ意味ダト申シマシタカラ、従来ノ習慣ニ反対スル事ト解釈致シテ居リマシタ」、「例ヲ挙ゲテ見マスト、幸徳秋水ナドノ抱ク無政府共産主義ノ如キ

モノガ其習慣ニ反対スルモノト思ヒマス」[7]と述べている。「レボルト」（revolt）とは、反乱や反抗などを意味する英単語であり、その類義語が革命を意味するrevolutionである。では、幸徳が歓迎会で話したという「レボルト」の説とはどのようなものだったのか。

幸徳秋水の「レボルト」とは

小松の予審調書のほかに、「大阪平民社」での幸徳の歓迎会に関する資料として、一九〇七（明治四〇）年一一月二〇日発行の『日本平民新聞』第一二号に、森近運平が「幸徳秋水氏歓迎会（大阪）」という通信を掲載している。森近はそのときの様子を次のように記している。

既報の如く本月三日に開いた。来会者二十余名午後四時宿屋の前で幸徳氏と母堂とに出て頂いて、撮影した。夫人は一寸外出中で漏れたのは遺憾であつた。それから一同本社へ帰り談話会は始められた。先づ予は発起人として一言の挨拶を述べ、神戸の井上秀天氏外一二名の歓迎の辞や感話がすんで幸徳氏の談話があつた。氏は先づバクニンの「労働と科学と反抗」なる語を援き来つて今の世の野蛮なる状態悲惨なる事実は生産の不足にもあらず、圧制に対する反抗心の不足にありてふ道理を簡単に説き将来の運動に就ての注意等も話された。

それから鮓と貰ひ物のビールを出して晩餐の真似事を始めたのである。同志諸君の感話は又現はれた。先づ平井君は所謂罪悪の子として生れ父に棄てられ母と別れ世の荒波に揉まれて遂に社会主義に来れる経歴を語られた。「門閥と富と足らぬことなき人の子にて父の膝下に在り乍ら曽て親の愛と云ふべきものを知らず」の一語今日の貴族紳士の家庭を形容し得て痛快ではないか。次に松尾君は同じく幼少より今日に至るまでの実歴談を試みられた。君も門閥の家に生れ父は早く死し或事情から他家に養はれたのであると云ふ、十三四の頃より「産んだ親と育てた親と何れの恩が重いか」てふ疑問の解決に苦しんだ事、其後黄金の前に膝を屈せずして自信を遂行せんとし非常の貧苦に陥つて其間に最愛の妻君が労働過度と生活難との為に死なれた事などを語られた。「富者が犬の一食に費す金あらば予が最愛の妻は死せざりしものを！」満座面を上げ得る者は一人もない。何と暴悪なる社会では無いか。悲憤に堪へずして荒畑君は立つた「身を挺んで家を忘れて社会の為に尽す人道の戦士を病ましめしものは誰ぞや、親の愛、犬の一食、妻の死、之等の悲惨事を作る者は誰ぞや、諸君は斯かる社会に何時迄耐へ得るか」歔欷《きょき》（注・すすり泣くこと）の声は座に満ちた。幸徳氏は「吾等の困難は欧米先進者の苦痛に比しては頗る軽きものなり、吾等は困難の内に希望あれども幾億の同胞は一点の希望なき暗黒界裡に消へ行きつ、あり、吾等は之等同胞の為に泣かん」と語られた。来会の同志諸君が曽て見たる事なき悲愴慷慨なる会合は夜十時を以て散会した。[8]

この通信をみるかぎりでは、来会者のひとりが自らの境遇について語ったことや、荒畑寒村が泣きながら話をしたことなど、小松の予審調書での供述と一致する部分が多い。幸徳の歓迎会に関する小松の供述は、大逆事件の供述調書でよくみられる検事や予審判事による誘導尋問などがないものであるといえよう。

もうひとつ、内務省警保局が作成した極秘文書『社会主義者沿革』にも、幸徳の歓迎会に関する記録がある。この資料は、社会主義者の動静探索の現状報告で、対象とする時期は一八九七（明治三〇）年から一九一九（大正八）年にまで及んでいる。そのうち、一九〇八（明治四一）年七月現在の報告である『社会主義者沿革　第一』には、「幸徳伝次郎　高知ニ帰郷ス　附大阪ニ於ケル茶話会ノ状況」と題して、次のような報告がされている。

十一月ノ初メ幸徳伝次郎ハ病気療養ノ目的ヲ以テ其ノ郷里ナル高知県幡多郡中村町ニ向ケ出発セシカ途中大阪ニ立寄リ同月三日同地方ニ於ケル主義者ノ催フセル茶話会ニ臨ミ「社会ノ進歩ハ労働ト科学ト自由ノ三者ニ待タサルヘカラス、而シテ自由ハ反抗ニ依テ得ラル今ノ世ノ野蛮ニシテ且悲惨ナル原因ハ生産ノ不充分ナルカタメニモアラス智識ノ進歩セサルカタメニモアラス圧制ニ対スル反抗心ノ欠如一ニ之カ因ヲナスモノナリ」トノ露国ノ無政府主義者「ミハイル、バクーニン」ノ説ヲ引キテ一場ノ談話ヲ為シ大ニ彼等ヲ激励シタル[9]

『日本平民新聞』での森近の通信と、『社会主義者沿革』の報告に共通しているのは、幸徳が歓迎会の席上で労働・科学・反抗のミハイル・バクーニンの革命理論について説いていることである。小松が幸徳から聞いたという「レボルト」の説は、このバクーニンの理論に関する談話であることは間違いない。大逆事件の判決書には「其他ノ被告人モ亦概ネ無政府共産主義ヲ其信条ト為ス者若クハ之ヲ信条ト為スニ至ラサルモ其臭味ヲ帯フル者ニシテ其中伝次郎ヲ崇拝シ若クハ之ト親交ヲ結フ者多キニ居ル」[10]とある。大逆事件被告の多くが信条としていたという幸徳の無政府共産主義の一端をあきらかにするためにも、ここで幸徳が説いたバクーニンの革命理論についてもふれておくことにする。

バクーニンの革命理論と大逆事件

ミハイル・バクーニンはロシア出身のアナキスト・革命家である。もともとは貴族の家の生まれで、砲兵学校に学んだエリートであったが、ベルリンでドイツ哲学を学びながら社会の不正義に気づき、やがて無政府主義を知った。その後、マルクスを知り、一八四八年にドイツで起こった三月革命に加わるが、ロシア官憲に危険人物視されて捕らえられ、シベリアへ流刑となった。しかし、一八六一年にシベリアを脱出して、日本とアメリカを経てロンドンにわたった。一八六九年、世界最初の国際的な労働者組織である第一インターナショナルに参加したが、そこでマルクスの政治闘争を重視する権威主義的な運営に反発し、徹底した国家の否定と完全な個人の自由の実現を可能であると主張し、マルクスと対立した。一八七一年のパリ＝コミューンの敗北によって、国際労働運動が厳しい状況を迎えるなか、両者の対立は決定的となり、一八七二年のインターナショナル・ハーグ大会でバクーニンとその同調者は除名された。バクーニンは、その後も独自の大会を開催したが、一八七六年にスイスで死去した。

一九〇八（明治四一）年六月一〇日、幸徳は、熊本県出身の社会主義者で、のちに大逆事件で死刑となる新美卯一郎に長文の手紙を送っている。その手紙のなかで新美の「革命で共産制が実現されざる場合如何」という質問に対して、幸徳は次のように答えている。

以上の意味で言へば多数平民が共産制を信じ少くとも之に反対するの意なきに至らば実現されないことはないと思ひます、総同盟罷工や一揆反乱や、暗殺手段や、其他革命の手段方法に就ては無政府党中にも種々議論があり其国其社会の事情に依つて違ふでしやうが孰れにしても多数平民が自覚して居なければ孰れの革命も少数英雄の餌になつて了うのです、故に我等の第一着の事業は平民の教育思想の開拓に在るのです、ストライキの扇動も暴動暗殺の如きも矢張一種の教育法として認められて居ます、バクーニン等は之を行為伝道（プロパンガンダ・オブ・デッド）といつて、言語の伝道に対して其必要を叫んでいます[11]

この手紙のなかで、バクーニンの理論は、ストライキの扇動のみならず、暴動や暗殺も一種の教育法と認めていると書いている。そのため、大逆事件の家宅捜索で、官憲に押収された新美宛ての手紙が、「明治天皇暗殺計画」の証拠資料のひとつになった。とくに『社会主義者沿革　第三』は、手紙のこの部分を引用して、「陰謀事件ハ明治四十一年十一月始テ刑法ニ問ハルヘキ形式ヲ備ヘタリト雖其ノ決意ノ由テ来ル所ハ甚タ久シク実ニ先天的禍心ヲ包蔵セシナリ」[12]と、幸徳が大逆事件を起こす犯意の証拠のひとつに使っている。

しかし、幸徳は、手紙のなかで「我等の第一著の事業は平民の教育思想の開拓に在るのです」と記しているように、その運動の基本路線は、平民の教育・思想の開拓である。暴動や暗殺について書いたのは、バクーニンの理論を説明するためであり、幸徳自身が暴動や暗殺を扇動していたわけではない。実際、幸徳は、獄中から弁護人に寄せた「陳弁書」のなかで、「無政府主義の革命といへば直ぐ短銃や爆弾で主権者を狙撃する者の如くに解する者が多いのですが、夫は一般に無政府主義の何者たるかが分つて居ない為であります」[13]、「無政府主義者中から暗殺者を出したのは事実です。併し夫れは同主義者だから必ず暗殺者たるといふ訳ではありません。暗殺者の出るのは独り無政府主義者のみでなく、国家社会党からも、共和党からも自由民権論者からも愛国者からも勤王家からも沢山出て居ります」[14]、「要するに暗殺者は、其時の事情と其人の気質と相触るる状況如何によりては、如何なる党派からでも出るのです。無政府主義者とは限りません」[15]と記している。

ところで、さきにふれた小松の予審調書で、予審判事は「レボルト」の意味を小松に尋ねたあと、「被告ハ其幸徳ノ社会ヲ進歩サセル説ニハ賛成シタノダロウネ」[16]と質問している。この予審判事の質問には、もし小松が幸徳の説いた労働・科学・反抗のバクーニンの革命理論に賛成したと答えたのならば、それを端緒にして小松を無政府共産主義者に仕立てあげ、そのまま大逆事件の共犯に陥れるという意図があったと思われる。しかし、この質問に対して、小松は「余リ其説ハ良ヒトモ感ジマセヌデシタ」[17]と答えている。その後も予審判事は小松をさらに追及している。

問、夫レデハ被告ハ社会ヲ進歩サセルニハ今陳べタ幸徳ノ説ノ外ニ如何ナル説ヲ持テ居ルノカ
答、何ウ云フ説ガアルカト云ハレルト誠ニ困リマス、別ニナヒデス
問、夫レデハ矢張リ幸徳ノ陳ヘタ三ツノ方法ヲ以テ社会ヲ進歩サセルト云フ説ニハ誠ニ衷心ヨリ賛成シテ居タノダロウカ如何
答、格別説モナク賛成モ致シマセヌデ只ダ空ニ聞テ居ツタト云フ様ナ具合デス[18]

大逆事件の判決書では、小松は「明治三十七年以来社会主義ヲ研究シ同四十年ニ至リテ無政府共産主義ニ入ル」[19]とされてしまったが、幸徳の歓迎会への参加に関しては、「明治四十年十一月三日森近運平カ大阪ニ於テ幸徳伝次郎ノ為メニ歓迎会ヲ開クヤ寅松丑治ノ両人其案内ヲ受ケタレトモ二人同行スルヲ得サル事情アリテ丑治一人其会ニ出席シ伝次郎ヨリ反抗心養成ノ必要ナル説ヲ聴ク」[20]と、幸徳からバクーニンの革命理論は聞いたが、その理論に小松が賛成したとはなっていない。小松が幸徳の説いたバクーニンの理論に賛成したことを否認し続けたので、取り調べを行った検事や予審判事も、これ以上追及することができなかったためであろう。検事や予審判事は、小松を無政府共産主義者に仕立てあげ、事件の共犯に陥れることには成功したが、幸徳が説いたバクーニンの理論に賛成したことを認めさせるのには失敗したのである。

（二）第一回社会主義講演会

神戸で最初の社会主義講演会

一九〇七（明治四〇）年一一月二四日、「神戸平民倶楽部」は、元町六丁目にあった元六倶楽部で「第一回社会主義講演会」を開いている。この講演会は、神戸で最初の社会主義講演会であり、「大阪平民社」からの協力で行われたものである。大阪からは森近運平・武田九平・荒畑寒村が出席したのをはじめ、和歌山県新宮からも大石誠之助（禄亭）が出席し、それぞれ講演している。神戸からは、井上秀天が「宗教と社会主義」について講演し、岡林寅松も開会の辞として「神戸平民倶楽部の歴史」を述べている。この講演会の様子は、中村浅吉（桐舟）によって『日本平民新聞』に通信されている。

十一月二十四日、当地元六倶楽部で第一回社会主義講演会を開いた、これ迄同志の研究会は、毎月二回の例会を開いてゐたが、公開したのは今回が初めてゞある、その前日から、破天荒の広告をなし、三百枚余りのチラシを配つたので、警察はそれ神戸同志が大挙運動をやるのだと、びつくりしたのか刑事が交る交るやつて来る、余は広告がはぎとられはしないかと心配して、市内を歩いてみると、血を以て染めた、大々的広告は、翻々として躍つて居る、午後六時が開会だと、広告してゐたので、会場の準備を整えて待つて居る、声援を願ふてゐた大阪平民社からは、森近君、武田君、荒畑君を先登として七八名の同志がみへる、遠来の同志、大石禄亭君の面影と其服装を見た時は、露国の革命家ではないかと思つた、会場も整ひ、弁士も揃つたが聴衆が少い、少くとも二百人位は来るであらうと予定して居たが、案外三十人許りもない、広告のきゝめがなかつたのかと、又余と南君（注・「大阪平民社」常連の南鼎三《ていぞう》と思われる）はチラシを抱へて楠社の門に立ちながら、路傍演説をやつて、面白い話しで、誰れでも聞かねばならぬ演説があるから、すぐ元六倶楽部に行けとすゝめた、一時間ばかりたつて帰つてみても其の効能がない。

いよ〳〵七時過ぎ開会した、岡林野花君が、開会の辞として神戸平民倶楽部の歴史を述べられ、荒畑寒村君「現時の奴隷」と題し、沈痛なる弁舌もて資本家制度の害毒を罵倒して、労働者の自覚を促がし、武田九平君は、自己の経験に訴へて「職工組合の必要」を説き、次に森近運平君は恐慌の話と題して、快弁縦横、熱誠の意気を表はして、現今経済組織の矛盾は、必然産出すべき恐慌の母なり、恐慌の来襲は生産の過多より生ずるにあらずして、消費の不足に起る理由を秩序的に経済学上の解釈を試み、次で大石禄亭君起て、「財産とは何ぞや」と叫んで、財産の性質歴史を述べられ、井上秀天君は、宗教と社会主義の題の下に、自己の立場より社会主義の主張を説明された中にも一異彩を放つたのは、英国同志の列席である、講演されるはずであつたが時間の都合で、次会に譲つた、神戸には隠れたる各国の同志が居るであらふ、他日此の会が、拡張して、支那、印度、露国、米国の同志が集ることになつたら、所謂万国的の会合が見らるゝであろふと思ふ。[21]

講演会の参加者について、中村の通信では三〇名ほどとなっているが、小松丑治は大逆事件時の予審調書で「僅ニ三四名シカアリマセンテジタ」[22]と述べている。人数に相違はあるが、いずれにしても参加者は予想よりも少なかったことは確かである。なお、小松は予審調書で講師のひとりに中村をあげているが、[23]この通信には中村の名前がみられないため、小松の予審調書での供述は記憶違いと思われる。

また、予審判事は「其演説ニ付テ中止解散ヲ命ゼラレタ事ハナイカ」と質問しているが、小松は「社会主義ニ関スル学術演説デスカラ無事ニ済ミシマシタ」と答えている。[24]中村の通信には、広告をみた刑事が訪問してきたことは書かれているが、講演会で中止や解散の命令が出されたことは記述されていない。さらに、小松が「社会主義ニ関スル学術演説」と述べたことに対して、予審判事は講演会で無政府共産主義についても話されたかどうか追及している。

問、其社会主義ニ関スル学術演説ト云フノハ重ニ無政府共産主義ノ事ニ就イテ陳ベタノダロウ

答、能ク覚ヘテ居リマセヌ

問、ケレドモ其所ニ集タ弁士ハ皆ナ無政府共産主義者デハナヒカ

答、主義ハ何ウ云フモノヲ抱テ居ルカ私ニハ分リマセヌ

問、会主ト成ツテ其演説会ヲ開タ被告ニ其抱テ居ル主義ノ分ラヌ筈ハナヒガ如何

答、表面カラ往テハ左様ニナリマスガ其会主ト成ツテ居タト云フ事ハ近頃岡林カラ聞タノデアリマス[25]

小松は、講演会で無政府主義について述べられたかどうか覚えていないどころか、自分が講演会の主宰であったことを最近になって知ったと供述している。中村の通信によれば、講演の内容は、労働者の自覚、職工組合の必要性、経済組織の矛盾、財産の性質・歴史などであり、無政府共産主義に関するテーマはみられない。無政府共産主義について話さなかったのは、官憲に配慮したためであろう。したがって、いずれの講演も、ラジカルなものではなく、穏健な内容であったと思われる。

外国人同志の存在

この第一回社会主義講演会の通信には、「英国同志」が出席していたとある。この「英国同志」と

は、一九〇七（明治四〇）年一一月二日に、森近運平が井上秀天に寄せたはがきのなかにある「グリフス」のことであろう。[26] グリフスがどのような人物だったのかはわからないが、井上は関西学院や神戸女学院などのミッション・スクールで外国人講師・校長の相談役をつとめ、[27] 大逆事件当時は神戸女学院で講師をしていたので、[28] 井上と親交のあった外国人講師だったと考えられる。

幕末の開国以降、日本に在住する外国人は、東京・横浜・神戸・長崎などの居留地以外では、居住・営業はもちろん自由な旅行も認められていなかった。その反面、居留地の管理権は居留外国人の自治機関である行事局が握っていたため、日本の行政権から独立した区画を形成していた。しかし、一八九四（明治二七）年の条約改正で治外法権が撤廃されたことで（一八九九年七月効力発生）、神戸の居留地の管理は日本のものとなった。日本の管理となったことにより、外国人の内地雑居が一般化したうえ、機械制工場による近代産業の本格的な発展期にはいったことも重なって、在留外国人の数も増加した。神戸市居住の外国人は、一八九八（明治三一）年には二四九一名であったが、一九〇七（明治四〇）年には三七三三名に増加した。このうち、約六割が清国人（中国人）で最も多く、ついでイギリス人が五〜六〇〇名を数えていた。そのほかには、アメリカ・ドイツ・ポルトガルなどが多かった。

さきにふれたが、週刊『平民新聞』が創刊された際、神戸で発行されていた外国人向け新聞である『神戸クロニクル』と『神戸デーリーニュース』は、その創刊を好意的に紹介し、いずれも週刊『平民新聞』第一号の「宣言」を訳載している。そのため、講演会の通信に「神戸には隠れたる各国の同志が居るであらふ」と書いているように、神戸市居留の外国人のなかには、非戦論や日本の社会主義運動に関心をもっていた人物が数多く存在していたと思われる。このころの「神戸平民倶楽部」は、そのような居留外国人にも社会主義の思想伝道を展開することを考えていたとみられ、グリフスはその伝道を受けた最初の居留外国人だったのであろう。

神戸平民倶楽部は直接行動派か

小野寺逸也は、第一回社会主義講演会に出席した講師などから、社会主義運動が分裂したあとの「神戸平民倶楽部」の会員を直接行動派の系列に分類している。[29]

第一回社会主義講演会から二日後の一九〇七（明治四〇）年一一月二六日、岡林は『雑記帳』を書いており、そのなかで次のようなことを述べている。

予が一昨夜神戸元六倶楽部に於て日本平民新聞社の森近君及び荒畑君南君武田君、紀州の大石ドクトルと井上君と共に演せし如く今日の不公平不正義矛遁《ママ》極まる、道徳の義に反し経済の理に背る《ママ》現社会にありて幸に吾等同志のものは未来の光明に向上してこの信念に住して現社会の不完全なるに堪へ否現社会の改革者の急先鋒となり犠牲となり大多数の労働者を救はねばならぬ覚悟を持つてをるか、顧て大多数の金銭上の資力なく智識教育なき大多数の労働者の身の上を想ふ時に苟も血あり涙あるものは豈にシツトして居れませうか、人類社会は資本家紳士階級と平民労働者とに区別するところで社会主義者勿論資本家に反対するが今日の階級制度の世にありては資本家の産出する自然なれば吾等社会主義者はつまりこの階級制度を打破するにありて資本家も労働者も皆人類を挙げて解放するの福音にして今日の資本家の如き穀つぶしをなくして国民皆兵否人類皆労働軍の世となさねばならぬ、これには先づ労働者の大自覚を促さねばならぬ[30]

この岡林の『雑記帳』には、「現社会の改革者の急先鋒となり犠牲となり大多数の労働者を救はねばならぬ」、「国民皆兵否人類皆労働軍の世となさねばならぬ」など、直接行動派と見て取れるようなことが書かれている。

ところで、第一回社会主義講演会の通信が掲載された『日本（大阪）平民新聞』は、分裂後の社会主義運動において、直接行動派と中間的折衷派（議会政策・直接行動併用論者）が依拠する新聞である。議会政策派の片山潜・西川光二郎らは、週刊『社会新聞』を一九〇七（明治四〇）年六月二日に創刊したが、両紙の創刊当時は、一方が直接行動派の機関紙、他方が議会政策派の機関紙として明確にわかれていたのではなかった。[31]創刊当初は両紙の連携が保たれていたが、週刊『社会新聞』が議会政策的な論調を強めたことにより、直接行動論者たちが反発し、やがて彼らは『大阪（日本）平民新聞』のみに依拠するようになり、組織も分裂し、相互に対立するようになったのである。[32]

さらに、小野寺は森近運平を直接行動派に分類している。[33]確かに森近は、『大阪（日本）平民新聞』に「議会の無能」（第一三号）、「ストライキと法律と警察」（第一七号）という直接行動派のような論説を掲載している。[34]しかし、森近は運動が分裂した当初から堺利彦とともに中間的折衷派を採っていた。「神戸平民倶楽部」の会員についても、大逆事件の家宅捜索の際、岡林寅松・小松丑治・井上秀天・中村浅吉のもとからは、直接行動派の機関紙となった『大阪（日本）平民新聞』、『熊本評論』のほかに、週刊『社会新聞』と『東京社会新聞』が押収されている。[35] この『東京社会新聞』は、一九〇八（明治四一）年三月一五日に、西川光二郎らによって週刊『社会新聞』から分派して創刊された議会政策派の機関紙である。これらの押収資料からうかがえるように、彼らは直接行動派のみならず議会政策派の機関紙の読者でもあった。さらに、小松は大逆事件時の予審調書で次のような供述をしている。

問、社会主義ノ中何レノ派ニ属シテ居ルカ
答、私ハ議会政策主義デス
問、議会政策主義ナラバ片山潜、西川光次《ママ》郎等ト交際シテ居ルカ
答、其者等トハ交際ハ致シテ居リマセヌ
問、無政府共産主義ノ幸徳秋水、森近運平、武田九平、内山愚童等トハ交際致シテ居ルデハナイカ
答、其者等ハ知ツテ居リマス
問、同主義デアルガ故ニ知ツテ居ルノダロウガ如何
答、同主義ト云フ為メニ知ツテ居ルノデハアリマセヌ、社会主義ト申シマシテモ十人十色デアリマス[36]

岡林は、一九〇七（明治四〇）年春ごろから無政府共産主義に傾くようになったと予審調書で述べ

ている。[37] しかし、大逆事件の家宅捜索では、岡林のもとからは、幸徳秋水からのはがきが一通だけなのに対して、[38] 片山潜からのはがきは二通も押収されている。[39] したがって、社会主義運動が分裂したあとの「神戸平民倶楽部」の会員は、小野寺が分類した直接行動派よりも、中間的折衷派に近い立場にあったといえよう。

だが、小松は、自らの社会主義を議会政策派と述べているのにもかかわらず、議会政策派の片山潜・西川光二郎らとは面識がなく、直接行動派の幸徳秋水らと面識をもっていた。また、岡林についても、『雑記帳』の内容をはじめ、一九〇七（明治四〇）年春ごろから無政府共産主義に傾いている。これらのことから、彼らは直接行動派にもある程度まで傾斜していたのも確かである。森近は、運動が分裂した当初から中間的折衷派を採っていたが、『大阪（日本）平民新聞』に直接行動派のような文章も掲載している。これは森近自身に迷いがあったのではないかと推測されているが、[40]「神戸平民倶楽部」の会員も、再興された「大阪平民社」との関係が深まるにつれて、このころの森近の思想や、『大阪（日本）平民新聞』の論調に影響されていったと思われる。

〈注〉

1 「東西南北より」『大阪平民新聞』第一号　一九〇七（明治四〇）年六月一日。
2 「神戸平民クラブ」『大阪平民新聞』第四号　一九〇七（明治四〇）年七月一五日。
3 森近覓牛「東西日記」『大阪平民新聞』第七号　一九〇七（明治四〇）年九月五日。

4　「森近運平　井上秀天宛はがき（一九〇七年一一月二日消印・大阪〈発〉、同日消印・神戸三宮〈着〉）」（大逆事件記録刊行会編『大逆事件記録第二巻　証拠物写（下）』世界文庫　一九六四年　五九六～五九七頁）。
5　「小松丑治　第二回調書」（『森長訴訟記録・Ⅳ』森長英三郎所蔵　五八頁）。
6　同右　五八頁。
7　同右　五八～五九頁。
8　森近運平「幸徳秋水氏歓迎会（大阪）」『日本平民新聞』第一二号　一九〇七（明治四〇）年一一月二〇日。
9　「幸徳伝次郎高知ニ帰郷ス　附大阪ニ於ケル茶話会ノ状況」（内務省警保局編「社会主義者沿革　第一」一九〇八年七月　松尾尊允編『続・現代史資料Ⅰ　社会主義沿革1』みすず書房　一九八四年　二七頁）。
10　「大逆事件判決書」（専修大学今村法律研究室編『大逆事件（一）』専修大学出版局　二〇〇一年　一〇六頁）。
11　「幸徳秋水　新美卯一郎宛書簡（一九〇八年六月一〇日）」（大逆事件記録刊行会編『大逆事件記録第二巻　証拠物写（上）』世界文庫　一九六四年　三九〇頁）。
12　「幸徳伝次郎外二十五名ニ係ル陰謀事件」（内務省警保局編「社会主義者沿革　第三」一九一一年六月　前掲『続・現代史資料Ⅰ　社会主義沿革1』二五四頁）。
13　幸徳伝次郎「陳弁書」（神崎清編『大逆事件記録第一巻　新編獄中手記』世界文庫　一九七一年　二三頁）。
14　同右　二五頁。
15　同右　二七頁。
16　前掲「小松丑治　第二回調書」五九頁。
17　同右　五九頁。
18　同右　五九頁。

19　前掲「大逆事件判決書」一二四頁。
20　同上　一二四頁。
21　中村桐舟「第一回社会主義講演会」『日本平民新聞』第一三号　一九〇七（明治四〇）年一二月五日。
22　前掲「小松丑治　第二回調書」五九頁。
23　同右　五九頁。
24　同右　五九頁。
25　同右　五九頁。
26　前掲「森近運平　井上秀天宛はがき（一九〇七年一一月二日・大阪〈発〉、同日消印・神戸三宮〈着〉）」五九六～五九七頁。
27　中村隆「井上秀天のこと」（『歴史と神戸』第四巻第四号　神戸史学会　一九六五年　一六頁）。
28　森長英三郎「大逆事件と大阪・神戸組」（『大阪地方労働運動史研究』第一〇号　大阪地方労働運動史研究会　一九六九年　一七頁）。
29　小野寺逸也「神戸平民倶楽部と大逆事件」（『歴史と神戸』第一三巻第二号　神戸史学会　一九七四年　一七～一八頁）。
30　岡林寅松「雑記帳」（『大逆事件記録第二巻　証拠物写（下）』世界文庫　一九六四年　五六六～五六七頁）。
31　「森近運平研究基本文献　解説」（木村壽・吉岡金市・木村武夫・森山誠一編『森近運平研究基本文献　下巻』同朋舎出版　一九八三年　八四六頁）。
32　同右　八四六頁。
33　前掲「神戸平民倶楽部と大逆事件」一三頁。

34　前掲「森近運平研究基本文献　解説」八四六頁。
35　前掲『大逆事件記録第二巻　証拠物写（下）』五六八、五九五、五九七、五九九頁。
36　「小松丑治　調書」（『森長訴訟記録・Ⅳ』森長英三郎所蔵　五六頁）。
37　「岡林寅松　調書」（『森長訴訟記録・Ⅳ』森長英三郎所蔵　八〇頁）。
38　前掲『大逆事件記録第二巻　証拠物写（下）』五五九頁。
39　同右　五五九～五六〇頁。
40　前掲「森近運平研究基本文献　解説」八四六頁。

第六章　最後の倶楽部動向

最後の通信

一九〇八（明治四一）年三月五日の『熊本評論』第一八号に、「神戸平民倶楽部」会員の「羽山生」による「神戸通信」という記事が寄稿されている。『熊本評論』は、一九〇七（明治四〇）年六月二〇日に松尾卯一太と新美卯一郎によって創刊された。創刊当初は宮崎民蔵・寅蔵（滔天《とうてん》）兄弟らによる「土地復権同志会」の機関紙であったが、一九〇七（明治四〇）年末ごろから幸徳秋水・堺利彦・大石誠之助・森近運平・大杉栄らの寄稿を受けるにしたがって、次第に社会主義新聞としての方向を鮮明に打ち出した。とくに一九〇八（明治四一）年五月二〇日の『日本平民新聞』廃刊後は、幸徳ら直接行動派の機関紙の役割を担うことになった。

その「羽山生」の「神戸通信」は次の通りである。

　熊本評論記者足下

二月二十日より御恵送に預り万謝此事に候。何時もながら花々しき御奮闘の御模様主義の為に深く慶賀する処也。

偖て当地の模様に付ては『日本平民』紙上時々御散見の通り旧に依て旧の如く貴下等の活発々

地なる御運動の前に殆んど顔色なく候。

神戸平民倶楽部は三十七年の十月《ママ》、時の『平民新聞』の在神購読者を以て組織したるものにして小松天愚、岡林愛《ママ》花氏等最も熱心に主義の伝道に勤められ毎月一回集会を開き茶菓を喫しつゝ、当面の問題を捕捉し討究を加へ居り候ひしかど常に十二三名の会集《ママ》に過ぎず、而かも世に云ふ其筋なるもの迫害追窮は刻一刻甚だしく同士は何れも角袖を従卒として従ふ如き奇観を呈し候へき。

而かも岡林氏等は此間に処して泰然集会を継続し今日に至り候。殊に昨年秋よりは講演会を発起し先輩の出席を請ふて之が講演を聴く事とし昨年十二月には時の『大阪平民』紙上所載の通り森近氏外数氏の出席もあり稍や気色を添ふの感あらしめ候。

今日に至りては御承知の通り当地に天然痘の猖獗を極めた職掌柄岡林、小松両氏共に寸暇なく遺憾ながら平民倶楽部の例会も講演会も一二両月共に流れと相成候へ共来月よりは一層勇奮して活動を試むる存念に候。

序ながら申添へ候。来月上旬には同士《ママ》高畠素《ママ》氏（注・高畠素之）来神の筈に候。此仁は先年迄同士《ママ》社神学校に学び居り候へしかど同校を脱走して前橋に至り遠藤友氏と共に前橋平民倶楽部を設立し同地のクリスチヤンに大恐慌を抱かしめたる愉快なる男に候。

先は一寸当地同士の模様を、匆々。（二月二十七日）[1]

「神戸平民倶楽部」は設立以来、岡林寅松と小松丑治らの熱心な主義伝道によって例会を続けてきたが、来会者は常に一二～一三人にしか過ぎなかった。官憲の迫害は日を追って甚だしくなり、同志は「何れも角袖を従卒として従ふ如き奇観を呈していたが、岡林らは此間に処して泰然集会を継続し今日に至」った。しかし、最近は神戸市内で天然痘が流行したため、病院勤務の岡林と小松は「寸簡なく遺憾ながら平民倶楽部の例会も講演会も一二両月共に流れ」たことなどを記している。なお、神戸市内で天然痘が流行したとあるが、『神戸市伝染病史』（神戸市役所衛生課　一九二五年）によれば、一九〇七（明治四〇）年一一月ごろから翌一九〇八（明治四一）年三月ごろまで大流行しており、一九〇七（明治四〇）年は八〇〇名の患者を出し、翌一九〇八（明治四一）年には四四〇〇名の患者と二〇〇〇名の死者を出したという。[2]そして、この「神戸通信」を最後に、「神戸平民倶楽部」の組織的な活動を知ることができない。

「神戸通信」が掲載された『熊本評論』も、一九〇八（明治四一）年九月二〇日の第三一号で廃刊となった。松尾卯一太と新美卯一郎は、飛松《とびまつ》與《よ》次郎《じろう》を発行人として、一九〇九（明治四二）年三月一〇日に『平民評論』を創刊することを計画していたが、創刊号は官憲に押収されてしまっている。その『平民評論』の創刊号に「平民評論発行を祝す」と、神戸の「同志中」が祝辞を寄せているが、[3]この神戸の「同志中」という人物が「神戸平民倶楽部」の会員なのかは不明である。だが、一九〇九（明治四二）年二月、『平民評論』の発行元である「平民評論社」は、小松にはがきを寄せている。

　拝呈仕候、かねて御愛読の栄を得たる「熊本評論」廃刊に就ては、早速後継発刊の準備に着手致すべきの処、敗残の身の思ふにまかせず、空しく今日に及びし候、恐縮千万の次第に御座候、然るに今般幸《ママ》機を得、従来の「熊本評論社」を解散して「平民評論社」と改め、来三月十日を期し

て、新装勇しく「平民評論」第一号を発行致候間、何卒御援助、御愛読下され度奉希望候、先は
右御挨拶旁々御願ひまで匆々不宜

熊本市古城堀端町百十九番地

明治四十二年二月廿五日　平民評論社[4]

岡林の大逆事件時の予審調書によれば、「神戸平民倶楽部」は「明治四拾《ママ》年春頃ニ至リ出席スル人ガ無クナツテ自滅致シマシタ」[5]と述べている。ここでいう「自滅」とは、自然消滅の意味であろう。「神戸通信」や岡林の予審調書からうかがえるように、「神戸平民倶楽部」は、官憲からのきびしい弾圧で来会者がいなくなり、やがて組織的な活動もできなくなったのである。

監視記録からみられる兵庫県下の社会主義者

一九〇八（明治四一）年七月現在の報告である『社会主義者沿革　第一』によれば、全国の社会主義者は三六七名で、そのうち兵庫県下の社会主義者は一九名としている。その一九名のなかでも「主ナル者」とされているのは、足尾銅山暴動事件の関係者で鉄道工夫の井守伸午と、葛野教譲《かどのきょうじょう》（枯骨《ここつ》）の二名であった。[6]

葛野は、兵庫県川辺郡長尾村荻野（現・伊丹市）の浄土真宗本願寺派源正寺住職をつとめるかたわら、大阪府豊能郡池田町（現・池田市）で、細井天来・奥野天倪・林田炭翁らとともに、「縦横社《じゅうおうしゃ》」を組織し、機関紙として『縦横新報《じゅうおうしんぽう》』を発行していた。そして、「大阪平民社」の森近運平と連絡を

とって、池田で借家人運動や小作人運動を展開していた。一九〇八（明治四一）年一月二七日、池田の芝居小屋・呉服座《くれはざ》で森近運平・武田九平・荒畑寒村らとともに、侠客・長田亀吉の協力のもとで家賃引上反対演説会を開き、その場で日本初の借家人同盟が結成されている。[7]

しかし、一九〇八（明治四一）年八月から翌一九〇九（明治四二）年七月までの報告では、全国の社会主義者四六〇名のうち、兵庫県下の社会主義者は一八名と前年より一人減っているが、要注意人物として四名の名前があげられており、その筆頭に岡林と小松がおかれ、「主義ニ熱中シ時々茶話会等ヲ開キ其ノ拡張ヲ図リ居レリ」と記されている。ほかのふたりは井守と葛野である。[8]

岡林の『明治四十一年懐中日記』には、一九〇八（明治四一）年の五月から六月の一ヶ月間だけでも、「松井刑事来る」（五月一三日）、「刑事来る三四」、「巡査来る」（六月一〇日）と、刑事・巡査が三回にわたって訪れていることのほかに、「山田由太郎といふ憲兵来訪せり」（五月九日）、「小田憲兵来訪す」（五月一一日）と、少なくとも二回にわたって憲兵の訪問を受けていることが書かれている。[9]軍事警察である憲兵が岡林のもとを訪れているのは、「軍隊内に社会主義非軍備主義の蔓延せん事を恐れ」た陸軍参謀総長・奥保鞏大将が、各師団長への訓示で「社会主義者の人格及其系統を厳重に調査し置く事」と述べたためであろう。[10]

この時期の政府による社会主義への取り締まりの強化には、在米日本人社会主義者による天皇制打倒キャンペーンの展開が背景にあると考えられる。アメリカには、一九〇二（明治三五）年に渡米した岡繁樹らによって平民社サンフランシスコ支部がすでに設立されていた。しかし、竹内鉄五郎・岩佐作太郎・倉持善三郎ら過激な運動方針を採る在米日本人社会主義者たちは、一九〇五（明治三八）年一二月から翌一九〇六（明治三九）年六月まで渡米し、現地で亡命ロシア人アナキストと交流していた幸徳秋水とともに、一九〇六（明治三九）年六月一日に社会革命党を結成し、その機関紙として『革命』を発行するなど、幸徳の帰国後も天皇制打倒キャンペーンを如実に展開していた。そして、一九〇七（明治四〇）年一一月三日天長節の日、サンフランシスコの日本総領事館をはじめ、オークランドやバークレーの日本人街の銀行・病院・教会などの建物に、「睦仁君（注・明治天皇）足下、憐レナル睦仁君足下、足下ノ命ヤ旦夕ニ迫マレリ、爆裂弾ハ足下ノ周囲ニアリテ、将ニ破裂セントシツ、アリ」[11]などの過激な文字が連ねられた『暗殺主義（ザ・テロリズム）』（原題は『Vol.1 No.1 The Terrorism Nov.3 1907　我徒ハ暗殺主義ノ実行ヲ主張ス　暗殺主義　第一巻第一章　An open letter to Mutsuhito Emperor of Japan from an artists—Terrorists』）と題した印刷物が貼られる事件が起きた。

事件の情報は、米英留学中の東京帝国大学教授で国際法学者の高橋作衛を経て、元老・山県有朋にもたらされた。山県は、この高橋からの情報を元老・井上馨、内閣総理大臣・西園寺公望、宮内大臣・田中光顕らにしめして注意を喚起した。一九〇六（明治三九）年二月に日本社会党が結成された際、その結成を許した第一次西園寺内閣は、一九〇八（明治四一）年五月の『日本平民新聞』廃刊など、このころから社会主義への取り締まりを急速に強化していくのである。

そのさなかの一九〇八（明治四一）年六月二二日、東京・神田の錦輝館で社会主義者五〇〜六〇名が集い、新聞紙条例違反の罪に問われ禁錮刑に処せられていた山口義三（孤剣）の出獄歓迎会が直接行動派・議会政策派合同で開催された。その歓迎会の終了間際、出席者で直接行動派の大杉栄・荒畑寒村・宇都宮卓爾・村木源次郎・百瀬晋・佐藤悟らが、「無政府」、「無政府共産」、「革命」と、赤布に白書した旗をひるがえし、革命歌を歌いながら議会政策派に対するデモをはじめた。デモ隊が外に出ると、すでに神田警察署の警官が待ち構えており、赤旗を奪おうとした警官とデモ隊がもみ合いになった。その結果、デモ隊の大杉栄・荒畑寒村・宇都宮卓爾・村木源次郎・百瀬晋・森岡永治・徳永保之助・佐藤悟をはじめ、大須賀里子・管野須賀子・小暮礼子・神川松子ら女性四名が検挙された。また、これを止めに入った堺利彦と山川均も同じく逮捕された。これがいわゆる「赤旗事件」である。

神戸に事件に関する一報が届いたのは、三日後の六月二五日のことである。当時、和歌山県新宮の大石誠之助のもとにいた森近は、事件の翌日の六月二三日、岡林にはがきを寄せている。

小松君よりの通信によれば御賢弟の病気は其後余りよくないとの事御心配の程御察し申す。両兄の本名が分つて安心した、成る程シミツタレタ名前だ。それから君は結婚の意義が分らぬと云ふがそんな事を考へるもんじやないよ、考へずに居ると自然に分る。只今東京から電報が来た曰く「昨夜堺等十四人捕縛せらる」驚くではないか思ふに山口孤剣の歓迎会で何かで警官と衝突したものらしい。堺山川は農民号の筆者として、二月づゝやられて居るのだ。以て形勢を察すべし。[12]

しかし、この赤旗事件を問題視した山県有朋は、明治天皇に西園寺公望内閣は社会主義の取り締まりに緩慢であると密奏したという。一九〇八（明治四一）年七月四日、西園寺内閣は健康上の理由で総辞職したが、実際は山県の密奏が総辞職の原因だともいわれている。西園寺にかわって内閣総理大臣となった桂太郎（長州出身）は、山県の意を受けて社会主義運動への弾圧をますます強化させることになったのである。

一九〇八（明治四一）年から翌一九〇九（明治四二）年にかけての取り締まりの強化は、中央のみならず、地方の社会主義者にも重大な変化をもたらしたことはあきらかである。それは大逆事件のフレームアップへの伏線というべきものでもあった。

組織的活動消滅後の神戸平民倶楽部

「神戸平民倶楽部」は、さきにふれたように官憲からのきびしい弾圧で組織としての活動はできなくなったが、組織自体は完全に消滅したわけではなく、細々とした活動が続けられていた。

一九〇八（明治四一）年六月一〇日、森近運平が高知県中村の幸徳秋水のもとから和歌山県新宮の大石誠之助を訪問する途次、神戸に立ち寄っており、岡林寅松・小松丑治・中村浅吉と歓談している。[13]

このころの森近は、同年五月二〇日の号外をもって『日本平民新聞』が事実上の廃刊となり、「大阪平民社」も解散となったうえ、『日本平民新聞』第二三号付録の『労働者』第四号「農民のめざまし」が出版法と新聞紙条例違反に問われ、その控訴審が待ち受けていたのである。その後、森近は同年七月三日に軽禁固二ヶ月の実刑を言いわたされ、七月八日から九月六日まで大阪堀川監獄に収監されている。岡林の『明治四十一年懐中日記』の六月一〇日のページには、「朝宅にねてあり、森近君来れりと春子さん（注・小松の妻）いひに来る、森近君会ふ談す、西の二階にて臥す」[14]とある。森近と岡林・小松・中村がどのような会話をしたのかはわかっていないが、森近が高知県中村で幸徳に会ったときのことを話したのであろう。その後、森近は新宮から小松に礼状を出している。

先日は非常に御厄介を掛けて何とも御礼の申し様もない。中村の住所を記憶せぬから手紙を出し得ぬ。兄から可然御伝言を乞ふ。大阪の同志が十五日に神戸へ（ラッパ節販売）大挙伝道を試むると云つて来たがどんな風か知らん。様子を知らして呉れ玉《ママ》へ。
　野花兄は此頃夢の中に暮して居るだらう。
　　六月十五日　　　　　　　　覓牛[15]

同年六月二三日、森近は中村浅吉にも新宮での報告を兼ねた礼状を送っている。

先日は僕が贅るつもりの処をトウ〳〵反対になつて誠に恐縮、当地へ着くと直ぐ手紙を出す積りでありましたが御住所を居なかつたので。野花君は例の可愛らしい顔付をしてニコ〳〵笑つて居るでしやう。結婚と云ふのがイヤならいつその事交尾とでもやつてはどうだろう。此間当地へ大内《おおうち》青巒《せいらん》居士（注・当時の仏教界の重鎮）が来て三日間頗る旧式な説教（イヤ演説）をやつた、大石兄と二人で訪問して見たが僕等には非常に敬意を払つて非国家非教権的の事を話した、彼はマア自働《ママ》百科全書だ、併し当地の人も居士の演説で何等の利益も得ないと云つて居る要するに時代が異うんだ、居士の帰つたあとで吾々の談話会を開いて大石兄が青巒の批評をやる、又昨夜は沖野（注・新宮教会牧師の沖野岩三郎）と云ふ珍しく新思想の牧師（大石君の仕込みで大分急進的だ）が勅語の解釈をして「万世一系」「無比の国体」「旧式の忠君」などを罵倒した、当地の思想界は仲々進んで居ます、僕は検事が控訴して居る由で、近日大阪控訴院へ呼出されるであらう。面倒くさい事だ、六月廿一日[16]

この森近のはがきに新宮で「吾々の談話会を開い」たとあるが、一九〇八（明治四一）年六月一九日に、高木顕明が住職をつとめる真宗大谷派浄泉寺《じょうせんじ》で、大石誠之助らによる談話会が開かれており、大石が「大内青巒論」、森近が「金儲の秘訣」について、それぞれ話をしている。[17]

一九〇八（明治四一）年末ごろ、岡林寅松は小松丑治・井上秀天・中村浅吉と相談のうえ、クロポトキン著・幸徳秋水訳の秘密出版『麵麭の略取』を四部申し込んでおり、幸徳に「予約〆切（一九〇九年一月一五日）後に送金しても差支えないか」と問い合わせている。[18]この問い合わせに対して、幸徳は「御無沙汰致候、御端書及新聞多謝、獄中及在京の同志いづれも健在に候、例之件は来月に成ても宜敷候間一部でも多く御周旋願候」[19]と返事のはがきを岡林に寄せている。なお、岡林の大逆事件時の検事聴取書によれば、幸徳とは日刊『平民新聞』が創刊されたころ（一九〇七年一月一五日）から文通をしており、その後もたびたび手紙のやり取りをしていたという。[20]実際、岡林の『明治四十二年懐中日記』の六月一七日のページには、「直に返事の手紙を送る、幸徳秋水君にはがき、近藤いま子氏に婦人の友送る」[21]と書かれている。

これらの動向をみてもあきらかなように、「神戸平民倶楽部」の会員は、岡林寅松・小松丑治・井上秀天・中村浅吉の四名しか確認できない。「神戸平民倶楽部」は、政府の社会主義に対する取り締まりが厳しくなったことにより、会員が次々と脱落し、最終的に倶楽部員は岡林・小松・井上・中村の四名だけになってしまったのであろう。

〈注〉

1 羽山生「神戸通信」『熊本評論』第一八号　一九〇八（明治四一）年三月五日。
2 『神戸市伝染病史』（神戸市役所衛生課　一九二五年）九九～一〇〇頁、三二〇～三二一頁。
3 「鳴雁飛鳩」『平民評論』第一号　一九〇九（明治四二）年三月一〇日。
4 「平民評論社　小松天愚宛はがき（一九〇九年二月二四日消印・熊本）」（大逆事件記録刊行会編『大逆事件記録第二巻　証拠物写（下）』世界文庫　一九六四年　五九〇頁）。
5 「岡林寅松　調書」（『森長訴訟記録・Ⅳ』森長英三郎所蔵　八〇頁）。
6 内務省警保局編「社会主義者沿革　第一」（松尾尊允編『続・現代史資料Ⅰ　社会主義沿革1』みすず書房　一九八四年　八～九頁、三三一～三三五頁）。
7 葛野については、森本英之「明治後期池田の社会主義運動―葛野枯骨と縦横社―」（『歴史と神戸』第一一巻第二号　神戸史学会　一九七二年）、池田市史編纂委員会編『新修　池田市史　第三巻　近代編』（池田市二〇〇九年）、中川剛マックス「葛野枯骨の反抗精神」（『峯尾節堂とその時代　名もなき求道者の大逆事件』風詠社　二〇一四年）参照。
8 内務省警保局編「社会主義者沿革　第二」（前掲『続・現代史資料Ⅰ　社会主義沿革1』五〇頁）。
9 岡林寅松「明治四十一年懐中日記」（前掲『大逆事件記録第二巻　証拠物写（下）』五六二～五六四頁）。

10 「軍隊と社会主義鎮圧」『日本平民新聞』第二三号　一九〇八（明治四一）年五月五日。
11 「暗殺主義（ザ・テロリズム）」（前掲「社会主義者沿革　第二」『続・現代史資料Ⅰ　社会主義沿革1』三九頁）。
12 「森近運平　岡林寅松宛はがき（一九〇八六月二三日消印〈発〉、同年六月二五日消印・神戸〈着〉）」（前掲『大逆事件記録第二巻　証拠物写（下）』五五八頁）。
13 「森近運平研究基本文献　解説」（木村壽・吉岡金市・木村武夫・森山誠一編『森近運平研究基本文献　下巻』同朋舎出版　一九八三年　八五〇〜八五一頁）。
14 前掲「明治四十一年懐中日記」五六四頁。
15 「森近運平　小松天愚宛はがき（一九〇八年六月一六日消印・神戸〈着〉）」（前掲『大逆事件記録第二巻　証拠物写（下）』五八九頁）。
16 「森近運平　中村桐舟宛はがき（一九〇八年六月二一日消印・新宮〈発〉、同年六月二三日消印・神戸〈着〉）」（前掲『大逆事件記録第二巻　証拠物写（下）』五九八頁）。
17 『熊野新報』一九〇八（明治四一）年六月二一日（和歌山県立図書館所蔵）。
18 神崎清『革命伝説　大逆事件②　密造された爆裂弾』（子どもの未来社　二〇一〇年復刻）九六〜九七頁、「岡林寅松　第二回聴取書」（『森長訴訟記録・Ⅳ』森長英三郎所蔵　七七頁）。
19 「幸徳秋水　岡林寅松宛はがき（消印年月日不明）」（前掲『大逆事件記録第二巻　証拠物写（下）』五五九頁）。
20 前掲「岡林寅松　第二回聴取書」七七頁。
21 岡林寅松「明治四十二年懐中日記」（前掲『大逆事件記録第二巻　証拠物写（下）』五六五頁）。

第七章　神戸平民倶楽部の会員たち

「神戸平民倶楽部」の会員について、岡林寅松の大逆事件時の予審調書によれば、岡林と小松以外では、井上秀天・中村浅吉（桐舟）・永井実・林謙（隣賢）・北川龍太郎がよく例会に出ていたとしている。[1] また、小松丑治の検事聴取書には、これらの人びとにキリスト教伝道師の藤野某と宇野某の名前が加わっている。[2] そのほかの倶楽部員・倶楽部関係者として、週刊『平民新聞』などの新聞・雑誌への通信や大逆事件の押収資料などから、荒川・臼谷・谷村・羽山・兎園・縄本百太郎・岡某（犬王）・グリフス・知位応・津野栄（さか江）・空谷・沢野・村山三郎（詩天）・高橋勝作の名前を確認することができた。このうち、村山は淡路島出身で、大逆事件当時はアメリカにわたっていたという。[3]

しかし、「神戸平民倶楽部」の会員のなかで、経歴がわかっているのは、大逆事件で取り調べを受けた岡林・小松・井上・中村の四名だけである。ここでは、岡林・小松・井上・中村の個々について述べておきたい。

岡林寅松（野花・真冬）

岡林寅松は、一八七六（明治九）年一月三〇日に父・長太郎、母・茂登の長男として高知市鷹匠町四〇番屋敷で生まれた。高知師範附属高等小学校を卒業後、高知市北奉公人町（現・上町）の中井弁護士宅で書生をしていたが、医師としての勉強をするため、本丁筋（現・上町）の倉知病院の書生となった。[4] その後、医師になるため、京都に出て、[5] 一八九九（明治三二）年一一月、大阪で行われた医術開業前期試験に独学で合格した。[6] 前期試験は物理学・化学・解剖学・生理学の四科目であり基礎的なものである。後期試験は外科学・内科学・薬物学・眼科学・産科学・臨床実験の六科目で、学校・病院などで一年半以上修学しないと受験ができないことになっていた。一九〇二（明治三五）年一月、小学校同窓生であった小松丑治の世話で夢野村（現・兵庫区）の神戸海民病院本院に就職し、事務をとるかたわら横河震八郎院長のもとで病理学・診断学・内科学・外科学・産科学・眼科学・薬物学を学んでいる。

岡林寅松（『大逆事件アルバム』より）

日露戦争が開戦する前、京都に住んでいたころ、『萬朝報』に掲載された幸徳秋水と堺利彦の非戦論に共鳴し、社会主義に関心を抱くようになった。そして、一九〇四（明治三七）年九月、小松とともに、神戸における週刊『平民新聞』読者会・社会主義研究会「神戸平民倶楽部」を結成したのである。岡林は、のちに『高知新聞』のインタビューで、社会主義に関心を寄せるようになったことについて次のように述べている。

思想上では、私は当時、幸徳の主義主張に共鳴してゐました。私が一番幸徳の主張に感動したのは日露戦争の直前、当時、萬朝報に在社してゐた幸徳が黒岩涙香と非戦論と主戦論に分れて激論を戦はしました。幸徳は非戦論でした。それで、黒岩と意見の衝突を来たし、萬朝報を退社しました。その時分幸徳の非戦論の主張や人道上の問題から戦争の惨虐《ママ》なことを読んで、大に共鳴し、爾来私は幸徳の主義主張に知らず識らず引き込まれて、互に文通するやうになりました。[7]

岡林は、幸徳のほかに、堺利彦・大杉栄・荒畑寒村・管野須賀子・新村忠雄とも文通をしており、[8]とくに新村からは、同棲していた幸徳と管野の関係について、手紙で相談を受けたことがあるという。[9]実際、大逆事件の家宅捜索では、岡林のもとからは、幸徳秋水・堺利彦・片山潜からのはがきとともに、新村からのはがきも一通押収されている。

> 自由思想（注・幸徳と管野が創刊した雑誌）秘密発送に関し四百円の罰金を課せられ上告中なり幽月女史（注・管野須賀子）は上告取下げまして十八日午後〇時四十分刑の執行を受けました、十四日より肋膜が大変悪くてねたまゝで居つた女史が換刑一百日間よく身体がつゞくかどうか頗る不安でなりません
>
> 秋水氏は相模湯ヶ《ママ》原天野方に居ります[10]

新村は、長野県埴科郡屋代町（現・千曲市）の出身で、郷里でキリスト教の洗礼を受けたが、信仰に疑問をもち、やがて週刊『平民新聞』などの社会主義新聞・雑誌を読んで社会主義者・無政府主義者となり、一九〇九（明治四二）年二月ごろから幸徳秋水の書生となった。しかし、宮下太吉の「明

治天皇暗殺計画」に加わり、計画に使う爆裂弾の薬品を宮下に送付したため、一九一〇（明治四三）年五月二五日に爆発物取締罰則違反の容疑で逮捕され、のちに刑法第七三条「大逆罪」違反で死刑となった。岡林は新村について「後に東京の獄中で忠雄と逢つて、〇〇（注・看守）の眼をぬすんで立ち話をしたことがありますが、快活で男性的な若者でした。（略）彼は私に、お前は土佐から来てゐるさうだが、暖国の人間が獄に入ると、寒くて困るだらう…などいつて、自分のことなど考へず、私の事を心配してくれたやうな青年でした」[11]とのちに回想している。

このはがきは、新村が逮捕される直前の一九一〇（明治四三）年五月一九日に出されたものである。内容は管野や幸徳の近況についての報告で、思想的なものや「明治天皇暗殺」の実行計画を伝えたものではない。そのため、岡林は宮下・新村らの計画には無関係であったことがうかがえる。

さきにふれたように、幸徳とは一九〇七（明治四〇）年一月一五日に日刊『平民新聞』が創刊されたころから、たびたび手紙のやり取りをしていた。しかし、大逆事件の公判廷までふたりに直接の面識はなかった。岡林は、大逆事件時の検事聴取書で、幸徳について次のように述べている。

同人（注・幸徳秋水）ガ大阪ニ参リ平民社デ歓迎会ノアリマシタ節ハ私ハ参リマセヌデシタ、小松ガ参リマシタ、私モ同人ニ面会シタイト思ヒマシタケレドモ、何分病院ヲ離ル、コトガ出来ヌノデ遺憾ナガラ参リマセヌデシタ、小松カラ幸徳ガ神戸ニ寄ラヌカラ私ニ宜敷云フテ呉レトノ伝言ヲ受ケマシタ。

尚ホ其節小松カラ歓迎会ノ席上デ荒畑ガ幸徳縋リ付イテ泣イタト云フコトヤ、大阪ノ「ウドン」

屋ノ篠原ト云フ者ガ歓迎会ニ飛入リシテ幸徳ト議論ヲシテ引出サレタト云フ様ナ話ハ聞キマシタガ運動方法等ニ就テハ何等ノ話モ聞キマセヌデシタ。[12]

のちの『高知新聞』のインタビューでも、岡林は幸徳について語っている。

記者「あなたは幸徳氏と逢つて話したことがありますか。」
岡林「いえ、一度もありません。」
記者「それは全く意外ですね。あれほど大きな事件に連坐され、死刑まで宣告されたあなたが、事件の首魁である幸徳と、一度も逢つたことがないとは、真実とは思えないのです。」
岡林「どんなに見られても、私は幸徳と一度も逢つたことは無いのです。同郷の先輩ではあつたけれど…。しかし、公判廷ではじめて逢ひました。公判廷では、幸徳は前の方にをり、私等は後の方にゐましたが、その時に、幸徳も私のことを知つてか、度々、私の方を向いて何かいひたそうに口をもご〳〵さしましたが、そのまゝ、何にもいはなかつたのです。この公判は、明治四十三年十二月十日から大晦日まで続きましたが、私はこの公判廷で幸徳に会つたのが、最初であり、また最後であつたのです。」
記者「さうすると、幸徳氏の主義主張を他処ながら読んで、共鳴してゐたといふ訳でありますか。」
岡林「さういふ訳でもありません。幸徳と私とは互に文通して意見の交換をやりました。」[13]

『高知新聞』ジャーナリストの中島及は、岡林について「岡林もまた世界平和の理想と社会主義には深く共鳴してゐた。殊に明治三十六年、幸徳秋水が週刊『平民新聞』に拠つて筆端火を吐く名文を以てこの思想を鼓吹するにいたつて頗る感ずるところがあり、自ら率先して神戸に神戸平民倶楽部なるものを創立した」[14]と述べている。岡林は幸徳と直接の面識はなかったが、幸徳の思想に共鳴したひとりであったことは確かである。

小松丑治（天愚）

小松丑治は、一八七六（明治九）年四月一五日に父・孫四郎、母・柳の次男として高知市帯屋町四一番屋敷で生まれた。丑治の実兄にあたる長男・重は、大逆事件当時は大阪府南河内郡古市村（現・羽曳野市）の古市駐在所で巡査部長をしていたため、社会主義者の丑治との関係は疎遠だったという。[15]地元の高知師範附属高等小学校四年を修業後、一七歳で大阪に出て区役所・小学校雇・郵便局員などの仕事をした。しかし、郵便局員時代に官印盗用・官文書偽造行使詐欺取財の容疑で重禁錮一年、監視六ヶ月の実刑を受けている。一八九六（明治二九）年に高知へ戻り、市内の武田病院で薬局生をしていたが、前科と肺病で厭世的になったこともあった。一八九八（明治三一）年、神戸へ出て、東川崎町五丁目（現・中央区）の神戸海民病院支院の事務員となった。

小松丑治（『大逆事件アルバム』より）

小松と岡林が勤務していた神戸海民病院は、海員と船客の疾病者を収容することを目的として設立され、設立経営者は社団法人海民協会であった。海民協会は、明治から大正にかけての神戸医療界の重鎮であった横川震八郎が中心となって一八九七（明治三〇）年に設立された。[16] また、『神戸市要鑑』（神戸市要鑑編纂事務所　一九〇九年）の病院の項目には、神戸海民病院について次のように記されている。

神戸海民病院（『大逆事件アルバム』より）

　　海民病院（夢野村）
院　長　横川震八郎　　副院長　内田伊三郎
副院長　前川　俊造
因に記す同病院は海員掖済会兵庫支部（栄町六丁目）の附属にして、明治四十年一月の設立に係り、一般病院として事務取扱を為すも、主として海員患者を収容すと[17]

龍谷大学助教授（当時）の酒井一によれば、一九〇七（明治四〇）年末で、神戸海民病院には、病室二九坪、医師四、薬剤師一、看護師四の合計九名の医療関係者がおり、取り扱い患者数はのべ一万九四五二名もいたという。[18] 病室の規模のわりには取り扱い患者が多かった病院であったことがうかがえる。

　小松は、最初は熊恵という女性と結婚していたが、小松の父・孫四郎と折り合いが悪く、一九〇二（明治三五）年六月ごろに離婚している。[19]その後、一九〇四（明治三七）年三月一八日、兵庫区三川口町一丁目六〇番屋敷で小間物屋を営んでいた津田熊吉の長女・はる（一八八四年四月五日生まれ）と再婚し、東出町一丁目（現・兵庫区）一六五に居を構えた。結婚当時の丑治との生活について、はるは次のように回想している。

明治三十七年三月十八日二十一才の春、「すべてに万能」ですっきりと背が高く、眉宇に輝きのあふれた丑治と結婚して湊川町（注・はるの記憶違い）に家をもった。丑治は二十九才の働きざかりで、「主義の活動」の方でも神戸平民倶楽部の先やりだった。私は丑治の同郷で仕事の上でも思想的にも仲間だった岡林寅松さんとそのやさしい妹晃恵《てるえ》さんとも親しくなった。舅孫四郎が土佐からの船便でときどき持ってきてくれるカツオをタタキに調理してもらって、それをニンニクと酢で賞味することも覚えた。また平素無口な丑治がぽつぽつと話してくれる土佐の風物、人情、なかでもワラスベで結えてもてるほどにも固いという土佐の豆腐にも想いを馳せた。

また、若い労働者教育のために、将来、自分で大きな家を持って一そう徹底的にやりたいとも らす丑治の夢に共感して、ぜひそれを実現させてやりたいともねがった。[20]

社会主義に関心を抱くようになったのは、週刊『平民新聞』が創刊された際、友人からその創刊号を見せてもらい、次号から購読するようになってからである。小松が居住する東出町と、海民病院の支院がある東川崎町は、いずれも労働者街であるため、そこでの生活や海員との接触が小松の思想形成に少なからず影響を及ぼしたと思われる。岡林は小松について『高知新聞』のインタビューで次のように語っている。

岡林「私の主義者としての生活は相当真剣でありました。神戸では、私と小松君とが平民倶楽部を組織して、一味の者を統括してゐました。」
記者「小松君は、その時、神戸でどうしてゐましたか。」
岡林「矢張り、海民病院に勤めてゐました。」
記者「あなたは、小松君と、如何なる動機で知り合になりましたか。」
岡林「小松君は、私の小学《ママ》時代の同級生です。一緒に附属小学校に机を並べて授業をした竹馬の友です。五十六年の過去を苦楽を共にして暮して来た親友です。同君は早くから神戸に行つてゐたので、私は後から同君を便つて神戸に行き、海民病院に勤めてゐた訳です。」
記者「小松君も当時は熱心な社会主義者でしたか。」
岡林「そうです。」[21]

岡林は、一九〇六（明治三九）年一月三一日付の自筆履歴書で、自らの住所について、「当時兵庫県神戸市兵庫東出町一丁目百六十五番屋敷小松孫四郎方寄留」[22]と書いているように、神戸での岡林は小松宅に住んでおり、ふたりの関係の深さがうかがえる。

小松は、大逆事件時の検事聴取書で、自らの社会主義について次のように述べている。

私ハ社会主義ヲ奉ズル者デアリマスガ無政府共産ヲ実行セントスル者デハアリマセヌ、是レハ不可能ノ事デアルト信ジマスカラ寧ロ議会政策ヲ行ハント希望スルモノデアリマス
「ゼネラルストライキ」ヲ運動ノ手段トナシ理想トシテハ革命ヲシタイト思ヒ居リマス

帝国主義ハ認メズ理想トシテ今日ノ国家組織ヲ認メズ止ムヲ得ザル正当防衛ニ出デザル限リ非戦論ヲ主張シ常備軍ノ制ヲ否認シ国家ノ主権ヲ否認シ居ルモノデアリマスカラ、我々ハ主義実行ノ上ハ　天皇ハ徳川将軍ノ維新ノ際ニ於ケルガ如ク、又韓国皇帝ガ今回ノ合邦ニ於ケルガ如ク只相当ノ地位ヲ保タシメテ権力ナキ人トナラレン事ヲ希望スルモノデアリマス[23]

自らの社会主義を議会政策派と述べているが、運動の手段としてゼネラルストライキをあげている。このゼネラルストライキの供述について、小松はのちの予審調書で否認していない。そのため、小松の社会主義は、議会政策派とするよりも、中間的折衷派に近いものといえよう。また、天皇について、「相当ノ地位ヲ保タシメテ権力ナキ人トナラレン事ヲ希望スル」と述べているが、小松はその後の予審調書で次のことを供述している。

神戸ニ於テ取調ラレタ時ニハ私ノ考ヘハ結局何ウナルカト云フ事デアリマシタカラ天皇ハ徳川将軍ガ政権ヲ握リ居リシ維新前ニ於ケルガ如ク又タ韓国皇帝ガ今回ノ合邦ニ於ケルガ如ク相当ノ地位ヲ与ヘテ権力ノナキ人トナリハシマヒカト云フ事ヲ申陳ベマシタデス

問、ソースルト内山愚童ガ小冊子（注・内山の秘密出版『入獄紀念　無政府共産』）ノ中ニ云ヒ表ハシタ如ク

天子ノナヒ自由国ニスルト云フ様ナ意味ニナルノダネ

答、左様同ジ意味ニナルカハ知リマセヌガソンナ制度ニナル事ヲ希望ハ致シマス

問、神戸デ取調ヲ受ケタ時ニハ其事ヲ希望シテ居ルト云ツテ居ルデハナヒカ如何

答、希望致シテ居ルトハ申上ゲナカツタ筈デス[24]

この予審調書で、小松は天皇を「相当ノ地位ヲ保タシメテ権力ナキ人トナラレン事ヲ希望スル」とは供述していないと、聴取書の内容を否認している。実際、予審調書では天皇について「相当ノ地位ヲ与ヘテ権力ノナキ人トナリハシマヒカ」と供述しており、「希望スル」とは述べられていない。したがって、聴取書での小松の天皇に関する供述は、検事による誘導尋問と思われる。

一九〇七(明治四〇)年一月、海民病院の支院が本院に合併されたが、小松は支院に勤務し、東出町一丁目から夢野村に移り住んだ。一九一〇(明治四三)年一月、海民病院が改組により湊川病院と改称されたのを機に、小松は自分の地位を医師志望であった岡林にゆずり、病院を退職して、はるとともに現在の湊川町七丁目で養鶏業をはじめた。小松の入獄後、この養鶏業が妻・はるの生活を支えることになった。

井上秀天

井上秀天は、一八八〇(明治一三)年三月二一日に父・久太郎、母・しなの長男として鳥取県東伯郡中北条村(現・北栄町)大字国坂一一八番地で生まれた。幼名は秀夫。家業は日用雑貨・農耕関係の卸問屋を営んでいたが、幼少時に父親がこの事業に失敗したことによって、倉吉の曹洞宗寺院に預けられることになった。当時、アメリカン・ボードの宣教師が鳥取県への伝道をはじめていたので、そのころ独学的に英語に親しむ機会があったという。一八九〇(明治二三)年、地元の米子中学に入学して、卒業後の一八九五（明治二八）年九月に上京して曹洞宗大学林に入学し、鳥取市景福寺の住職でもあった陸鉞巌《りくえっきょう》のもとで印度哲学を学んでいる。翌年二月に秀天と改名し、景福寺に移り、「瑞少峯景福寺第一座」として住職の陸を補佐した。一八九七（明治三〇）年末ごろに陸が台湾にある曹洞宗台南市布教所に駐在するようになったことにより、井上も台湾にわたり、陸のもとで布教活動に携わるとともに、台南義塾を開設して日本語の指導にもあたった。一八九九（明治三二）年九月、英語と中国語を得意としていたこともあってか、陸の厦門・福州・広東・香港・シンガポール・コロンボ・ボンベイ・バンコクなどへの宗教視察に同行し、一九〇二（明治三五）年には再び台湾にわたった。台湾に在住していたとき、すでに『萬朝報』の幸徳秋水・堺利彦の非戦論に共鳴していたが、台湾から帰国後の一九〇三（明治三六）年一一月一五日に幸徳と堺が週刊『平民新聞』を創刊するとその読者となった。一九〇四（明治三七）年二月に日露戦争が開戦した際には、香川県善通寺の第一一師団付の従軍布教師兼通訳として出征した。この第一一師団は、日露陸戦の激戦地である旅順や奉天を転戦しており、戦地での経験が井上の思想形成に少なからず影響を及ぼしたと考えられる。しかし、一九〇五（明治三八）年春、肺結核のため後送され、善通寺予備病院を経て須磨で療養生活を送っている。同年末ごろから神戸市下山手通七丁目二五九の三（のちに中山手通二丁目四二番地へ転居）に移り住み、翌一九〇六（明治三九）年五月には「神戸平民倶楽部」の会員になった。

神戸では、インド・コロンボのサンダレサ新聞の特派通信員をつとめる一方で、神戸女学院・関西学院などのミッション・スクールで外国人講師・校長の相談役をしており、大逆事件当時は神戸女学院の講師をしていたという。なお、日本宗教思想史研究者の守屋友江は、神戸女学院五十年祝賀会編『神戸女学院史』（神戸女学院五十年祝賀会　一九二五年）に掲載されている教員リストに井上の名前が載っていないことから、井上が神戸女学院で講師をしていたことを疑問視している。[25] しかし、井上は大逆事件で重要参考人として取り調べを受け、大正年間は「要視察人」として官憲から監視されていた。『神戸女学院史』を編さんする際、官憲からの弾圧を恐れた学院側は、教員リストから井上の名前をあえて削除したと考えられる。また、神戸女学院大学の図書館には、井上の著書が八冊も所蔵されており、実

井上秀天（森山誠一氏提供）

際に神戸女学院で講師をつとめていた可能性は高い。

井上は、「神戸平民倶楽部」の会員になったころ、未刊に終わった雑誌『赤旗』に、「忙中閑話」という題の原稿を書いている。そのなかで「多年忠君ノ鑵詰ヤ、武士道ノエキスヤ、愛国ノ煮〆ヤ、金鵄勲章ノミルクヤ、正〇位ノ飴ヤ、勲〇等ノ砂糖水ニ飽キ果テタ」[26]などの社会批判の文章を書いていたため、大逆事件の取り調べの際にその意味を追及されている。一九〇七（明治四〇）年一一月三日に「大阪平民社」で幸徳秋水歓迎会が開かれた際には、小松丑治とともに出席し、井上が歓迎のことばを述べている。その後、井上は高知県中村にいる幸徳秋水に見舞いの手紙を出しており、これに対する幸徳の返信のはがきが大逆事件の家宅捜索の際に押収されている。

小生よりこそ御無沙汰申訳無之候
歴史は真に繰返すものにや、古来幾多の革命若くば亡国前の状勢は歴々として今日の社会に現出し来ると覚え候、改革者の大に準備を要する時と存し候、小生病状依然碌々として安臥不堪慚愧候、神戸市同市《ママ》諸君に宜敷御鶴声奉祈候
森近君中々苦戦の体、御心添願上候、頓首[27]

一九一〇（明治四三）年四月二日に井上が執筆した「予の予、予の彼（下）」には、「堺利彦、幸徳秋水、この二先生も予の敬愛する思想家である、が悲しいかな、日本の様な旧式な、自分よがりの、窮屈な所謂皇統連綿万世一系の世界無比な国に生れたが因果で、当局者に罪人視されて居て、誠に気の毒な次第である」[28]とあり、いずれも井上が幸徳を敬愛していたことがうかがえる。

このような社会主義者と井上との関係について、日本近代仏教史研究者の吉田久一は、次のように述べている。

岡林寅松（野花）とは、三十九年頃から知り合ったが深い交際はなかった。秋水の演説を東京で聞いたことはあったが、はじめて会ったのは大阪である。しかし、ほとんど言葉も交わしていない。『大阪平民新聞』は購読していたが、森近には余り好感を持っていなかった。（略）したがって、社会主義者との深い交流はほとんどなかった。[29]

しかし、一九〇六（明治三九）年八月二〇日発行の社会主義雑誌『光』第一巻第一九号の「知れる人知らざる人」という同志の消息欄に、西川光二郎・大杉栄・幸徳秋水・堺利彦らとともに、井上の

消息が伝えられている。

　井上秀三君《ママ》　は神戸の地を去り、岡山孤児院に入り、同情の為め、愛の為め働くべしといふ[30]

一九〇六（明治三九）年八月ごろ、井上は、「あまし得たる後半生を、同情の為、愛の為、将た人道の精華の為に捧げ、いと静謐なる生涯をうみ出さんと欲す」[31]として、神戸を離れ、クリスチャンで慈善事業家の石井十次が経営する岡山孤児院に入った。しかし、わずか四ヶ月後の同年一二月ごろ、「一度は「岡山孤児院」に入りしも、名聞うるはしき孤児院のソコ面、何となく気に喰はず、あきれ果て、神戸に舞戻」[32]っている。井上によれば、ある日の晩、収容されている孤児がひとり行方不明になった際、石井は「イヤ、心配するには及ばぬ、あすの朝になれば知れるだろー、かまうに及ばぬ、ホツテおけ…」と言って、その孤児を探さなかった。しかし翌朝、その孤児が院内のプールで溺死しているのが見つかると、石井は「溺死をしたと云つては世間体が悪いから、早く着物を持つて行つてきせて帰れ…」と命じた。このとき、井上は「この石井院長は夜叉気のある先生であると悟つて、間もなく孤児院にサヨーナラと宣言してしまつた」という[33]。

　東京で出されていた社会主義雑誌である『光』に井上の消息が掲載されていることから、井上と中央の社会主義者との間には、一九〇六（明治三九）年八月までに何らかのかたちで交流があったものと考えられる。どのようにして交流をはじめたのかはわからないが、井上が社会批判や平和論などの論説を数多く寄稿していた「新仏教徒同志会」の機関雑誌『新仏教』を通じてのことと思われる。

「神戸平民倶楽部」に入会し、神戸のみならず、中央の社会主義者とも交流していた井上であったが、社会主義者からは、井上は社会主義者とみられていたようである。幸徳秋水は、大逆事件での取り調べの際、予審判事から「井上秀夫《ママ》ハ社会主義者カ」と問われ、「左様テアロウト思ヒマスカ、明治四十年十一月帰郷ノ途次、大阪ニテ一寸会ツタ丈ケニテ能クハ存シマセヌ」と答えている。[34]

確かに井上は、「帝王、国家に対する日本人の思想中には、ある欧米人の申す如く、たしかに賞賛すべからざる―寧ろ排除すべき非文明非人道の分子が混入しておると思ふ」[35]とは述べているが、一九一一（明治四四）年一〇月九日の日記には次のことを記している。

予輩の如き無抵抗主義の人物―「悪に敵すること勿れ、人なんぢの右の頬をうたば、亦左の頬をも之に打たせよ。…汝の敵を愛し、汝を迫害する者のために祈祷せよ…」「悪罵の毒を歓喜忍受して、甘露を飲むが如くせよ」と云ふ教に絶対に服従し、その教を信奉しておる予輩を、危険人物視するとは、実に愚の骨頂と云はねばなるまい。併し戦争万能主義の信者から見れば、予輩の如き平和主義の人物は、却て彼等の眼には危険人物に見えるのかも知れぬ。[36]

大逆事件後、井上は東洋思想や仏教に関する著書を多数刊行しているが、そのうちのひとつである『仏教の現代的批判』（宝文館　一九二五年）でも、「舶来の過激思想」である「新式の危険思想」を批判している。[37]この『仏教の現代的批判』が刊行される三年前の一九二二（大正一一）年、中浜哲（鉄）・古田大次郎・倉知啓司・河合康左右らによって無政府主義結社「ギロチン社」が結成されている。ギロチン社は、理論的な論争を嫌い、テロリズムに訴える手段をとっていた。井上の「新式の危険思想」に対する批判には、このギロチン社の活動が背景にあると推測される。そのため、井上がいう「新式の危険思想」とは、テロリズムに訴える手段を採る無政府主義と思われる。井上は、ときには鋭い言葉を用いて、社会批判や平和論を唱えていたが、自らを「無抵抗主義の人物」、「平和主義の人物」と称しているように、暴力は正当化していなかった。社会主義者と交流を結んでいた井上であったが、暴力といった過激な主義や主張とは一線を画していたのである。

中村浅吉（桐舟）

中村浅吉は、一八八〇（明治一三）年ごろに長崎県島原で生まれた。一八九五（明治二八）年に地元の高等小学校を卒業後、高等小学校準教員の資格を得た。しかし、まもなく兵役に服し看護卒になっているため、教職についた気配はない。一九〇二（明治三五）年ごろにキリスト教の洗礼を受けたが、『萬朝報』の幸徳秋水・堺利彦らの非戦論に共鳴し、社会主義に関心を抱くようになった。一九〇五（明治三八）年九月、神戸に出て、義兄がやっていた石炭販売業の事務員となり、やがてそのあとをついでいる。

長崎に住んでいたころから週刊『平民新聞』を購読していたらしく、長崎より投稿をしている。

社会主義の必要は肉体的労働者にのみ限るにあらず、精神的労働者にも亦より多く其必要あるなり、例へば幾多の官署、幾多の会社等に就きて見よ、部下の忠実なる精神的労働の結果は総て其上長の者の名誉或は報酬に帰し、部下は僅なる俸給に圧制せられて、其犠牲に供せらるゝ也、而して上長者は曰く、之れ地位の報酬なり、之れ地位の報償なりと、然り、誠に然り、唯だ社会主義は其責任を万人に分担せしめ、其地位をして平等ならしめ、而して万人平等に其幸福を享有せしめんとする者也。(肥前、桐舟)[38]

また、『日本平民新聞』第一六号（一九〇八年一月二〇日）にも、「公然の大賭博場」を寄稿しており、「労働者が、五銭十銭の賭博をやればすぐ監獄にぶち込まれる」のに対して、完成したばかりの鳴尾競馬場で「紳士閥や、資本家の奴が、何万円の大賭博は白昼公然と行はれても、決して警察の干渉がない」ことを批判している。[39]

岡林や小松と交際を結ぶようになったのは、週刊『平民新聞』に出ていた「神戸平民倶楽部」の広告をみてからであり、二人が勤務していた神戸海民病院にも石炭を売り込みに行っている。さきにふれた未刊の雑誌『赤旗』では、「発刊の辞」を書いており、大逆事件の家宅捜索の際に、創刊号予定の原稿が「雑誌『赤ハタ』原稿ト題スル原稿綴　壱綴」として中村のもとから押収されている。[40]

大逆事件で取り調べを受けた際、岡林と小松は無神論者で無政府共産主義の考えをもっていたと述べている。しかし、中村自身はキリスト教社会主義者の木下尚江に親近感を抱いており、一九〇七(明治四〇）年ごろからキリスト教と社会主義は思想的根底を異にしていることに気づき、社会主義とは遠ざかりつつあったと弁明している。

〈注〉

1　「岡林寅松　調書」（『森長訴訟記録・Ⅳ』森長英三郎所蔵　八〇頁）。

2　「小松丑治　聴取書」（『森長訴訟記録・Ⅳ』森長英三郎所蔵　五〇頁）。

3　「小松丑治　第四回調書」（『森長訴訟記録・Ⅳ』森長英三郎所蔵　六七頁）。

4　「幸徳秋水　大逆事件の同志　岡林寅松と語る（七）　土佐平民倶楽部の幹部と秘密文書の往復」（スクラップ帳『藻屑籠　一』個人旧蔵）。

5　同右資料。

6　「岡林寅松　自筆履歴書（一九〇六年一月三一日）」（西尾治郎平「岡林寅松とその妹（その二）」『大阪民衆史研究』第三三号　大阪民衆史研究会　一九九三年　二二頁）。

7　「幸徳秋水　大逆事件の同志　岡林寅松と語る（二）　幸徳とは一度も逢つた事がない　何にも知らずに連坐」（スクラップ帳『藻屑籠　二』個人旧蔵）。

8　前掲「幸徳秋水　大逆事件の同志　岡林寅松と語る（七）　土佐平民倶楽部の幹部と秘密文書の往復」、「幸徳秋水　大逆事件の同志　岡林寅松と語る（九）　同志を推薦したのみで死刑　森近運平のこと」（スクラップ帳『藻屑籠　二』個人旧蔵）。

9　前掲「幸徳秋水　大逆事件の同志　岡林寅松と語る（九）　同志を推薦したのみで死刑　森近運平のこと」。

10　「新村忠雄　岡林野花宛はがき（一九一〇年五月一九日消印・東京〈発〉、同年五月二〇日消印・神戸〈着〉）」（大逆事件記録刊行会編『大逆事件記録第二巻　証拠物写（下）』世界文庫　一九六四年　五六〇頁）。

11　前掲「幸徳秋水　大逆事件の同志　岡林寅松と語る（九）　同志を推薦したのみで死刑　森近運平のこと」。

12　「岡林寅松　第二回聴取書」（『森長訴訟記録・Ⅳ』森長英三郎所蔵　七七頁）。

13　前掲「幸徳秋水　大逆事件の同志　岡林寅松と語る（二）　幸徳とは一度も逢つた事がない　何にも知らずに連坐」。

14　中島及編・幸徳秋水著『東京の木賃宿』（弘文堂　一九四九年）一五頁。
15　「小松丑治　聴取書」（『森長訴訟記録・Ⅳ』森長英三郎所蔵　四八頁）。
16　小野寺逸也「神戸平民倶楽部と大逆事件」（『歴史と神戸』第一三巻第二号　神戸史学会　一九七四年　三三頁）。
17　『神戸市要鑑』（神戸市要鑑編纂事務所　一九〇九年）一四五～一四六頁。
18　酒井一「大逆事件と神戸」（『兵庫県の歴史』第一〇号　兵庫県史編集専門委員会　一九七三年　四六～四七頁）。
19　前掲「小松丑治　聴取書」四八頁。
20　大野みち代「小松はるさんのこと」（『大逆事件の真実をあきらかにする会ニュース』第一二号　大逆事件の真実をあきらかにする会　一九六六年　一二頁）。
21　前掲「幸徳秋水　大逆事件の同志　岡林寅松と語る（七）　土佐平民倶楽部の幹部と秘密文書の往復」。
22　前掲「岡林寅松　自筆履歴書（一九〇六年一月三一日）」二二頁。
23　前掲「小松丑治　聴取書」四九頁。
24　「小松丑治　第三回調書」（『森長訴訟記録・Ⅳ』森長英三郎所蔵　六四頁）。
25　守屋友江「世紀転換期における仏教者の社会観―『新仏教』における鈴木大拙と井上秀天の言説を中心に―」（『近代仏教』第一二号　日本近代仏教史研究会　二〇〇六年）五六頁。
26　森長英三郎『内山愚童』（論創社　一九八四年）一八五頁。
27　「幸徳秋水　井上秀天宛はがき（消印年月日不明）」（前掲『大逆事件記録第二巻　証拠物写（下）』五九六頁）。
28　井上秀天「予の予、予の彼（下）」（『新仏教』第一一巻第五号　新仏教徒同志会　一九一〇年五月一日　四七〇頁)。

29 吉田久一『日本近代仏教史研究』(吉川弘文館　一九五九年)五二五～五二六頁。

30 「知れる人知らざる人」『光』第一巻第一九号　一九〇六(明治三九)年八月二〇日。

31 「人間消息」(『新仏教』第七巻第九号　新仏教徒同志会　一九〇六年九月一日　四六頁)。

32 「人間消息」(『新仏教』第八巻第一号　新仏教徒同志会　一九〇七年一月一日　四六頁)。

33 前掲「予の予、予の彼(下)」四七〇～四七一頁。

34 「幸徳伝次郎　第十三回調書」(神崎清所蔵・大逆事件の真実をあきらかにする会刊『大逆事件訴訟記録・証拠物写　第八巻』近代日本史料研究会　一九六〇年　七頁)。

35 井上秀天「不問答」(『新仏教』第一一巻第九号　新仏教徒同志会　一九一〇年九月一日　一〇九七頁)。

36 井上秀天「無毒日記」(『新仏教』第一二巻第一一号　新仏教徒同志会　一九一一年一一月一日　一〇八九頁)。

37 井上秀天『仏教の現代的批判』(宝文館　一九二五年)二一頁。

なお、この『仏教の現代的批判』で、井上は「危険思想」を次のように批判している。

「現今世の中には、国家と云ふものが、家屋の如くに、古くなれば、直に全部を破壊して、新らしく改造の出来るものであるかの如く思つて居るものが、可なり多くある様でありますが、私の確信する所から云へば、これは確に大なる誤謬の見解であるのみならず、実に人類の平和、幸福のために、大なる危険思想でありま す。斯の如き謬見、斯の如き危険思想を以て、国家の改造を企図したものが、歴史上に活躍して居ないでもありませんが、その様な人物の企図、活躍は、何れもすべて大失敗に終つて居るのであります。国家は家屋の如くに建てたり壊はしたりすることの出来る性質のものでは、決してありません。国家の改造は、丁度私共のお互の身体の生理的、精神的改造の如く、合理的に、徐々に行はるべきものであります。いくら私共のお互の身体の調子が悪いからと云つて、四支五体、五臓六腑を支離滅裂にして、その改造の目的を達し得られざるが如く、国家の改造も、その様な風にして行はるべきものでは、断じてありません。国家の構造分子たる国民の各自が、自己を生理的に、且つ精神的に、改造して、自己の身心を、生理的にも、精神的にも、健全なるものにすること、これが国家改造に必須の努力であります。然るに、現代の多くの人々は、国家の四支五体、五臓六腑を支離滅裂にすることを以て、国家改造の第一歩と心得て居る様でありますが、実に危険此上なき事であります。その様な改造は、実は改造ではなく、永久の滅亡であります。私共お互は、各自大に慎重の態度を執り、この世界的危険思潮に極力反抗して、国家の平和と幸福と安全と栄存と繁栄のために、日夜努力すべきではありますまいか。（略）

わけのわからないものを神秘がり難有がると云ふのは、人間固有の多くの弱点の一でありますが、この弱点は、東洋人、殊に日本人には、別してひどい様に思はれます。この弱点を摛へて、悟りを売物にして居るのが、かの職業的師家連中であります。元来仏教は合理的宗教であり、殊に禅は明晰な理性を要する宗教であるのに、彼等師家連中は、神秘相に聞える文句の復誦にすぎないお悟りを売物にして、骨董好きの謂ゆる紳士連中を籠絡して居るのであります。禅の厚生利用的価値は、彼等のために没却されてしまつて居ると云つてもよい位であります。私の所信を忌憚なく云へば、彼等は旧式の危険思想者であります。私はこの旧式の危険思想は、かの新式の危険思想と等しく、日本国民を思想的に攪乱し、彼等を邪径に彷徨せしめて居るものと信じて居ます。旧式の危険思想は、新式の危険思想が急性的であるのに反し、云はゞ、慢性的ではありますが、どちらにしても、人間の思想上に於ける合理的進化を阻害するものであります。

新式の危険思想とは、舶来の過激思想―革命気分を多量に含有せる新思想―であります。この新思想の社会上に於ける害毒は、実に戦慄すべきものであります。現に世界民衆は、多少その害毒に中てられて居るのでありますが、私は少なくとも、この日本には、その様な急性的過激病を流行させたくないと念願して居るのであります。労使問題とか地主対小作人問題とか云ふものも、煎じ詰めて見ると、この急性的過激病の黴菌の活動に外ならないのであります。而して、私の排他的論難は、常に如上両種の危険思想に対する私の義憤より思はず発する衷心の声であります。私怨とか、私憤とか云ふ性質の動機は、私の論難の中には、毛頭その痕跡を存して居ないのであります。」（同書　七〜一二二頁）。

38　中村桐舟「精神的労働者と社会主義」週刊『平民新聞』第二〇号　一九〇四（明治三七）年三月二七日。

39　中村桐舟「公然の大賭博場」『日本平民新聞』第一六号　一九〇八（明治四一）年一月二〇日。

40　前掲『大逆事件記録第二巻　証拠物写（下）』五九八頁。

《第Ⅲ部》

第八章　大逆事件の波及

大逆事件とは

大逆事件とは、一九〇七（明治四〇）年に改正された刑法の第七三条「大逆罪」に該当する事件全般を指している。その第七三条には、「天皇、太皇太后、皇太后、皇后、皇太子、又ハ皇太孫ニ対シ危害ヲ加ヘ又ハ加ヘントシタル者ハ死刑ニ処ス」と規定されている。裁判については、現在の最高裁判所に相当する大審院の特別法廷において、非公開かつ一審のみの裁判で判決が下された。この大逆罪は一九四七（昭和二二）年に刑法から削除されたが、刑法に規定されていた間、大逆罪に該当する事件として裁かれたケースは四件ある。

ひとつ目が「幸徳事件」である。幸徳秋水をはじめとする二六名が被告になり、一九一一（明治四四）年一月一八日、二四名に対して死刑判決が下されたが、翌一九日に天皇の「恩赦」で一二名が無期懲役に減刑された。死刑判決が確定した一二名に対する刑の執行は判決から一週間後の二四日から二五日にかけて行われた。無期懲役に減刑された一二名は、長崎県諫早・秋田・千葉の監獄にそれぞれ送られたが、そのうち五名が獄中で亡くなっている。

ふたつ目が「虎ノ門事件」である。一九二三（大正一二）年一二月二七日、第四八通常議会開院式に向かう摂政宮（のちの昭和天皇）を、無政府主義者の難波大助がステッキ銃で狙撃した事件である。弾丸は命中せず、摂政宮に危害はなかったが、刑法第七三条に該当するとして、翌一九二四（大正一三）年一一月一三日に死刑判決が下され、二日後に処刑された。

三件目が「朴烈《パクヨル》・金子文子事件」である。関東大震災直後の一九二三（大正一二）年九月三日、在日朝鮮人で無政府主義者の朴烈が行政執行法により検束されたことにはじまる。震災直後、朝鮮人に対する流言飛語のなか、「救護」が名目とされたが、実際は「公安ヲ害スル虞」があるものとして拘束された。翌四日には同棲していた金子文子も連行される。取り調べのなかで事件はつくられ、一〇月二〇日に治安警察法違反事件へ、翌一九二四（大正一三）年二月一五日には爆発物取締罰則違反事件へ、そして、同年七月一七日には皇太子暗殺を計画していたとして刑法第七三条で予審請求を受けることになった。一九二六（大正一五）年三月二五日に死刑判決、四月五日無期懲役に減刑された。朴烈は足掛け二三年間にわたる獄中生活を耐えぬき、終戦後の一九四五（昭和二〇）年一〇月二七日に出獄した。金子文子は、一九二六（大正一五）年七月二三日、収監先の栃木監獄で自殺した。二〇一七年に韓国で『朴烈』として映画化され、二〇一九年には日本でも『金子文子と朴烈』として公開された。

四件目が「李奉昌《イボンチャン》事件（桜田門事件）」である。一九三二（昭和七）年一月八日、桜田門外にある警視庁舎の正面玄関前において、陸軍始観兵式を終えて帰途上の昭和天皇の馬車に手榴弾が投げつけられた。犯人は朝鮮半島からやってきた李奉昌という三二歳の青年であった。李奉昌は、民族差別に悩み、その気持ちが朝鮮独立運動に結びついたといわれており、一九三一（昭和六）年、上海にわたり、抗日武装組織「韓人愛国団」から手榴弾と資金を得て、犯行に及んだのである。一九三二（昭和七）年九月三〇日に死刑判決が下され、同年一〇月一〇日に処刑された。

そのなかでも、一九一〇（明治四三）年の幸徳秋水をはじめとする社会主義者・無政府主義者への弾圧である「幸徳事件」を一般的に「大逆事件」と称している。

事件の発端

大逆事件は、長野県明科《あかしな》の明科製材所職工・宮下太吉による「明治天皇暗殺」のための爆裂弾製造とその爆破実験の発覚が発端とされている（「明科事件」）。宮下は、山梨県甲府の出身で、一六歳のときに機械見習工となり、東京・大阪・神戸などを転々とした。一九〇二（明治三五）年、愛知県の亀崎鉄工所にはいるが、煙山専太郎『近世無政府主義』を読み、日本の支配体制に疑問をもった。そして、一九〇七（明治四〇）年一二月、大阪で森近運平から久米邦武『日本古代史』の話を聞いて、皇室への批判を抱くようになった。一九〇八（明治四一）年一一月、内山愚童の秘密出版『入獄紀念無政府共産』の内容に共鳴し、愛知県大府駅でお召し列車の通過を見送りに来た民衆にこの小冊子を配布したところ、民衆は天皇を神格化していて反応が悪かった。そこで天皇も同じ血を流す人間であることを証明するために、爆裂弾による天皇暗殺を計画したのである。この宮下の計画には、管野須賀子・新村忠雄・古河力作の三名が賛同していた。また、新村忠雄の実兄・新村善兵衛が爆裂弾製造のための薬研を与え、新田融《とおる》が爆裂弾の容器であるブリキ缶を提供していた。これが大逆事件の「実体」といえる事件である。

一九一〇（明治四三）年五月二五日、長野県松本警察署は宮下が勤務していた明科製材所を捜索した。宮下は、五月中旬ごろより計画実行へ向けた行動が警察の注意を引くようになり、そこから爆裂弾製造の事実が浮かび上がっていた。捜索の結果、製材所内から爆裂弾の材料が見つかり、宮下は「爆発物取締罰則違反」で逮捕された。同日には、宮下の共犯者として、新村善兵衛・忠雄兄弟も逮捕された。そして、二七日には古河力作が東京で、三一日には新田融が秋田で逮捕され、それぞれの身柄は松本署へ送られた。五月三一日、大審院検事総長・松室致は、大審院長・横田国臣に対して、幸徳秋水・新村忠雄・古河力作・管野須賀子・宮下太吉・新村善兵衛・新田融の七名を刑法第七三条「大逆罪」で予審請求（起訴）させた。事件発覚当時、幸徳は神奈川県の湯河原に滞在していたが、六月一日に同地で逮捕された。管野は、『自由思想』発刊による新聞紙条例違反の罰金を払えず、換刑のため労役場にはいっていたので、そのまま大逆罪の被告人に切りかえられた。

この事件に対して、政府は当初不拡大とする方針をとっていた。一九一〇（明治四三）年六月四日の『東京朝日新聞』には、東京地方裁判所検事正・小林芳郎《よしろう》の次のような談話が掲載されている。

今回の陰謀は実に恐る可き者なれ《ママ》ども、関係者は只前記七名のみの間に限られたるものにて、他に連累者無き事件なるは、予の確信する処なり。然れば事件の内容及其目的は未だ一切発表し難きも、只前記無政府主義者男四名女一名、爆発物を製造し過激なる行動を為さんとしたる事発覚し、右五名及連累者二名は起訴せられたるの趣のみは、本日警視庁の手を経て発表せり。[1]
また、翌六月五日付の『時事新報』にも、社会主義者取り締まりの責任者である内務省警保局長・有松英義《ひでよし》の見解が掲載されている。

今回の社会主義者犯罪事件は、事予審中に属するを以て、事件の内容語ること能はざれども、検挙されたる被告人は僅々七名に過ぎずして、事件の範囲は極めて極少《ママ》なり。騒々しく取沙汰する程の事にあらず。而して従来政府の社会主義に対する方針とする所は、成るべく彼等に対し圧迫的威力を用ひず、勉めて懐柔手段を用ひて性善の本心に立ち返らしむるを方針としたり。[2]

しかし、大審院次席検事・平沼騏一郎らは、この事件の発覚を機に、社会主義者・無政府主義者による「明治天皇暗殺計画」という「一大陰謀事件」へと方針を転化していった。そして、ここから事件のフレームアップがはじまり、芋づる式に全国各地で捜査が行われたのである。

神戸への波及

事件の捜査が神戸に波及してきたのは八月になってからである。一九一〇（明治四三）年八月二八日、大阪で武田九平・三浦安太郎・岡本頴一郎を大逆罪違反の共犯として予審請求したが、武田・三浦の供述から神戸でも取り調べと家宅捜索を行うことになった。[3] 同年八月三〇日早朝、神戸地方裁判所検事正・小山松吉らは、岡林・小松をはじめ五名を引致した。翌三一日の『大阪朝日新聞』には、神戸での捜査について報じられている。

東京に於ける幸徳秋水一派検挙さるゝや其の飛火は大阪に移り武田九平等一味の者検挙されたるが当時小山神戸地方裁判所検事正は特命を帯びて大阪に出張し山本検事正と共に関西に於ける社会主義者掃蕩に力め《つとめ》しが二十九日夜に至り検事局内に秘密会議を開き徹宵熟議を凝らしたる結果三十日払暁に及び命令一下神戸市内各署の刑事は活動を開始し検事局に引致せられしもの小松丑次《ママ》、岡林寅松、井上某外二名[4]

新聞には明記されていないが、井上某とは井上秀天のことである。また、ほか二名とは、神戸での事件捜査の続報を伝えた翌九月一日の『大阪朝日新聞』に、その名前がみられる中村浅吉と田中泰《やすし》のことである。

小山神戸地方裁判所検事正以下各検事は三十日徹夜して引致者を訊問し三十一日朝は戒厳式警戒を解けり引致者の小松丑次《ママ》は神戸市夢野村にて養鶏場を持ち相当の生計をなし岡林寅松は同村海民病院雇員なり田中泰は元神戸某新聞社員なりしが後同市週刊新聞に関係しゐたる者にて昨今は其の居所も定らず煙草銭にさへ事欠き居れりと井上某と都合四人の外に今一人中村某（注・中村浅吉）なるもの旅行中なりしを三十一日払暁旅行先に於て逮捕せりといふ神戸に於ける社会主義者は以上五名を以て掃蕩し得たるものなりと[5]

岡林・小松・井上・中村・田中らが引致された日、神戸地方裁判所の警戒は厳重をきわめた。八月三一日の『大阪朝日新聞』には、次のように報道されている。

神戸地方裁判所は大いに警戒を厳にし本件干与の検事及び裁判書記の外は他の判検事と雖も三階

を徘徊せしめず普通人民は二階弁護士詰所と地下室の外は立入らしめず検事正は内藤検事と共に大法廷の隣室なる破産決定室会計分室、検事調所等に引致者を一人一人収容し看守、巡査、廷丁等に看守せしめて叮嚀反覆に訊問中なる[6]

引致者の尋問を行う一方で、午後二時ごろからは各検事を招集して引致者の家宅捜索に着手した。[7]そして、引致者の尋問は徹夜で行われた。[8]

田中泰（半狂）

ここで、神戸における大逆事件関係者として、名前が報じられている田中のことについてふれておきたい。

田中泰は、神戸市の生まれで、大逆事件当時は二二～二三歳であった。父親は福岡県大牟田で薬剤師として病院に勤務していたが、家庭生活に円満を欠いていたこともあり、田中は家を出て住居を転々としている。高等小学校卒業後は、大阪の私立商業学校で一九〇五（明治三八）年二月まで学ぶが中退しており、その後酒屋で働き、一九〇六（明治三九）年五月ごろに大牟田に帰郷している。帰郷後は三井炭坑発電所に勤務していたが、一九〇七（明治四〇）年三月ごろに大阪で酒の販売業を開業し、一九〇八（明治四一）年八月から一九〇九（明治四二）年四月までは神戸で牛乳配達を行っている。神戸では兄のところに身を寄せ、株の仲介店に勤めたり、神戸新聞記者になったりしたが、大逆事件の取り調べ時には無職であった。

「大阪平民社」に出入りしていた三浦安太郎と小学校で友人だったこともあり、一九〇七（明治四〇）年一一月ごろに「大阪平民社」主催の茶話会に出席し、それ以後、堺利彦・森近運平『社会主義綱要』、幸徳秋水『社会主義神髄』などを読み、森近運平ら「大阪平民社」の人びとと親交を結ぶようになった。そのため、「神戸平民倶楽部」の会員たちとは直接の関係や交流はない。

大逆事件と韓国併合

神戸での事件の捜査は九月一日に東京でも報道された。しかし、同日の『東京朝日新聞』の見出しは「合邦と無政府党」となっており、大逆事件とは別に、神戸の社会主義者が韓国併合と同時に韓国の「排日党」と連携して決起を企てていると報じられている。

社会主義《ママ》検挙始まりし以来主として東京に在りて枢要の任務に当れる神戸地方裁判所小山検事正は過般来特命を帯びて大阪に出張し大阪地方裁判所山本検事正と共に関西に於ける社会主義者掃蕩に努め居たるが果然二十九日に至り彼の合邦詔勅の煥発と共に韓国に於ける排日党と気脈を通ぜる神戸の某々社会主義者が何等か事を挙げんとするを看破し同夜高馬特務をして三四名を引致せしめ[9]

「神戸の某々社会主義者」とは岡林・小松・井上・中村・田中らのことである。事件当時、『東京朝日新聞』に勤務していた石川啄木の記録『日本無政府主義者陰謀事件経過及び附帯現象』のなかで、「韓国併合詔書の煥発と同時に、神戸に於て岡林寅松、小林丑《ママ》治外二《ママ》名検挙せられ、韓人と通じて事を挙げんとしたる社会主義者なりと伝へらる」[10]と記しているのはそのためであろう。この記事は完全な誤報だが、大阪での事件の捜査を報じた一九一〇（明治四三）年八月二三日の『大阪朝日新聞』（「大変な陰謀　韓国の排日党と日本の社会主義者」）や、同日の『大阪毎日新聞』（「社会主義者の掃蕩」）などにも、同様の報道がみられるため、かなり世間に流布していたと考えられる。そのため、『神戸又新日報』は「今回の検挙は特に東京神戸より検事正出張し、打合せつゝあるを見ても、事件の頗る大袈裟なるは言ふまでもなく、拘引者の自白せし所謂陰謀なるものは坊間伝へられつつある韓国排日党と結託し、我閣員暗殺云云の如きものに非ず」[11]と伝えている。

このような報道はどこから生まれたのであろうか。その根拠となっているのが、一九一〇（明治四三）年八月四日、森鴎外の前任の軍医総監である石黒忠悳《いしぐろただのり》が、山県有朋に寄せた書簡と思われる。そこには「社会党連中が韓国人を扇動使用致し可申と懸念に不堪候」[12]と書かれている。したがって、『東京朝日新聞』の記事の情報は当時の政府筋から流された可能性がある。

一九〇七（明治四〇）年六月、オランダのハーグで開催されていた第二回万国平和会議に、韓国が密使を送り、自国の外交権回復を訴えようとするも、国際社会の列強から会議への参加を拒絶され、目的を達成することができなかった事件が起こった（ハーグ密使事件）。この事件以降、韓国併合への国内世論が高まるなか、一九〇七（明治四〇）年七月二一日、東京の社会主義者有志は「吾人は朝鮮人民の自由、独立、自治の権利を尊重し之に対する帝国主義的政策は万国平民階級共通の利益に反対するものと認む、故に日本政府は朝鮮の独立を保障すべき言責に忠実ならんと望む」と決議している。[13] また、在米日本人社会主義者によって組織された「サンフランシスコ平民社」の岡繁樹は、一九〇九（明治四二）年一〇月二六日にハルピン駅頭で当時の韓国統監・伊藤博文を暗殺した安重根の写真に、幸徳秋水の漢詩を印刷した絵はがきをつくっている。

舎生取義　生をすてて義をとり
殺身成仁　身をころして仁をなす
安君一挙　安君の一挙
天地皆震　天地みなふるう

秋水題

この絵はがきには、英語の説明がつけられており、その訳文は次の通りである。
安重根　ハルビンで伊藤公爵を暗殺した朝鮮の殉教者である。この写真に見られるように、朝鮮の古い習慣に従って切断された左手の薬指は、弑逆の宣誓をあらわしている。写真の上部にしるされた文字は、日本の卓越した無政府主義者・幸徳伝次郎が書いた詩の複写で、殉教者の勇敢な行動を賞賛している。[14]

韓国併合に関する条約が調印されたのは、事件の捜査が行われているさなかの八月二二日のことであり、それが公布されたのは二九日であった。当時の政府は、韓国併合に合わせて、日本の社会主義者たちが韓国の「排日党」と決起するのではないかと危惧していたのであろう。『東京朝日新聞』の誤報も、そのようなところから生まれたものと思われる。しかし、これは「明治天皇暗殺計画」とは何の関係もないものである。

起訴保留

神戸地方裁判所検事正・小山松吉らによって引致された岡林・小松・井上・中村・田中の五名は、結局全員の起訴は保留となり、帰宅を許された。小山は、この事件を機に検事総長・司法大臣にまで出世するが、その検事総長時代の一九二八（昭和三）年九月に司法省刑事局思想係検事会同の席上で講演を行なっている。その講演を速記した『日本社会主義運動史』（司法省刑事局　一九二九年）で、そのときの起訴保留について次のように述べている。

> 八月二十九日に我々三人（注・小山松吉と大阪地方裁判所の三橋・鈴木両検事）は神戸に行きまして調べた結果、岡林寅松、小松丑治が内山愚堂《ママ》と共謀して居ると云ふことが判りました。此二人に付ては、我々の中で起訴説と未だ起訴すべからずと云ふ説と議論が岐れて、大分議論をしたけれども決らない。検事総長代理（注・平沼騏一郎）の意見も決定し兼ねた様子にて其の儘にして置いたら宜からうと云ふので、右二人を帰宅せしめ、神戸を出発しました。[15]

小山が言う「共謀」とは、一九〇九（明治四二）年五月、関西地方を訪問した内山愚童が、神戸で岡林と小松に面会した際、爆裂弾の製造方法についてふたりに質問したことである。[16]同年一月、内山は東京・巣鴨の幸徳秋水宅を訪問した際に、書斎にあった爆裂弾の図を、幸徳の書生をしていた坂本清馬らとともに見ている。内山が爆裂弾の製法について尋ねたのはそのためである。しかし、それだけの事実で岡林・小松らを大逆罪違反の共犯で予審請求するには、証拠も理由もきわめて薄弱であり無理があった。小山は起訴を主張したが、これに実証主義を採る東京地裁検事正・小林芳郎が反対したという。[17] なお、小山が「二人」と述べているのは、岡林・小松がのちに事件の共犯として死刑判決を受けたからと思われ、このときは岡林・小松・井上・中村・田中の五名全員が事件の共犯とみなされていた。

神戸の五名を起訴保留のままにして、内山の行動を捜査する小山検事らは、九月五日、神戸から京都に到着した。京都の滝川検事正・藤崎警察部長と協議して、捜査を行ったが、成果はなかった。九月一三日、名古屋に移動して、松田検事正・東園警察部長と協議し、吉松・小幡両検事の応援を得て、捜査を行ったが、ここでも成果はあがらなかった。

岡林と小松の起訴

しかし、検事側は名古屋で捜査を進めていくうちに、内山が一九〇九（明治四二）年一月に訪れた東京・巣鴨の幸徳宅や、そのあと訪問した横浜の社会主義研究会「横浜曙会」、さらに同年四月に曹洞宗の大本山である福井県永平寺に向かう途次に面会した名古屋の石巻良夫に対して、「セガレ」（皇太子）に危害を加えると放言していたことが判明した。[18] そして、内山は永平寺での修行からの帰途、大阪を経て神戸を訪れ、岡林と小松に会っている。この事実をつかんだ検察は、内山の放言を「大逆罪ヲ行ハンヨリハ寧ロ警戒ノ厳ナラサル儲嗣ニ対シ危害ヲ加フルヲ捷径トストノ説」[19]、つまり「皇太子暗殺計画」にフレームアップし、内山の関西旅行を「決死の士」の募集行為とみなしたのである。
小山は、のちに司法省刑事局思想係検事会同の席上で次のように述べている。

> 内山愚堂《ママ》を充分取調べなければならぬと云ふことになりました。此の男は東京其の他各地方に於て、甚だ恐れ多いことでありますが、陛下に対して大逆罪を決行することは止めろ、皇太子殿下（大正天皇であります）皇太子殿下《ママ》に向つてそのことをやれと云ふことを主張したのであります。之に賛成した者は起訴せられ、賛成しなかつた者は起訴せられないと云ふことになつて居りますが、内山を取調べて行きましたが、唯今申した通り容易に事実を述べない男でありますから、調べは非常に困難でありましたが、私が気を長く忍耐して毎日呼出して面会して居りたるに、後には陳述するやうになりました其の供述に依つて端緒を得て、九月十八日に岡林寅松、小松丑治を起訴することが出来たのであります。[20]

岡林・小松の起訴は、小山があくまでも自説を押し通した結果であった。小山は神戸地方裁判所検事正であるため、自分の管轄地から何としてでも成果を出したいと考えていたのであろう。

このようにして、内山の「計画」に賛同したという理由により、神戸の五名のうち、岡林と小松が大逆罪違反の共犯として九月二八日に予審請求され、身柄は東京へ送られた。井上・中村・田中についても、東京へ呼び出され、事件の重要参考人として取り調べを受けることになった。岡林は、終戦後の一九四六（昭和二一）年一二月三日に森長英三郎へ寄せた手紙のなかで、そのときのことについて次のように述べている。

明治四十三年十月末（注・岡林の記憶違い。実際は同年九月末）、私と親友の小松丑治君と二人神戸裁判所に呼ばれ、その夜すぐ東京へ送られました。実はその日の夕方郷里の高知から私の父が老後を静養するつもりで、諸道具一切とゝのへ、その船が到着する筈の電報がきてゐますので、桟橋まで出迎へる所存の私でございました。数年ぶりの父に逢ふことも叶はずそのまま護送されたもので、自分ながら残念至極の悲劇でございました。[21]

岡林の父・長太郎は大逆事件後に亡くなっているが、事件後の岡林を襲った悲劇についてはあとでふれることにする。

〈注〉

1　「無政府党の陰謀―爆裂弾の使用の兇謀―幸徳秋水変節の真相―過激党全滅の大検挙」『東京朝日新聞』一九一〇（明治四三）年六月四日。

2　「社会主義者取締―有松警保局長談」『時事新報』一九一〇（明治四三）年六月五日。

3　「幸徳伝次郎外二十五名ニ対スル刑法第七十三条ノ罪ノ被告事件ノ発覚原因及其検挙並予審経過ノ大要」（内務省警保局編「社会主義者沿革　第三」一九一一年六月　松尾尊允編『続・現代史資料Ⅰ　社会主義沿革1』みすず書房　一九八四年　二三八頁）。

4　「神戸の社会主義者」『大阪朝日新聞』一九一〇（明治四三）年八月三一日。

5　「神戸の社会主義者（後聞）」『大阪朝日新聞』一九一〇（明治四三）年九月一日。

6　前掲「神戸の社会主義者」。

7　同右資料。
8　前掲「神戸の社会主義者（後聞）」。
9　「合邦と無政府党」『東京朝日新聞』一九一〇（明治四三）年九月一日。
10　石川啄木「日本無政府主義者陰謀事件経過及び附帯現象」（『石川啄木全集　第四巻』筑摩書房　一九八〇年三〇六頁）。
11　「検挙洩れの扇動者」『神戸又新日報』一九一〇（明治四三）年八月二四日。
12　「石黒忠悳　山県有朋宛書簡（一九一〇年八月四日）」（尚友倶楽部山県有朋関係文書編纂委員会編『山県有朋関係文書』第一巻　山川出版社　二〇〇五年　七一頁）。
13　「社会主義有志の決議」『大阪平民新聞』第五号　一九〇七（明治四〇）年八月一日。
14　神崎清『革命伝説　大逆事件③　この暗黒裁判』（子どもの未来社　二〇一〇年復刻）一六八〜一七〇頁。
15　小山松吉述『日本社会主義運動史』（司法省刑事局　一九二九年）七〇頁。
16　前掲『革命伝説　大逆事件③　この暗黒裁判』二三四〜二三五頁。
17　同右　二三五頁。
18　同右　二三五頁、森長英三郎「大逆事件と大阪・神戸組」（『大阪地方労働運動史研究』第一〇号　大阪地方労働運動史研究会　一九六九年）一一頁。
19　前掲「幸徳伝次郎外二十五名ニ対スル刑法第七十三条ノ罪ノ被告事件ノ発覚原因及其検挙並予審経過ノ大要」二三八頁。
20　前掲『日本社会主義運動史』七一頁。
21　「岡林真冬　森長英三郎宛書簡（一九四六年一一月三日）」（渡辺順三編『菊とクロハタ』新興出版社　一九六〇年　二〇四〜二〇五頁）。

第九章　内山愚童の「皇太子暗殺計画」と神戸

内山愚童

内山愚童は、一八七四（明治七）年五月一七日、宮大工で木形職人であった父・直吉と、母・カヅの長男として新潟県北魚沼郡小千谷町（現・小千谷市）に生まれた。幼名は慶吉。地元の高等小学校を卒業後、一八九七（明治三〇）年四月に神奈川県宝増寺住職・坂詰孝童のもとで得度し、天室愚童を名乗った。一八九八（明治三一）年九月から翌一八九九（明治三二）年二月まで曹洞宗第二学林で修学し、本科二年級を修業した。一九〇三（明治三六）年四月五日、神奈川県箱根大平台の曹洞宗林泉寺に移り住み、一九〇四（明治三七）年二月九日に住職となった。このころから社会主義にも関心を抱くようになり、一九〇三（明治三六）年一一月一五日、幸徳秋水と堺利彦らによって週刊『平民新聞』が創刊されると、内山はその読者・寄稿者となり、以後キリスト教社会主義者の石川三四郎をはじめ、小田頼造・山口孤剣・西川光二郎らが林泉寺を訪れている。一九〇八（明治四一）年八月には、幸徳秋水が郷里の高知県中村から上京する途次に林泉寺を訪問している。

一九〇八（明治四一）年八月ごろ、内山は印刷機を購入し、林泉寺において『入獄紀念　無政府共産』、『無政府主義道徳非認論』、『帝国軍人座右之銘』といった秘密出版を行っている。このうち、

『入獄紀念　無政府共産』は、赤旗事件に抗議するため出されたものであり、小作米不納・兵役拒否・天皇制否定を主張している。この『入獄紀念　無政府共産』は、一〇〇〇部刷られ、全国各地に送付され、岡林と小松のもとにも三〇部ほどが送られてきている。しかし、小松の検事聴取書によれば、送られてきた『入獄紀念　無政府共産』は、岡林と中村浅吉に分配しただけで、ほかには配布しなかったという。

> 一昨四十一年赤旗事件後ノ事ト思ヒマスガ発送地東京、発送人不明ノ小包郵便ニテ今回押収セラレタル無政府共産ト称スル印刷物ヲ三十部程病院ニ宛テ（名宛ハ私デアッタカ岡林デアッタカ忘レマシタ）送付シ来タリマシタカラ私ト岡林トデ開封シ一読シタル処極メテ乱暴過激ナル事ガ来際《ママ》シアリマシタカラ私共ハ之ヲ他人ニ配布致シマセンデシタガ、只中村浅吉ニハ其後岡林カ私ガ二三部分配シタ様ニ思ヒマス。
> 右無政府共産ハ病院ノ事務室ナル私ノ机ノ抽斗ニ入レ置キ保管シテ居リマシタガ何時ノ間ニヤラ私宅ノ方ニ大部分持帰ヘリマシタノデ今回居宅ニ於テ押収セラレタノデアリマスガ、私ハ岡林ト相謀リ右出版物ヲ伝道用トシテ他ニ頒布シ様トスル積リハ無カツタノデアリマス。[1]

『入獄紀念　無政府共産』は、「なぜにおまいは貧乏する、ワケをしらずば、きかしやうか、天子金もち、大地主、人の血をすふダニがおる」[2]などと書かれているように、当時の社会主義者の間でもタブーとされてきた天皇制を否定するなど、[3]あまりにも内容が過激として、神戸をはじめ同志たちにほとんど受けいれられなかったのである。

神戸での内山の行動

一九〇九（明治四二）年四月、内山は林泉寺を離れて福井県永平寺で修行をしている。その永平寺での修行からの帰途に立ち寄った関西地方で、内山は大阪の武田九平から神戸の岡林と小松のことを聞き、夢野村の神戸海民病院を訪れたのは同年五月二二日のことである。

夢野橋（筆者撮影）

二二日の朝九時ごろ、兵庫署の岡田刑事と巡査が、小松の自宅を訪れ、「内山愚童ハ来タリハセヌカ」と尋ねた。この前日の二一日、大阪から武田九平が内山愚童の所在を尋ねるために小松のもとを訪れており、その際に武田は「愚童ハ面白イ男デアルカラ会ツテ見給へ」と言っている。[4] また、五月二〇日ごろには武田から内山が神戸に行くという内容のはがきが岡林に寄せられている。[5] そのため、岡林と小松は内山が訪ねてくることは知っていたと思われる。しかし、内山はまだ来ていないので、神戸海民病院に来ているのかもしれないと思い、岡田刑事らとともに病院へ向かう道の途中にある「夢野橋」という橋に来たところ、ふたりの僧侶に出会った。[6] なお、内山と小松が出会った「夢野橋」は、現在の新湊川に架かる夢野橋と熊野橋のどちらかではないかと推測されているが、歴史的には夢野橋のほうが古いので、この「夢野橋」は現在の夢野橋ではないかとされている。[7] そして、岡田刑事にうながされて、小松が「内山愚童サンデハナイカ」と聞くと、内山は「人ニ名前ヲ聞クナレハ先以テ自分ノ名前ヲ名乗レ」と言うので、小松は自分の名前を名乗ると、内山ははじめて名乗った。内山と同道していた永平寺神戸別院の僧侶は帰り、小松は内山を案内して海民病院へ行き、岡林と三人で病院の二階にある応接室で話した。[8] 岡林は、のちに『高知新聞』のインタビューで、そのときのことを次のように回想している。

何んでも夏だと記憶してゐますが、内山は頭を坊主のやうに、つみつけにせず、五分刈でした。さうして、ざつとした麦藁帽子に、これも粗末な洋服を着て、ポケツトに萬年ペンをはさんでゐました。その当時、萬年ペンは珍しかつたので覚えてゐますが、内山は決して僧侶らしい姿ではなかつたのです。（略）内山は神戸へ来ると、刑事の尾行つきとなり、海民病院に小松と私とを訪ねました。私等が二階の応接室で、内山と話してゐる時には刑事は階下で見張りしてゐたやうに思ひます。勿論、内山とは爆弾の外にいろ〳〵の話をしました。主義上のことも、世間話もしたし、また、三人一緒に連れ立つて、神戸の或る主義者（注・井上秀天）の家を訪ねたり、聖徳太子の頌徳会に出席して、その日を送りました。[9]

この海民病院での会話によって、岡林と小松は大逆罪違反で死刑判決を受けることになった。

応接室で話しているうちに、昼になったので、病院西手にある岡林の自宅に内山を誘って昼食をとったが、このときは刑事二〜三名のほかに憲兵が見張っていた。内山が井上秀天に会ってみたいというので、刑事二名に尾行されながら井上の自宅を訪問したが、井上は不在であった。内山は海民病院で夕食をとり、永平寺神戸別院で催された積徳会の仏教講演を岡林とふたりで聞きに行ったりして、その晩は海民病院に泊まっている。[10]

翌二三日朝、中村浅吉がやってきたので、病院の応接室で内山・岡林・小松と四人で面会したが、刑事二〜三名が同席していた。四人は岡林の自宅で朝食を食べたあと、内山は和歌山県新宮の大石誠之助を訪問するために、神戸から新宮へ向かうということであったが、その前に須磨へ遊びに行くことになった。内山は荷物を取りに永平寺別院へ行ったが、林泉寺よりすぐ帰れとの手紙がきていたため、須磨行きと新宮訪問をやめてすぐに林泉寺に帰ることになった。[11]

この内山の神戸訪問のことは、岡林の『明治四十二年懐中日記』にも記されている。

　五月二十二日
六時卅分に起き、十一時半頃内山氏来られ昼飯を出す
後タンテイが来る　昼一時頃鎌田タンテイ二人来られ、又夜食に内山さんや高知の竹崎に居たやくにんが参りたり、今日ハ色々の人が沢山に来られた
十時半臥す
　五月二十三日
五時半に起床（略）内山さん来られたり、中村さん（注・中村浅吉）も来られ朝飯を出す、直に皆つれ立ちて出られたり[12]

五月二三日午後、急遽帰途につくことになった内山は、翌二四日に神奈川県国府津駅で身柄を拘束

され、さらに横浜で逮捕された。容疑は、秘密出版による「出版法違反」と、家宅捜索の際に寺からダイナマイトが見つかったことによる「爆発物取締罰則違犯」である。このダイナマイトは、一九〇八（明治四一）年一一月、静岡出身の足尾銅山坑夫を泊めたところ、その坑夫が郷里まで帰るための路銀がないと言うので金五〇銭を貸した際に、坑夫がお礼として置いていったものである。そして、一九一〇（明治四三）年四月五日に両刑で禁錮二年懲役五年の計七年の実刑が確定し、内山は二〇日に横浜監獄へ収監された。

聴取書での供述

岡林と小松が死刑判決を受けることになった海民病院での内山との会話はどのようなものであったのであろうか。

まず話題になったのは、内山が秘密出版した『入獄紀念　無政府共産』のことである。愚童の関西旅行の目的のひとつは、この秘密出版に対する同志の反応を知ることもあったと思われる。岡林の第二回予審調書によれば、内山が「其小冊子ガ届タカ何ウカ」と聞くと、岡林は「届テ見タガ随分非道ヒ事ガ書テアル」と答えている。[13] また、岡林は第六回予審調書でも、「其本ハ到着シタガ過激ナ事ガ書テアリ殊ニ皇室ノ事モ書テアツタカラ吾々ノ如キ主義者ガ見テハ別ニ異様ナ感ジモ起サナイケレトモ是ヲ普通人ニ見セルト驚クカモ知レヌト思ヒ自分ト小松ト中村トデ見タ丈テ他ノ人ニハ配ラナイ」[14]と述べている。

内山がどのような話をしたのかについて、一九一〇（明治四三）年九月一日、岡林は検事による聴取書で次のように供述している。

愚童ハ私共両名ニ過激ナ話ヲ致シマシタ、同人ガ申シマスノニハ幸徳秋水ハ病気デ余命幾何モ無イカラ一命ヲ抛ツテ暴力手段ニ訴ヘルト云ツテ計画ヲシテ居ルガ此方デハ何カ研究シテ居ルカト尋ネ、私ハ何モ研究シテ居ラヌト答ヘマシタ、其節同人ハ親父ハ到底六ケ敷《むつかしき》カラ倅ヲ害スルト云フ話ヲモシタ様ニ思ヒマス

其時私ハ同人ニ反対シテ吾々ノ主義ヲ貫クニハ伝道主義ニ依リ辞、チラシ（雑誌、新聞等ノコト）ヲ配布シ其他看護婦等トシテ普ク地方ニ出テ活動シ多クノ人ヲ感化スル方法ヲ執ラネバナラヌト主張シ議論致シマシタ

尚ホ其節同人ハ爆裂弾ノ話モ致シ、ドーシタラ出来ルカト云フ話モ致シ小松ガ之ニ対シテ何カ薬ノ名ヲ申シタコトハ存ジテ居リマスガ何ト云フ薬ガアツタカノハ記憶致シマセヌ、尚ホ愚童ハオ前等ハ医者ダカラ其方法ヲ研究スルノガ任務デアルト申シタ様ニ思ヒマス[15]

聴取書に「幸徳秋水ハ病気デ余命幾何モ無イカラ」とあるが、一九〇八（明治四一）年一一月、幸徳秋水は、和歌山県新宮から上京した大石誠之助から診察を受けた際、大石は幸徳の病状を腸結核、幸徳と同棲していた管野須賀子の病状を肺結核と診断している。そして、岡林が検事による取り調べを受けていたのと同じ日、小松も聴取書で次のように述べている。

応接所ニ於テ三人会談シタル際内山ハ東京デハ政府ノ迫害甚シク同志ノ者ガ失業シ手モ足モ出ナ

イ様ニナッテ仕舞ッタカラ今ハ口ヤ筆ノ伝導ノ時期デナイ暴力運動ノ時デアル、幸徳モ病気デ余命ガナイカラ一命ヲ抛ッテ暴力手段ニ訴ヘルト云ッテ計画ヲシテ居ルガ当所デハ何カ研究シテ居ラヌカ運動ノ武器ニ付テ何ニ《ママ》カ考ヘハナイカト申シタ事ハ事実デアリマス、其故私ハ右ノ事実アル事ヲ認メナガラ綿火薬ノ製法ヲ示シタト云フ事ニ結果カラ見レバナリマスガ別ニ深キ意味アリテノ事デハナク只ウカ〳〵トシテ話シヲシタノニ過ギヌノデアリマス

其時内山ハ倅ヲ害スルト云フ様ナ話ヲシタト云フ記憶ハアリマセヌ、又愚童ガ君等ハ医者ニ関係ガアルカラ爆発物ノ製法ヲ研究スル任務ガアルト申シタ事モ記憶シ居リマセヌ[16]

いずれの供述も、病気で余命いくばくもない幸徳秋水が東京で暴力革命を計画しているが、神戸では何か研究をしてはいないか、と内山が尋ねたことになっている。しかし、「皇太子暗殺計画」に賛同したかどうかについては、岡林は「同人ハ親父ハ到底六ケ敷カラ倅ヲ害スルト云フ話ヲモシタ様ニ思ヒマス」と述べているのに対して、小松は「内山ハ倅ヲ害スルト云フ様ナ話ヲシタト云フ記憶ハアリマセヌ」と供述している。また、内山から爆裂弾の製法の研究の必要性について言われたことについても、岡林は「オ前等ハ医者ダカラ其方法ヲ研究スルノガ任務デアルト申シタ様ニ思ヒマス」となっているが、小松は「君等ハ医者ニ関係ガアルカラ爆発物ノ製法ヲ研究スル任務ガアルト申シタ事モ記憶シ居リマセヌ」と述べている。ふたりの供述には食い違いが生じている。

　検事が作成する聴取書について、幸徳は弁護人に寄せた「陳弁書」で次のことを述べている。

検事の聞《ママ》取書なる者《ママ》は、何を書〔い〕てあるか知れたものではありません。私は数十回検事の調

> べに会ひましたが、初め二三回は聞《ママ》取書を読み聞かされましたけれど、其後は一切其場で聞《ママ》取書を作ることもなければ、随つて読聞せるなどといふこともありません。其後、予審廷に於て、時々検事の聞《ママ》取書にはコウ書いてある、と言はれたのを聞くと、殆ど私の申立と違はぬはないのです。大抵検事が斯うであらうといつた言葉が、私の申立として記されてあるのです。多数の被告に付《ママ》ても、皆な同様であつたらうと思ひます。其時に於て予審判事は、聞《ママ》取書と被告の申立と、孰れに重きを置くのでせうか。実に危険ではありませんか。又検事の調べ方に就ても、常に所謂「カマ」をかけるのと、議論で強ゆることが多いので、此カマを感破する力と、検事と議論を上下し得るだけの口弁を有するにあらざる以上は、大抵検事の指示する通りの申立をすることになると思はれます。（略）巧みな「カマ」には何人もかかります。そしてアノ人が左ういへば、ソンナ話があつたかも知れません位の申立をすれば、直ぐ「ソンナ話がありました」と、確言したやうに記載されて、之が又他の被告に対する責道具となるやうです。こんな次第で、私は検事の聞《ママ》取書なる者《ママ》は、殆ど検事の曲筆舞文・牽強付会で出来上がつているだらうと察します。[17]

当時の裁判システムでは、裁判所での公判の前に、まず監獄で予審が行われた。しかし、予審判事の取り調べ次第では、予審判事にかわって検事が取り調べを行い、検事の筋書きにそって聴取書をつくり、その後、予審判事は検事の聴取書どおりに予審調書を作成するのである。大逆事件では、検事による誘導尋問などがしばしば行われ、そこでフレームアップがつくられる仕組みとなっていた。岡林と小松の聴取書も、このような検事の意図のもとでつくられたと思われ、この点には注意をする必要がある。

容疑の否認

検事による聴取書で「皇太子暗殺」の話を「同人ハ親父ハ到底六ケ敷カラ倅ヲ害スルト云フ話ヲモシタ様ニ思ヒマス」と述べていた岡林であったが、その後の予審調書では「左様ナ事ハ聞キマセヌ」[18]、「其点（注・「皇太子暗殺」の話）ハ神戸以来屡々聞カレルノデスガ如何シテモ聞タ覚ヘハアリマセヌデス」[19]と否認し続けている。岡林の第三回予審調書での供述である。

問、被告ハ是レマデノ取調ニ於テ、内山愚童ガ親父ハ到底六ケ敷カラ倅ヲ遣ルト云ツタ咄ハ聞タ事ハナヒ様ニ申立タガ、ソレハ間違ツテハ居ナヒカ

答、神戸デ取調ヲ受ル時ニ愚童ハ過激ノ性質ヲ持テ居ルト云フ事ハ予テ知テ居リマシタカラ、何ニカ過激ノ咄ヲシタデシヨウガ覚ヘテ居ラナヒト申シマシタ処、其過激トハ如何ナル事デアルカト問ハレマシタ故、更ニ能ク覚ヘテ居リマセヌト云フ事ヲ申シマスト、又タ過激トハ親父ハ到底六ケ敷カラ倅ヲ害スルト云フ咄ヲ愚童ガシタノデハナヒカト問ハレマシタケレドモ、私ニ於テハソンナ事ハ記憶シテ居ラヌト云フ事ヲ答ヘタノデアリマシタ

問、ケレドモ被告ノ聴取書ヲ見ルト愚童ガ親父ハ到底六ケ敷カラ倅ヲ害スルト云フ咄ヲシタ様ニ思ヒマスト書テアルガ如何

答、私ハ何ウシテモ其時ニ愚童ガ親父ヤ倅ヲ害スルト云フ咄ヲシタノヲ聞タ事ハナヒト申上タノ

デス[20]

小松は、聴取書の段階で「内山ハ倅ヲ害スルト云フ様ナ話ヲシタト云フ記憶ハアリマセヌ」と否認していたが、予審調書でも否認し続けている。小松の第二回予審調書での供述である。

問、愚童ハ其時ニ倅ヲ遣ツ付ケル方ガ容易デアルト云ツタソーダナ
答、左様ナ事ハ聞キマセヌデス
問、三人対座ノ時ニ愚童ハ確カニ其言葉ヲ発シタニ相違ナヒガ被告ハ聞カナヒト云フノハ何ニカ為メニスル事ガ有ツテ隠ストヨリ外思ハレヌガ如何
答、私ハ左様ノ事ヲ愚童カラ聞タ事ハアリマセヌデス
問、倅トハ其当時愚童ノ意思デハ皇太子殿下ヲ指シテ云ツタノデアルカラ今日ノ場合ニ成ツテ余リ畏多ヒカラ聞タト云フ事ハ云ヒ切レナヒノダロウガ如何
答、私ハ左様ナ咄ヲ聞タ事ハアリマセヌデス[21]

続く第三回予審調書でも、小松はやはり内山の「皇太子暗殺」の話を否認している。

問、神戸デ愚童ニ面会シタ時ニ愚童ハ倅ヲ遣ルト云ツタ事ハ聞カナヒ様ニ被告ハ申立タガソレハ忘レテ居ルノデハナヒカ
答、ソー云フ事ヲ聞タ覚ヘハアリマセヌ、ソンナ事ヲ聞テハ覚ヘテ居ル筈デアリマス
問、愚童ハ永平寺ニ往ク途中先ツ名古屋ヘ寄テ倅ヲ遣ルト云フ事ヲ申陳ヘ、次ニ大阪ヘ参テモ同様ノ事ヲ陳ベテ居ル、独リ神戸ニ於ケル同志者ノミニ其事ハ云ハナカツタト云フ筈ハナヒ、

又タ実ニ愚童ハ其事ヲ云ツタト申シテ居ル。被告ガ聞カナヒナドト云フノハ虚言トシカ思ハレナヒガ如何

答、初対面デスカラソンナ事ハ愚童ニ於テ云ハナイノデス

問、名古屋ヤ大阪ノ人モ愚童ニ於テハ初対面ノ様デアルノニ其人等ニモ倅云々ノ事ヲ云ツテ居ル様デアルカラ被告ニ対シテ初対面ダカラトテ云ハナヒ限リデナヒガ如何

答、初対面ノ名古屋ヤ大阪デ愚童ガソンナ事ヲ云ツタトスレバ、私ガ初対面ト申シタ弁解ハ通ラナヒ様デスケレドモ全ク倅ト云フ事ハ聞キマセヌデス[22]

聴取書では供述に相違がみられたが、予審調書では「皇太子暗殺」の話をふたりとも否認している。幸徳は「陳弁書」で「予審廷に於て、時々検事の聞《ママ》取書にはコウ書いてある、と言はれたのを聞くと、殆ど私の申立と違はぬはないのです。大抵検事が斯うであらうといつた言葉が、私の申立として記されてあるのです」と述べているが、岡林と小松の供述はその典型的な一例といえよう。

供述の一転

一九一〇（明治四三）年一〇月二三日、岡林は小山松吉検事による取り調べを受け、海民病院での会話について供述している。

昨年五月二十二日内山愚童ガ神戸ノ海民病院ニ参リマシタトキ私ハ二階ノ応接室ニ於テ小松丑治ト共ニ話シマシタ

其時初対面ノ挨拶ガ済ミテ後、内山ハ無政府共産入獄紀念ト云フ小冊子ハ到着シタカ、亦何所ヘカ配布シタカト申シマスカラ私ハソレハ来タ乍併ヒドイコトガ書イテアツタカラ社会主義者タル中村ニハ配布シタケレドモ他人ニハ遣ラヌト答ヘマシタ
私ハ右小冊子ヲ中村ニ交付スルトキニモ之ヲ他人ニ遣ツテハイケヌト申シマシタ
其時内山ハ東京ノ同志ハ政府ノ迫害ガヒドイノデ困ツテ居ル、管野モ病気ガ重イ様デアル、就テハ神戸デハ運動方法ニ付キ何カ企テガル乎ト申シマスカラ、私ハ微力デアルカラ何等ノ企テモ無イト答ヘマシタ
又内山ハ暴力革命ヲヤラネバナラヌト言ヒ親爺ハ到底難カシイカラ倅ヲヤルト申シタ様ニボンヤリ記憶シテ居リマス
私ハ其話ヲ聴キタルトキソンナコトハ到底出来ルモノデハナイト思ヒマシタカラ、内山ニ対シ何トカ申シタ様ニ思ヒマスガ記憶ハアリマセヌ、此ノ事ニテ私ト内山ト議論ナドシタコトハアリマセヌ、私ハ内山ニ対シ賛成トハ決シテ申シマセヌ[23]
そのあとの一〇月二六日の第六回予審調書では、内山との会話は次のようになっている。
内山ハ東京ノ同志ハ政府ノ迫害ガ甚敷殆ト手モ足モ出ナイ、而シテ幸徳ハ病気ガ重クテ余命幾許モナイ様テアリ又管野モ病気テアルカラ大ニ決スル所ガアル様ダト申シ、革命ノ計画テモ為シテ居ル如ク話シマシタ、尚内山ハ当地ニハ何乎計画ガアルカ暴力革命ヲ起サネハナラヌ、革命ヲ遣ルニハ皇室ニ迫ルト云フ様ナ意味ノ話ヲモ致シマシタ、尤モ先般予審判事ヤ検事ヨリ度々御取調

ガアリ、内山ハ或ハ倅トカ親爺トカ申シタノカモ知レマセヌガ私ノ頭ニハ其処ガ明瞭ニ為ツテ居ラズ、皇室ニ危害ヲ加ヘルト云フ様ナ趣意ノヿ丈ガ頭ニ残ツテ居リマス[24]

小山検事による聴取書での「内山ハ暴力革命ヲヤラネバナラヌト言ヒ親爺ハ到底難カシイカラ倅ヲヤルト申シタ様ニボンヤリ記憶シテ居リマス」という供述と比較すると、「内山ハ当地ニハ何乎計画ガアルカ暴力革命ヲ起サネハナラヌ、革命ヲ遣ルニハ皇室ニ迫ルト云フ様ナ意味ノ話ヲモ致シマシタ」、「皇室ニ危害ヲ加ヘルト云フ様ナ趣意ノヿ丈ガ頭ニ残ツテ居リマス」と、内山は皇室に危害を加えるという話をしたことになっている。しかし、一九一〇（明治四三）年一二月二六日、岡林は弁護人の今村力三郎に寄せた手紙で次のことを記している。

陰謀的の話は全くありませぬ、是は東京で小山検事（十月二十三日）か《ママ》内山君は母に別れて心機一転して白状して正直なものだ、爺倅等話して君等遂に賛成したことになり居るとて、其で内山と同様に聞く事は聞たが賛成せぬなら賛成せなんだと謂はねばなるまいとて、此の如く謂う方利益だ故、想像的にも謂へと謂ふように聞へましたので小山検事の思ふようになつたわけで、どうも実聞かぬ事を賛成せぬとも反対したとも明白に謂えぬので語を渇《ママ》しました、予審終結（十月二十六日）の時も正義と利己心との煩悶ある、まだ利己心が勝ちて秒《ママ》なものとなり、実際内山君より聞た覚なきことが、暴動の話あつたようになり居り、遂に意を決して十月二十八日潮判事に面会して私は内山君より皇室の事など聞た覚ありませぬ事を断言しました[25]

つまり、一〇月二三日の取り調べで、小山から内山は正直に白状しており、岡林と小松は内山の意見に賛成したことになっているから、賛成しなかったのならそれはそれでよいからとにかく聞いたと言え、と言われたと述べており、一〇月二六日の予審尋問も利己心により、あのような供述になってしまったと記している。また、一〇月二八日に予審判事の潮恒太郎に、内山から皇室に危害を加えるということは聞いていないと申し立てたとも述べている。しかし、この岡林の申し立ては聞きいれられず、一一月一日に予審判事が大審院に提出した意見書には、「五月二十二日被告愚童来訪シ、愚童ヨリ（略）暴力革命及暗殺行動等ノ謀議ヲ聞キ、寅松ハ其事ヲ決行スルニ当リ使用セントスル所ノ爆裂弾ノ調和剤等ヲ談シテ賛同ノ意ヲ表シタリ」[26]とある。

小松は、一〇月二六日の第六回予審調書でも「倅トカ親爺トカ申ス様ナ事ハ何ウモ覚エガアリマセヌ」と否認していた。しかし、予審判事から「岡林ハ皇室ニ危害ヲ加フルト云フ様ナ意味ノ話モアツタカノ如ク申立ツルガ如何」と問い詰められ、「良ク考ヘテ見ルト其様ナ意味ノ話モアツタカト思ヒマス」と認めさせられた。[27]

内山愚童の供述

一方、内山愚童は神戸海民病院での会話について、どのような供述をしているのであろうか。一九一〇（明治四三）年一〇月二七日、内山も予審尋問を受けており、そこで次のように供述したことになっている。

問、五月廿二日神戸ノ海民病院ニ於テ岡林寅松小松丑治ト面会シタカ

答、左様テス
問、其際ハ如何ナル話カアツタカ
答、三人卓ヲ囲ンテノ話デシタカ私ハ矢張リ是迠各地ニ於テ申シタ如ク東京ニ於テハ政府ノ迫害甚タシイカラ何事モ出来ナイ幸徳管野等ハ爆裂弾サヘアレハ革命ヲ起スト言フテ居ル一ケ所ニ五六十人ノ決死ノ士カアレハ革命カ起セル当地ノ状況ハ如何カ当地ト大坂《ママ》ハ東京ニ於ケル横浜ノ如ク大坂《ママ》ニ事カ起レハ直チニ応セネハナラヌ而シテ同志カ革命運動ヲ為スニハ各其職務ニ付テ分担カアル君等ハ医者テアルカラ爆裂弾ノ研究ヲ為ス任務カアルト申シ其他革命カ起レハ悴ヲ遣ツ付ケルト言フ話モ致シマシタ然ルニ最初岡林ハ私ノ説ニ反対シ夫レハ過激テアルカラ我々ハ漸次地方ヲ伝道スル方カ利益テアロウト言ヒマスカラ私ハ伝道モ必要テアロウカ結局ハ暴力革命ノ手段ヲ採ラネハナラヌテハナイカト申イタルニ岡林モ夫レハソーダト申シマシタ
問、小松ハ如何
答、小松ハ何ト申シタカ覚ヘマセヌカ反対ハ致サナカツタ様テス[28]

この供述は、岡林と小松の予審尋問が行われた翌日にされている。検事や予審判事は、まず内山が神戸を訪問する途次の名古屋や大阪で放言していた証拠をつかみ、次に岡林と小松を内山の計画に賛成したと自供させ、最後に愚童の供述をそれに合わせたのであろう。では、内山と岡林・小松は海民病院でどのような会話をしていたのか、内山は公判廷で次のような申し立てをしている。

海民病院ニテ岡林小松ニ対シ迫害ニ対シ秘密出版ノ話ヲナシ両人ニ爆裂弾ノ研究ヲナシ居ルカト訊ネタルニ両人ハ研究セスト答フ
幸徳方ニテ管ノ中ニ硫酸ト云フ字カ書テアルカ硫酸ニテ爆発スルカト問ヒタルニ岡林カリスリンタトカリスリンヲ入ルノタト答ヘシカ判然記憶ナシ革命談ヲナシタル事ハ記憶セズ（略）
神戸ニテ二日共尾行巡査アリ海民病院ニテ小松岡林ト対談シタルトキモ同シ机ノ一端ニ尾行巡査カ居リテ巡査モ自由党時代ノ迫害ヲ語レリ[29]

この申し立てによれば、政府による社会主義への取り締まりに対して、内山は秘密出版を行うと述べており、暴力革命や「皇太子暗殺」の話は一切伝わってこない。被告の弁護人の一人である平出修が、のちに「内山が神戸に於て小松、岡林に同断陰謀を語つた其一室は応接間にして初夏の頃とて窓も明け放ちあり、茲にも二名の尾行巡査ありて其室内に出入し居れりとのこと」[30]と記しているように、三人の会話を警官が見張っているなかで、そのような過激な話が行われたとはきわめて疑わしい。内山の予審尋問での「皇太子暗殺」や暴力革命に関する供述も、予審判事の誘導尋問によるものと思われる。

爆薬の話

岡林と小松の容疑は、内山愚童の「皇太子暗殺計画」への賛同のほかに、内山から爆裂弾の製造方法について問われ、その製法を教えたということもあった。これが「皇太子暗殺計画」に賛同したという傍証になった。このことについても、予審判事は岡林と小松を追及している。

岡林は第六回予審調書で爆薬の話について次のように述べている。

問、其際内山ヨリ爆裂弾製造ノ原料ノ話ガ出タデアラウ
答、出マシタ内山ハ爆裂弾ハ如何ナル薬品デ拵ヘルノカト申シ、小松ガ何カ答ヘテ居ツタ様子デシタ、其際私ガ爆裂弾ニハ「リスリン」（注・グリセリン）ヲ入レネハナラヌト申シマシタ
問、爆裂弾ニハ「リスリン」ガ必要カ
答、左様テス私ハ十年許リ前丹波博士ノ化学ノ本ヲ見テ知ツテ居マシタカラ其様ナ事ヲ話シタノテス
問、小松ハ何ト答ヘタカ
答、何乎薬名ヲ答ヘテ居ツタ様デシタガ能ク聴取レマセヌデシタ
問、内山ハ爆裂弾ヲ如何ナル用ニ供スルト言フタカ
答、内山ハ何ニ使フトモ申シマセヌデシタガ私ハ来ルベキ革命ニ使フモノト思ツテ居リマシタ
問、革命ノ用ニ供スベキ爆裂弾ヲ製造スルニ之レニ助言シタリトセハ革命ニ同意シタモノト認メラル、テハナイカ
答、深ク考ヘズニ「ウツカリ」話シタノデシタ[31]

小松も第六回予審調書で予審判事から爆薬の製法について追及されている。

問、内山ハ爆裂弾ノ製造方法ヲ尋ネタデハナイカ

答、内山ハ爆発物ハ何ウシテ出来ルカト尋ネタノデ私ハ硫酸ト「リスリン」トデ出来ルト答ヘタ様ニ記憶シテ居リマス
問、其分量ハ申サナカツタカ
答、夫レハ申シマセヌ
問、内山ハ爆発物ヲ何ニ用ユルトノコトテアツタカ
答、使用ノ目的ハ申シマセヌデシタ
問、其方等ハ内山ニ革命ノ意思アルコトハ判ツテ居ルノテアルカラ矢張革命ノ方ニ用ユルト云フコトハ推察サレタテハナイカ
答、私ハ話シタ後デ左様ニ感シ之レハ危険ナ事ヲ話シタト思ヒマシタガ話ス時ニハ遂「ウツカリ」シテ居ツテ何ノ気モ付カナカツタノテス[32]

これらの予審調書によれば、ふたりは爆薬の製法についてあまり深く考えずに教えたと供述している。一九一〇（明治四三）年一二月二六日に、岡林が弁護人の今村力三郎へ送った手紙で次のことを記している。

爆薬の話は其の初に暴動なと《ママ》の話かあつて順序に話したわけではなく、内山君の心底は洞見せざるも雑談中の談《ママ》片として格別意味ある話とも聞かず私は事実知らぬ故笑ふて居たなれと《ママ》、ふと爆鳴薬のことを思ひ出して、リスリンもだ《ママ》ないか知らぬと自問自答的に謂たのて《ママ》其ハ明瞭でなかつた故、小松君にも聞へず、内山君より何の反辞もなかりし故、実は内山君にもわからざりしと思

つてゐた、是ハ東京で小山検事に話しましたが、内山君の調書にはリスリンと硫酸とか聞たとなり居るとでしたが内山君は私に其知識なきものとしてでせう、その話はそれ限りです、予審にては私は疑われましたなれども、内山君は病院に来たので、薬の事に考え付て只聞いてみたのだと思いました[33]

また、終戦後の一九四六（昭和二一）年一二月三日、岡林は森長英三郎に寄せた手紙でもそのことを書いている。

> 内山愚童君がお寺の用事で神戸にきたついでとかで、私共の病院に訪ね、初対面でしたが応接室でいろいろ話しました。私は病院の多忙さで、主として小松君があたってくれました。私が一寸応接室に入り来ると爆薬の話中で、その絵が幸徳氏の家にあるが、二個の硝子管に入れる薬が不明との話でしたゆゑ、私も爆裂弾などのことは何も知りませんが、化学的に言へばグリスリン《ママ》と硝酸とであらうとそれだけいったので、その点が事件の内容を知りながらそんなことを言ったとして罪になったのでございます。内山君は私共に内容を話したと判事は言ってゐますが、或は小松君に言ったかも知れず、もっとも小松君に後で聞くに同君もそんな恐るべき話を聞ひた覚えはないと言ってゐました。たとへ内山君が話したとしても真実の話ともせず聞き流して記憶にもなかったものと見へます。[34]

さらに、一九四六（昭和二一）年秋に開かれた幸徳富治と坂本清馬との座談会でも、岡林は次のことを述べている。

内山愚堂《ママ》が病院へやつて来てね。二階の応接室で僕と話をしたのだが、兎に角幸徳秋水が事件を起す、それについて爆弾の図を見たが、中へ入れる薬がわからん。病院へ来たら薬がわかるかと思つてやつて来たといふんだが、これは僕にもわからん。病院で爆弾のことがわかるものか。しかし科学的にいつたら、グリセリンか、硝酸だらうねと返事をした。さう真剣にはいはなかつたから、僕も平気で何の気なしにいつたのだ。[35]

一九三一（昭和六）年五月の『高知新聞』のインタビューでも、岡林は内山に爆薬の製法を教えたことについて語っている。

記者「さうするとあなたは内山愚童に教へた爆裂弾が、何の目的に用されるか、少しも知らなかつたとふのですね。」

岡林「さうです。私は全く知りませんでした。爆弾を製造するに、グリセリンを必要とすることを、化学の書物に書いてないのは無い位です、内山が爆弾のことを聴くからグリセリンの事を話したのみです。」

記者「では、そんな簡単な事が大逆事件連坐の原因となつたのですか。」

岡林「私には、ハツキリ解りませんが私は社会主義者として、神戸では小松と共に同志を牛耳つてゐたのです。それで偶々、内山が訪問して、爆弾のことを聴いても、内山等に、そんな計画があれば、私が知らなかつたといつても、これを信じてくれるものは、私の良心以外に誰もありません。」

記者「しかし、当時の新聞や、世間では、内山愚童を、あなたと小松の二人が海民病院の応接室では、外部に秘密のもれる疑ひがあるといふので、伝染病患者の病室になつてゐる陰惨な隔離室に連れて行き極秘裏に会見をなしたと伝へられてゐます。さうして、内山が大阪の同志に述べたやうな順序で〇〇〇〇（注・「天皇暗殺」と思われる）の陰謀のあること、それには爆裂弾が必要であることを述べてあなたと小松君に参加を求め、幸徳がその首魁であることを話すとあなた方は直に承諾したといはれてゐます。あなたは医師の前期の試験をパッスしてゐられる経験者、小松君も同様、病院にゐて、製薬の方にかけては通じてゐられるので、詳細に爆弾製造の方法を教へたと伝えられてゐますが…。」

岡林「そんなことは毛頭ございません。但し私と小松が、海民病院の二階の応接室で内山と逢つて、爆弾のことを話し、また、応接室の一つへ、愚童を一泊せしめたことは事実であります。けれども、決して私たちは、〇〇〇〇の陰謀は耳にしてゐません。その点が私の今に苦しんでゐる処です。いへばいふ程、弁解がましくなりますが、実際は〇〇〇〇のことは知らなかつたのです。」[36]

いずれからも、岡林と小松が話した爆裂弾の製造方法は、科学書に記載されているような初歩的な知識に過ぎず、爆裂弾の製造方法を教えたといえるようなものではなかった。内山が公判廷で「幸徳方ニテ管の中ニ硫酸ト云フ字カ書テアルカ、硫酸ニテ爆発スルカト問ヒタルニ岡林カリスリンタトカリスリンヲ入ルノタト答ヘシカ判然記憶ナシ」[37]と述べているのは、深い意味のない雑談程度の話として尋ねたからであろう。

内山の「皇太子暗殺計画」は、何ひとつ物的証拠があったわけではない。検事の見込み捜査と被告の自供だけで事件を仕立てあげられたのである。その自供についても、被告を陥れるために検事や予審判事の誘導尋問によってつくりあげられたものである。そして、その自供を使ってほかの被告を陥れ、また自供をつくりあげるというものであった。

〈注〉

1　「小松丑治　聴取書」（『森長訴訟記録・Ⅳ』森長英三郎所蔵　五〇頁）。

2　内山愚童『入獄紀念　無政府共産』（日本アナキズム運動文庫　二〇〇七年復刻）三頁。

3　幸徳秋水は、獄中から磯部四郎・花井卓蔵・今村力三郎三弁護人に出した「陳弁書」で、「無政府主義者の革命成る時、皇室をドウするかとの問題が、先日も出ましたが、夫れも我々が指揮・命令すべきことではありません。皇室自ら処すべき問題です。前にも申す如く、無政府主義者は、武力・権力に強制されない万人自由の社会の実現を望むのです。其社会成るの時、何人が皇室をドウするといふ権力を保ち、命令を下し得る者がありませう。他人の自由を害せざる限り、皇室は自由に勝手に其尊栄・幸福を保つの途に出で得るので、何等の束縛を受くべき筈はありません」（幸徳秋水「暴力革命について　仮題」神崎清編『大逆事件記録第一巻　新編獄中手記』世界文庫　一九七一年　二九～三〇頁）と書いている。

4　前掲「小松丑治　聴取書」五一頁。

5　「岡林寅松　聴取書」（『森長訴訟記録・Ⅳ』森長英三郎所蔵　七三頁）。

6　前掲「小松丑治　聴取書」五一頁、「小松丑治　第六回調書」（神崎清所蔵・大逆事件の真実をあきらかにする会刊『大逆事件訴訟記録・証拠物写　第八巻』近代日本史料研究会　一九六〇年　一七二頁）。
7　戸崎曽太郎氏からの教示。
8　前掲「小松丑治　聴取書」五一頁、前掲「小松丑治　第六回調書」一七三頁。
9　「幸徳秋水　大逆事件の同志　岡林寅松と語る（六）海民病院を訪れた内山愚童　応接で爆弾の話」（スクラップ帳『藻屑籠　二』個人旧蔵）。
10　前掲「岡林寅松　聴取書」七四頁。
11　同右　七四頁。
12　岡林寅松「明治四十二年懐中日記」（大逆事件記録刊行会編『大逆事件記録第二巻　証拠物写（下）』世界文庫　一九六四年　五六四頁）。
13　「岡林寅松　第二回調書」（『森長訴訟記録・Ⅳ』森長英三郎所蔵　八五頁）。
14　「岡林寅松　第六回調書」（前掲『大逆事件訴訟記録・証拠物写　第八巻』一六七頁）。
15　前掲「岡林寅松　聴取書」七三頁。
16　前掲「小松丑治　聴取書」五二頁。
17　前掲「暴力革命について　仮題」四〇～四一頁。
18　「岡林寅松　調書」（『森長訴訟記録・Ⅳ』森長英三郎所蔵　八二頁）。
19　「岡林寅松　第二回調書」（『森長訴訟記録・Ⅳ』森長英三郎所蔵　八六頁）。
20　「岡林寅松　第三回調書」（『森長訴訟記録・Ⅳ』森長英三郎所蔵　八八頁）。
21　「小松丑治　第二回調書」（『森長訴訟記録・Ⅳ』森長英三郎所蔵　六二頁）。

22　「小松丑治　第三回調書」（『森長訴訟記録・Ⅳ』森長英三郎所蔵　六四～六五頁）。
23　「東京監獄在監岡林寅松　聴取書」（『森長訴訟記録・Ⅳ』森長英三郎所蔵　九六頁）。
24　前掲「岡林寅松　第六回調書」一六八頁。
25　「岡林寅松　今村力三郎宛書簡（一九一〇年一二月二〇日）」（専修大学今村法律研究室編『大逆事件（二）』専修大学出版局　二〇〇二年　七二～七三頁）。
26　「意見書（大審院特別権限に属する被告事件予審掛）」（専修大学今村法律研究室編『大逆事件（一）』専修大学出版局　二〇〇一年　三五頁）。
27　前掲「小松丑治　第六回調書」一七四頁。
28　「内山愚童　調書」（前掲『大逆事件訴訟記録・証拠物写　第八巻』一八八頁）。
29　「今村公判ノート　内山愚童」（専修大学今村法律研究室編『大逆事件（三）』専修大学出版局　二〇〇三年九二頁）。
30　平出修「後に記す」（『定本　平出修集』春秋社　一九六五年　三四二～三四三頁）。
31　前掲「岡林寅松　第六回調書」一六八～一六九頁。
32　前掲「小松丑治　第六回調書」一七三頁。
33　「岡林寅松　今村力三郎宛書簡（一九一〇年一二月一二日）」（前掲『大逆事件（二）』七〇頁、塩田庄兵衛・渡辺順三編『秘録・大逆事件（下巻）』春秋社　一九六一年　二二七頁）。
34　「岡林真冬　森長英三郎宛書簡（一九四六年一一月三日）」（渡辺順三編『菊とクロハタ』新興出版社　一九六〇年　二〇五～二〇六頁）。
35　幸徳富治・岡林寅松・坂本清馬談「大逆事件座談会」（中島及編・幸徳秋水著『東京の木賃宿』弘文堂　一九

四九年　四七頁）。

36　前掲「幸徳秋水　大逆事件の同志　岡林寅松と語る（六）海民病院を訪れた内山愚童　応接で爆弾の話」。

37　前掲「今村公判ノート　内山愚童」九二頁。

第一〇章　公判と判決

予審請求

宮下太吉・幸徳秋水らの検挙をきっかけに、全国各地で芋づる式に捜査が行われた結果、岡林・小松をはじめ二六名が大逆罪違反に該当するとして予審請求された。

一九一〇（明治四三）年六月五日
大石誠之助（熊野・新宮）

同年六月一一日
森近運平（岡山）

同年六月二七日
奥宮健之（東京）

同年七月七日
高木顕明（熊野・新宮）・峯尾節堂（熊野・新宮）・崎久保誓一（熊野・新宮）

同年七月一〇日
成石勘三郎（熊野・新宮）

同年七月一四日
成石平四郎（熊野・新宮）

同年八月三日
松尾卯一太（熊本）・新美卯一郎（熊本）・佐々木道元（熊本）・飛松與次郎（熊本）

同年八月九日
坂本清馬（東京）

同年八月二八日
武田九平（大阪）・三浦安太郎（大阪）・岡本頴一郎（大阪）

同年九月二八日
岡林寅松（神戸）・小松丑治（神戸）
同年一〇月一八日
内山愚童（箱根）

このうち、内山については、『入獄紀念　無政府共産』などの秘密出版による「出版法違反」と、家宅捜索の際に寺からダイナマイトが見つかったことによる「爆発物取締罰則違犯」で、禁錮二年懲役五年の計七年の実刑で服役中だったため、獄中からの予審請求であった。また、熊本の松尾卯一太と飛松與次郎も、『平民評論』の発行禁止処分で服役していたため、内山と同じく獄中から予審請求された。

一九一〇（明治四三）年一一月一日、予審の結果が「意見書（大審院特別権限に属する被告事件予審掛）」として予審判事から大審院に提出され、正式に大審院での公判が決定した。岡林と小松の容疑は次のようになっている。

第二十五　被告岡林寅松ハ明治三十九年中社会主義ヲ鼓吹スル所ノ赤旗ト題スル一ノ雑《ママ》ヲ発行セントシタルモ或事情ノ為メニ中止シ同年十二月裏面ヲ赤色トシタル葉書用紙ヲ調製シテ過激ノ文字ヲ布置シ印刷ノ上之ヲ各友人ニ配布シ同四十年中ニ至リテハ硬派ノ説ヲ主張シ同四十一年

十一月頃被告愚童ヨリ送附シ来リタル入獄紀念無政府共産ノ小冊子数冊ヲ中村浅吉ニ交附シ同四十二年一月中被告丑治ト倶ニ右浅吉ニ対シ将来ハ必ス総テノ社会主義者ハ硬派ノ説ニ帰キスヘキモノナルコトヲ説キ同年五月二十二日被告愚童来訪シ愚童ヨリ第二十一項ノ暴力革命及暗殺行動等ノ謀議ヲ聴キ寅松ハ其事ヲ決行スルニ当リ使用セントスル所ノ爆裂弾ノ調和剤等ヲ談シテ賛同ノ意ヲ表シタリ

第二十六　被告小松丑治ハ明治三十七年以来社会主義ノ研究ヲ為シ同四十年頃硬派ノ説ヲ奉シ同四十一年十一月頃被告愚童ヨリ送リ来リタル入獄紀念無政府共産ノ小冊子ヲ受取リ同四十二年一月中中村浅吉ニ対シ寅松ト倶ニ将来ハ必ス総テノ社会主義者ハ硬派ニ帰スヘキコトヲ説キ同年五月二十二日被告愚童ノ来訪シタル時寅松ト同席ノ下ニ第二十一項ノ暴力革命及暗殺行動等ノ謀議ヲ聴キ丑治ハ其事ヲ決行スルニ当リ使用セントスル所ノ爆裂弾ノ調和剤等ヲ談シ賛同ノ意ヲ表シタリ[1]

ふたりの容疑である「第二十一項ノ暴力革命及暗殺行動等ノ謀議」とは、この意見書の第二一項である内山愚童に関する項目の「被告寅松及丑治ヲ神戸市夢野村海民病院ニ訪問シ（略）暴力革命及暗殺行動ニ同意ヲ求メ両人ノ同意ヲ得タル上寅松丑治等ト革命ノ用ニ供スベキ爆裂弾製造方法ニ就テ意見ヲ交換シタリ」[2]のことである。つまり、神戸海民病院で内山と面会したことが注目されたのである。岡林と小松は、これだけの「事実」が問題とされたのである。

公判

大逆事件の公判は、一九一〇（明治四三）年一二月一〇日から現在の最高裁判所に相当する大審院の特別法廷においてはじめられた。しかし、わずか一九日間、全一六回の審理で終了し、人定尋問を除く全ての公判審理で傍聴人の傍聴が禁止されるという秘密裁判であった。

しかも、最高裁に保管責任のある大逆事件裁判の「公判始末書」は、現在も行方不明のままになっている。そのため、事件で弁護人をつとめた今村力三郎の「公判ノート」、平出修の「大逆事件特別法廷覚書」、「大逆事件意見書」、「幸徳事件弁論手控」などを公判の手がかりにしていくことにする。

一九一〇（明治四三）年一一月九日
大審院特別刑事部、大逆事件公判開始を決定する。
公判開始期、非公開の方針を決定。

同年一二月一〇日　第一回公判
午前一〇時四五分より大審院にて事件の特別裁判を開廷。
ただちに傍聴禁止を宣告して、非公開の秘密審理に入る。
午前一一時二〇分より検事総長・松室致より公訴事実の冒頭陳述。
宮下太吉・新村忠雄の供述。

午後四時一〇分閉廷。

同年一二月一二日　第二回公判
午前一〇時三〇分開廷。

管野須賀子・古河力作（午前一一時から午前一一時二〇分まで）・新田融（午前一一時二二分から午前一一時四〇分まで）・新村善兵衛（午前一一時四〇分から午後一二時五分まで）の供述。

午後一二時五分から午後一時二〇分まで休憩。

新村善兵衛（午後一時二〇分から午後二時二〇分まで）・幸徳秋水の供述。

午後四時二〇分閉廷。

同年一二月一三日　第三回公判
午前一〇時開廷。
森近運平・奥宮健之（午前一一時一五分から）・大石誠之助（午後一時一〇分から午後二時二〇分）・成石平四郎（午後二時二〇分から）・高木顕明・峯尾節堂（午後三時一〇分から）・崎久保誓一・成石勘三郎（午後三時四五分から）の供述。
午後四時閉廷。

同年一二月一四日　第四回公判

午前一〇時開廷。

松尾卯一太（午前一〇時四五分から）・新美卯一郎・佐々木道元・飛松與次郎（午後二時三〇分から午後三時）・坂本清馬（午後三時から）の供述。

午後四時閉廷。

同年一二月一五日　第五回公判

午前一〇時開廷。

内山愚童・武田九平の供述。

午後四時閉廷。

同年一二月一六日　第六回公判

午前一〇時開廷。

武田九平・岡本頴一郎・三浦安太郎・岡林寅松・小松丑治の供述。

午後四時閉廷。

同年一二月一九日　第七回公判

午前一〇時開廷。
森近運平・高木顕明・宮下太吉・新村忠雄・管野須賀子・古河力作・新田融・新村善兵衛の供述。
午後四時閉廷。

同年一二月二〇日　第八回公判
午後一二時三〇分開廷。
古河力作・幸徳秋水・成石平四郎の供述。
午後四時閉廷。

同年一二月二一日　第九回公判
午前一〇時開廷。
高木顕明・峯尾節堂・大石誠之助（午後一時から）・成石勘三郎・崎久保誓一・松尾卯一太の供述。
午後三時三〇分閉廷。

同年一二月二二日　第一〇回公判
午前一〇時三〇分開廷。

松尾卯一太・新美卯一郎・佐々木道元・飛松與次郎・内山愚童・岡林寅松・小松丑治・幸徳秋水の供述。

午後四時閉廷。

同年一二月二三日　第一一回公判

午後一時三〇分開廷。

証拠調べに入る。

弁護人より坂本・奥宮・三浦・松尾・新美・佐々木・飛松のための証人喚問の申請。

午後五時一〇分閉廷。

同年一二月二四日　第一二回公判

午前一〇時三〇分開廷。

弁護人より証人申請理由の補充説明。

検事より弁護側からの証人申請に対する反対意見が出る。その結果、裁判長は弁護側からの証人申請を全部却下。

同年一二月二五日　第一三回公判

午前一〇時三〇分開廷。

検事論告。

大審院次席検事・平沼騏一郎の総論。平沼は、事件の動機を被告らの信念にあるとし、被告らは無政府主義者であり、無政府主義者であるがゆえに現今の国家組織を破壊する動機があると、[3] 被告たちの行為ではなく思想を裁くと主張した。

午後から平沼騏一郎・板倉松太郎両検事の各論。板倉検事は、岡林と小松の容疑について、「四十二年五月愚童丑治寅松ヲ海民病院ニ訪ヒ暗殺ヲ目的トスル暴力革命ヲ相談ス」、「咄嗟ノ間ニ両名カ賛同シタルハ両者ノ経歴之ヲ証ス」と弁論した。これに対して、弁護人の今村力三郎は、自身の「公判ノート」で板倉検事の弁論を「各被告ノ経歴ハ何ヲ以テ証トナルヘキ」、「経歴ヲ証ト言ハ無証ノ自由」と批判した。[4]

検事総長・松室致、被告二六名全員に対して死刑を求刑。

午後五時三〇分閉廷。

同年一二月二七日　第一四回公判
午前一〇時開廷。
各弁護人の弁論。
被告の弁護人は、当時一流の弁護士であった花井卓蔵・磯部四郎・鵜沢総明・今村力三郎や、新進気鋭の弁護士であった平出修など、一一名が担当した。

弁護人・花井卓蔵の総論（午前一〇時二五分から午前一一時四五分まで）。

午前一一時四五分から午後一時一五分まで昼休憩。

花井卓蔵（午後一時一五分から午後二時三〇分まで）・今村力三郎（午後二時四〇分から午後五時三〇分まで）両弁護人の弁論。

午後五時四〇分閉廷。

同年一二月二八日　第一五回公判
午前九時開廷。
弁護人・平出修などの弁論。平出は、平沼をはじめとする検事らの見解や主張を「悪脳可知《しるべし》」[5]と批判した。平出によれば、無政府主義という思想にも、時代や人物によって違いがあり、一律に破壊と結びつけることは誤りである。そもそも思想は、時代変遷のなかで捉える必要があり、新思想というものは、常に在来思想に対しては危険であり、破壊的にみえるものである。そのいずれかが生き残っていくのかは、どちらの思想が人間本然の性情に合致しているかによって決定されるものである。それを外部から抑圧しようとしても徒労に終わるものである。そして、被告たちに無政府主義という信念があったかといえば、彼等の言動のどこにもそのような証拠は見当たらない。したがって、有罪とする論拠は成り立たないと弁論した。[6]

午後六時閉廷。

同年一二月二九日　第一六回公判
午前九時三〇分開廷。
磯部四郎・鵜沢総明両弁護人などの弁論。
磯部弁護人の結論。
検事総長・松室致の補充論告。
被告人の最終申し立て。
磯部弁護人の補充結論。
午後八時二〇分、裁判長より結審を宣告して閉廷。[7]

今村力三郎の「公判ノート」には、第六回公判と第一〇回公判での岡林と小松の申し立てがメモされている。

岡林寅松十二月十六日公判
日露戦争前非戦論ヨリ社会主義トナル
内山カ海民病院ニ来リ皇太子殿下ニ危害ヲ加フルトノ話ハ断シデ聴カズ
小松丑治十二月十六日公判

入獄紀念無政府共産ハ廿七部其儘ニナシ置キテ何レヘモ配賦セス
五月廿二日岡林ト海民病院ニテ面会ス

岡林寅松十二月廿二日公判廷申立
海民病院ノ応接間ハ廿丈間ノ長方形ノ座敷ニハ刑事巡査ハ居タトモ居ナイトモ判然記憶ナシ[8]

岡林は、神戸海民病院で内山と面会した際に、尾行の警官がいたかどうかについて、「居タトモ居ナイトモ判然記憶ナシ」と申し立てているが、内山愚童は「神戸ニテ二日共尾行巡査アリ」[9]と述べている。これには、今村弁護士も「此被告人内山トノ申立ヲ対照スレハ岡林カ判然記憶セズト云フハ一方ノ中立ニ雷同セサルノ例」[10]と感想を記している。

判　決

一九一一（明治四四）年一月一八日、大逆事件の判決が出された。
右幸徳伝次郎外二十五名ニ対スル刑法第七十三条ノ罪ニ該当スル被告事件審理ヲ遂ケ判決スルコト左ノ如シ
被告幸徳伝次郎、管野スガ、森近運平、宮下太吉、新村忠雄、古河力作、坂本清馬、奥宮健之、大石誠之助、成石平四郎、高木顕明、峯尾節堂、崎久保誓一、成石勘三郎、松尾卯一太、新美卯一郎、佐々木道元、飛松與次郎、内山愚童、武田九平、岡本頴一郎、三浦安太郎、岡林寅松、小

松丑治ヲ各死刑ニ処シ被告新田融ヲ有期懲役十一年ニ処シ被告新村善兵衛ヲ有期懲役八年ニ処ス[11]

岡林と小松の判決理由は次の通りである。

被告岡林寅松ハ明治三十七八年戦役ノ開始前幸徳伝次郎等カ非戦論ヲ唱ヘ萬朝報新聞ノ同僚ト議合ハスシテ朝報社ヲ去ルヤ其説ヲ是ナリトシテ社会主義ニ入リ後一転シテ無政府共産主義ニ帰ス被告小松丑治ハ明治三十七年以来社会主義ヲ研究シ同四十年ニ至リテ無政府共産主義ニ入ル寅松丑治ハ交情極メテ親密ニシテ他ノ同主義者ト協力シテ明治三十九年中其主義ヲ鼓吹センカ為メ赤旗ト称スル雑誌ヲ発刊セント図リタレトモ故アリテ中止シ同年末裏面ヲ赤色ト為シ危激ノ文詞ヲ排列シタル私製葉書用紙ヲ多数調製シテ之ヲ知友ノ間ニ頒与シ明治四十年十一月三日森近運平カ大阪ニ於テ幸徳伝次郎ノ為メニ歓迎会ヲ開クヤ寅松丑治ノ両人其案内ヲ受ケタレトモ二人同行スルヲ得サル事情アリテ丑治一人其会ニ出席シ伝次郎ヨリ反抗心養成ノ必要ナル説ヲ聴ク明治四十一年十一月内山愚童カ著作出版シタル入獄紀念無政府共産ト題スル小冊子三十冊許ヲ送付スルヤ寅松丑治ハ之ヲ収受シ寅松ハ其中数冊ヲ中村浅吉ニ頒与シタリ

明治四十二年五月二十二日内山愚童ハ神戸市ニ往キ被告寅松丑治ヲ同市夢野村海民病院ニ訪ヒ説クニ東京ハ政府ノ迫害甚シク同主義者手足ヲ出スコト能ハス幸徳管野等ハ病ミテ余命永ク保チ難ク爆裂弾アラハ革命ヲ起サントスル決心アリ一ケ所ニ五六十人決死ノ士アラハ革命ヲ起ス足ル此地ハ横浜ノ東京ニ於ケルカ如ク大阪ニ事アラハ直ニ之ニ応スル要アリ卿等ハ医業ヲ為ス者ナレハ爆裂弾ノ研究ヲ為スヘキ責任アリトノ旨ヲ以テシ且皇儲弑逆ノ策ヲ唱ヘ以テ其賛助ヲ促スヤ寅松

ハ初難色アリシモ愚童ニ説破セラレ遂ニ丑治ト共ニ之ニ同意シ愚童カ爆裂薬ノ製法ヲ問フニ及ヒ寅松ハ「リスリン」ヲ加フレハ可ナリト云ヒ丑治ハ硫酸ト「リスリン」ヲ以テ製スヘシト答フルニ至リタリ[12]

判決書には、被告たちの犯罪事実についても書かれており、岡林と小松に関係する部分は、次のようになっている。

被告岡林寅松ノ予審調書中日露戦争前幸徳秋水堺枯川等カ非戦論ヲ唱ヘ万朝報ヨリ分離シタルコトアリ其際被告ハ幸徳堺ノ説ヲ是ナリト信シ之カ動機トナリテ社会主義ヲ奉スルニ至リタリ被告ハ明治三十九年夏頃小松丑治中村浅吉ト共同シテ赤旗ト題スル社会主義ノ雑誌ヲ発刊セントシタルコトアリ、裏面ヲ赤色ト為シ危激ノ文字ヲ布置シタル私製端書（押収第一号ノ一〇五七）ハ明治三十八年若クハ翌三十九年ノ十二月中新年ニ使用スル考ニテ拵ヘ置キタルモノナリ、被告カ無政府共産主義ヲ奉スルニ至リタルハ明治三十九年ノ暮若クハ四十年ノ春頃ナラント記憶ス、明治四十一年十一月頃入獄紀念無政府共産ト題スル小冊子ノ送付ヲ受ケ中村浅吉ニ頒与シタルコトアリ、明治四十二年五月二十二日内山愚童ノ訪問ヲ受ケ小松丑治ト共ニ海民病院ノ二階ニ於テ面会シタリ其際内山ハ入獄紀念無政府共産ト題スル小冊子カ到着シタルヤ又何レニカ配布シタルヤト尋ネタルモ被告等ハ内山ノ作ナルコトヲ知ラサリシヲ以テ其小冊子ハ到着シタルモ余リ危激ノ文字ヲ羅列シアリタルヲ以テ小松丑治中村浅吉及被告ノ三名ニテ読ミタルノミニテ他ニ配布サストと答ヘタリ次ニ内山ハ東京ニテハ同志ニ対スル政府ノ迫害甚シクシテ如何トモスル能ハス幸徳管野ハ病気ノ為メ余命幾何モ無ケレハトテ大ニ決スル所アルモノ、如シ当地ニテハ何カ計画ヲ為シ居ルヤ今ヤ暴力革命ヲ起ス可キノ時ナリ革命ヲ起スニハ先ツ皇室ヲ倒サヽル可ラスト申シタルコトハ相違ナキモ被告ハ只幸徳ヤ内山ノ理想ニシテ実行計画トハ思ハサリシカ故ニ賛否ノ意見ヲ述ヘス即カス離レスノ挨拶ヲ為シ置タリ、其際内山ハ爆裂弾ハ如何ナル薬品ヲ以テ製造スルヤヲ質問シタルニ付爆裂弾ニハ「リスリン」ヲ混入スル旨ヲ告タルニ相違ナシ「リスリン」ヲ使用スルコトハ丹波博士ノ化学ノ書籍ヲ見テ記憶シ居リタルモノナリ、内山ハ其用途ヲ明言セサリシモ被告ハ来ルヘキ革命ニ用ユルモノナラント想像シ居タリ、革命ノ用ニ供スルモノナリト想像シナカラ爆裂弾ノ製法ヲ教ヘタル点ヨリ観レハ革命ニ同意シタルモノヽ如クナルモ全ク其様ナル考アリテ教ヘタルニアラサル旨ノ供述

被告小松丑治ノ予審調書中被告ハ岡林寅松ト共ニ明治三十八年頃ヨリ神戸ニ平民倶楽部ナルモノヲ設ケ社会主義ノ研究ヲ為シ明治三十九年中岡林等ト共ニ赤旗ト題スル社会主義ノ機関雑誌ヲ発行スル計画ヲ為シタルコトアリ、明治四十年十一月三日大阪平民社ニ於テ幸徳伝次郎ノ歓迎会ヲ開キ岡林及被告ニ対シテ案内アリタルモ両人同時ニ出席スル能ハサル事情アリテ被告ノミ出席シタリ、幸徳ハ其席上ニ於テ世界ノ文明ニハ科学労働及ヒ反抗心ノ三者ヲ必要トス然ルニ今日ハ科学ト労働トハ進歩シ居ルモ独リ反抗心ノ欠乏シ居ル為メ文明ノ恵沢ヲ受ル能ハス故ニ将来ハ反抗心ノ養成ニ努メサル可ラスト説明シタリ、明治四十一年暮若クハ四十二年春ナリト思フ入獄紀念無政府共産ト題スル小冊子三十部内外ノ送付ヲ受タルコトアリ郵便ノ消印ハ東京ナリシモ差出人

ハ不明ナリシカ同小冊子ニハ頗ル危激ナル事ヲ記載シアリタルヲ以テ同主義者ノ中村浅吉ニ一二部頒与シタルニミニテ他ニハ一切配布セス、明治四十二年五月二十二日夢ノ橋ノ傍ニ於テ内山愚童ニ出会シタルヲ以テ海民病院ニ同道シ岡林ト三人ニテ談話ヲ為シタリ其際内山ハ東京ノ同志ハ政府ノ迫害甚シク手モ足モ出ヌトテ憤慨シ居リ殊ニ幸徳ヤ管野ハ病身ニテ余命幾何モ無ケレハトテ大ニ決スル所アルモノノ如シ今ヤ革命ヲ起スノ必要ニ迫マリ居レリ当方面ニテハ何カ運動方法ヲ研究シ居ルヤト申シ尚ホ内山ハ皇室ニ対シ危害ヲ加フル如キ意味ノ咄ヲ為シタルコトハ記憶シ居ルモ大逆ヲ行フヨリモ皇儲ヲ害スルヲ以テ得策ト為ス抔ト申シタルヤ否記憶ニ存セス其際内山ハ被告等ニ対シ爆裂弾ノ製法ヲ尋ネタルヲ以テ被告ハ硫酸ト「リスリン」ヲ配合スレハ出来ル旨ヲ答ヘタルニ相違ナシ被告ハ其製法ヲ教ヘタル後ニ於テ革命ノ用ニ供スル為ナランカト感シタルモ其時ニ何心ナク教ヘタルモノナリ、内山ノ革命談ニ付テハ被告モ岡林モ別ニ反対ノ意見ヲ唱ヘサリシモ決シテ同意シタルニアラサル旨ノ供述

証人中村浅吉ノ予審調書中明治四十一年十一月カ十二月ノ頃岡林ヨリ入獄紀念無政府共産ト題スル小冊子四部ヲ貰受タルコトアル旨ノ供述[13]

長文の引用になってしまったが、要するに、神戸海民病院で内山愚童と面会した際に、内山の「皇太子暗殺計画」に賛同し、計画に用いる爆裂弾の製法を教えた、ということにされてしまったのである。岡林は、のちに『高知新聞』のインタビューで、判決を受けたときのことについて、次のように回想している。

> 死刑を宣告された時の気持は忘れ得ません。死刑を宣告されて、この世におさらばを告げなければならぬかと思ふと、実に何んともいへない寂しさを感じます。妻や子のことが、痛切に頭に浮んで来ます。私は、自分に死刑の宣告を受けたからといふのではありませんが、どう考へても死刑は廃止して貰ひたいと思ひます。人間の生に対する執着は、実に激しいものであることを知りました。[14]

しかし、大審院が出した判決書は、検事や予審判事が描いた筋書きにほぼ沿ったものであった。弁護人の平出修は、事件の判決後に書いた「後に記す」で次のことを記している。

> もし予審調書其ものを証拠として罪案を断ずれば、被告の全部は所謂大逆罪を犯すの意志と之が実行に加はるの覚悟を有せるものとして、悉く罪死刑に当つて居る。乍併調書の文字を離れて、静に事の真相を考ふれば本件犯罪は宮下太吉、管野スガ、新村忠雄の三人によりて企画せられ、稍実行の姿を形成して居る丈けであつて、終始此三人者と行動して居た古河力作の心事は既に頗る曖昧であつた。幸徳伝次郎に至れば、彼は死を期して法廷に立ち、自らの為に弁疏の辞を加へざりし為、直接彼の口より何物を聞くを得なかつたとは云へ、彼の衷心大に諒とすべきものがある。大石誠之助に至りては寔に之れ一場の悪夢、思ふに事の成行きが意外又意外、彼自らも其数奇なる運命に、驚きつつあつたのであらう。只夫れ幸徳は、主義の伝播者たる責任の免るべかざるものあり。大石には証拠上千百の愁訴も之を覆すべからざるものあり。形式証拠を重んずる日本の裁判所は遂に彼等両人を放免するの勇気と雅量なかるべきを思ひしも、其余の二十名は悉く

一場の座談、しかも拘引の当時より数へて一年有半前のことにかかり、其座談の内容が四五十人決死の士あらば富豪を劫掠し、官庁を焼払ひ、尚余力あらば二重橋にせまらんと云ふ一噱にも付すべきものであつて、（略）死を賭けての大事が計画賛同せられしと思はるる状況頗る疑ふべきものである。（略）司法権の威厳は全く地に墜ちてしまつたのである。（略）されど静に思ふ、余の確信は此判決によりて何等の動揺をも感じて居らぬのである。余が見たる真実は依然として真実である。[15]

平出と同じく大逆事件で弁護人をつとめた今村力三郎も、のちに著書『芻言』（一九二五年私刊）のなかで、大逆事件を次のように論及している。

幸徳事件に在りては幸徳伝次郎管野スガ宮下太吉新村忠雄の四名は事実上に争ひなきも其他の二十名に至りては果して大逆罪の犯意ありしや否や大なる疑問にして、大多数の被告は不敬罪に過ぎざるものと認むるを当れりとせん。予は今日に至るも、その判決に心服するものに非ず。ことに裁判所が審理を急ぐこと奔馬のごとく一の証人すらこれを許さざりしは、予の最も遺憾としたる所なり。[16]

大逆事件の判決前の一九一一（明治四四）年一月一三日に、獄中の岡林が堺利彦に送った書簡には、「近々出獄できましたら新職業にありつかねばなりませぬが一寸とねしるこ屋など面白いと思ふてゐます」[17]と書いており、自身が無罪であることを確信していたのがうかがえる。しかし、判決後、岡林は今村弁護士への書簡で「私に陰謀を談るなと存《ママ》〔じ〕かけもなき事にて、知る人ぞ知る、私の良心は天をも地をも耻しませぬ只に世間の話に乗り父や妻子を苦むる痛みかございます」[18]と書き、小松も弁護人の磯部四郎・花井卓蔵・今村力三郎に寄せた手紙のなかで「此度の事件は各被告人の陳述に於て犯罪を作《ママ》せし様に相成候え共完《ママ》くの冤罪にて呉々も遺憾の極に御座候」[19]と記している。判決は岡林と小松にとって到底承服できないものであったと思われるが、内山愚童との面会の場に居合わせたならば、井上秀天と中村浅吉もまた同じ運命に見舞われたであろう。

なお、田中泰は、一九一〇（明治四三）年九月三日に神戸で三橋市太郎検事から取り調べを受け、同年一〇月一一日には東京地裁に呼び出され河島台蔵予審判事から訊問調書をとられた。大逆事件での起訴は免れたが、事件の捜査の過程のなかで、三浦安太郎から送られた内山愚童の秘密出版『入獄紀念　無政府共産』を流布する目的で知人の相坂佶《ただし》に送り、相坂は大久保繁助に郵送したことが発覚した。この行為が「不敬罪」にあたるとされ、同年一〇月二九日に再び東京地裁検事局から呼び出されて、今度は大逆事件とは別に「不敬罪」で起訴された。同年一二月二一日、田中は相坂とともに「不敬罪」で懲役五年の判決を受けた。一九一二（大正元）年九月二六日に明治天皇崩御の特赦で出獄したが、その後の動向は不明である。

恩赦

判決の翌日一月一九日、天皇の「恩赦」により死刑判決を受けた二四名のうち、一二名が無期懲役に減刑された。内閣総理大臣・桂太郎は、同日付で明治天皇に恩赦を奏上することを決定した。

司法大臣上奏死刑囚武田九平外十一名減刑ノ件
右謹テ裁可ヲ仰ク
明治四十四年一月十九日
内閣総理大臣　侯爵　桂太郎（花押）

明治四十四年一月十九日
内閣総理大臣（花押）　法制局長官（花押）
別紙司法大臣上奏死刑囚武田九平外十一名減刑ノ件ヲ震災スルニ右ハ上奏ノ通裁可ヲ奏請セラレ
可然ト認ム

天皇への上奏の決定と同時に、恩赦の文案も考えられていた。

　裁可状案（各囚共通）
特典ヲ以テ死刑囚武田九平同岡本頴一郎同岡林寅松同小松丑治同坂本清馬同三浦安太郎同高木顕明同峰《ママ》尾節堂同崎久保誓一同成石勘三郎同佐々木道元同飛松與次郎ヲ無期懲役ニ減刑ス
明治四十四年一月十九日
奉勅　内閣総理大臣

そして、実際に明治天皇へ上奏された文書と別紙は次の通りである。
別紙死刑囚武田九平外十一名減刑ノ件上奏書及進遵候也

明治四十四年一月十九日
司法大臣子爵岡部長蔵（花押）
内閣総理大臣桂太郎殿

死刑囚武田九平外十一名減刑ノ儀ニ付上奏
死刑囚　武田九平
同　岡本頴一郎
同　岡林寅松
同　小松丑治
同　坂本清馬
同　三浦安太郎
同　高木顕明
同　峰《ママ》尾節堂
同　崎久保誓一
同　成石勘三郎
同　佐々木道元
同　飛松與次郎

右ハ別紙判決書ノ通刑法第七十三条ノ罪ニ依リ明治四十四ネン一月十八日大審院ニ於テ各死刑ニ処セラレタルモノニシテ大逆無道其罪誅ヲ免レス然レトモ謹テ深仁至慈ノ聖旨ヲ奉體シ本犯等ノ犯状ヲ案スルニ本犯等ハ他ノ共犯者ノ煽動ニ因リ其兇行ニ附和雷同シタルモノニシテ之ヲ元兇主謀ニ比スレハ其間稍等差ノ存スルモノアルヲ認ム仰キ願クハ不赦ノ罪ヲ赦シ特典ヲ以テ無期懲役ニ減刑セラレムコトヲ

右謹テ上奏ス

明治四十四年一月十九日

司法大臣子爵岡部長蔵（花押）[20]

無期懲役に減刑された一二名に対して、減刑が言いわたされたのは、一九日午後九時過ぎになってからのことである。

減　刑

減刑の言いわたしについて、成石勘三郎の獄中手記『回顧所感』によれば、夜中看守に起こされた成石は、「オイ起きよ」、「キモノ着てコチラへこい」と命令され、「執行ですか」と質問したが、「イヤだまって来れ」というので、看守についていくと、廊下で小松と飛松與次郎に出会い、三人連れで典獄室にはいった。礼の号令で三人が敬礼をすると、そこで東京監獄典獄（現在の刑務所長の地位に相当）・木名瀬礼助は、「死刑囚成石勘三郎特典を以て無期懲役囚に減刑す。奉勅　総理大臣侯爵桂太郎」と書かれた、三宝の上に乗った無期懲役への減刑の詔書を読みあげ、三人にその詔書をわたした。そして、木名瀬典獄から「まあこうして、其方達を死刑から御救ひ下さった。宜敷此御恩に報ゆる処がなければならん」という意味の訓示を受けた。減刑が言いわたされたのち、成石・小松・飛松は八畳敷の雑居房へいっしょに移され、そのまま一夜を語りあかしたという。[21]

一方の岡林も、武田九平・岡本頴一郎とともに、木名瀬典獄から減刑を言いわたされた。そのときのことについて、岡林は『高知新聞』のインタビューで次のように語っている。

記者「減刑の恩命を拝したのは、何時でしたか。」

岡林「死刑の宣告を受けた翌々日でした。」

記者「どんな感じがしましたか。」

岡林「言葉にはやう表現しません。恰度、夜でした。一寸、典獄が用事があるから来いとの命だといふので、私はハツとしました。一昨日、死刑の宣告を受けて、三日目の今夜、早や死刑を執行されるのかと思ふと、全く、何んともいへない寂しい頼りない気がいたしました。それで、私はもう観念して、夜具やその他のものを、キレイに片附けて、着物の着方もなほして、心を取りなほして典獄室に行きました。すると、私の外に同志である武田九平、岡本頴一郎の二名も同様に呼び出されて来ました。さうして、三人並んだ上で、典獄よりたゞ今、恩命を拝して、死一等を減ずる旨を言渡されたのです。その時の喜び―嬉しさのため思はず胸が迫つて涙が、とめどもなく流れました。」[22]

岡林は、一月一九日に今村弁護士へ寄せた書簡で、自身の減刑を願い出ていた。

煩悶はいたしませぬが、可成《なるべく》は一日でも生を保ちたく、又いかなる労を取りても一等減して無期罪となり度《たく》、何卒多数の気の毒なる人々のために出来る限りの御尽力願ひ度、今日となりては全く詮方なきものでせうか、特赦とかは当てもなきものでせうか、又其条《ママ》〔筋〕へ減刑を願出るなど出来ぬものでせうか、又万止むを得ぬとしても慈眼を垂れて出来るだけ長時日、安心の読書出来るやう御許らひ叶ひますまいか[23]

このような書簡を記していた岡林にとって、無期懲役への減刑は、まさに「言葉にはやう表現」できないものであったと思われる。

しかし、岡林は、インタビューのなかで、木名瀬典獄から減刑が言いわたされたのは、判決の翌々日の二〇日だと回想している。神崎清『革命伝説　大逆事件④　十二個の棺桶』（子どもの未来社二〇一〇年復刻）には、岡林の特赦状が所収されているが、その日付は、一月二〇日ではなく、一月一九日となっている。

内閣批第一号ノ一　明治四十四年一月十九日付

特典ヲ以テ死刑囚岡林寅松ヲ無期懲役ニ減刑ス

明治四十四年一月十九日

奉勅　内閣総理大臣侯爵桂太郎[24]

そのため、岡林に木名瀬典獄から減刑が言いわたされたのは、一月一九日ではなく、一月二〇日と考えられる。

では、なぜ岡林は減刑の言いわたしを二〇日と回想しているのであろうか。成石の『回顧所感』によれば、一月二〇日の午後、成石は東京監獄二課（現在の管理課）に呼び出され、自分の衣類や所持品をひとまとめにして、家に送り返す手続きをしている。[25] 岡林も、同日に二課へ呼び出され、同様の手続きをしていたと推測される。したがって、岡林は減刑の言いわたしの日にちと、衣類や所持品を家に送り返す手続きの日にちとを記憶違いしたため、減刑が言いわたされたのを一月二〇日と回想したと思われる。

移　送

一月二一日午後七時ごろ、武田九平・三浦安太郎・岡本頴一郎・岡林寅松・小松丑治・成石勘三郎の六名が二課に集められると、木名瀬典獄から長崎県の諫早監獄に送られることが伝えられた。そして、木名瀬は「あちらに往きても、健康を保持して、克く勉強せよ。務のよい囚人は官吏に於ては非常に可愛いものだから、よく法を守れ、そして、時には通信してくれ。吾輩も近い内に長崎へ行きたいと思ふで行けば訪ふであらう、気を落付けるが肝要だよ」と訓示したという。

長崎へは、看守長一名、部長一名、看守三名とともに、その日の午後一〇時三〇分新橋発下関行の急行列車で送られた。六人が乗車した車両は、緩急車の次に連結され、窓に鉄棒を取り付け、ガラスは外から墨で塗りつぶしたり、板を釘で打ち付けたりして、二等客車を囚人運搬車両に急造したものであった。そのため、車内は昼間でも薄暗いものであった。新橋を出発した列車は、静岡県浜松あたりで夜が明け、車内では退屈しのぎに六人と看守は雑談をしていた。日暮れ前に大阪へ着いたとき、大阪の三浦安太郎は寂しげな笑みを浮かべて、「オトッチャンに今一度逢ひたいなアー」と話したという。神戸駅に着くと、車内で夕食をとることになったが、岡林と小松は感慨無量なのか、二人は静かに食事をしていたという。姫路駅では憲兵から一行の名前を記録され、岡山では護送にあたっていた看守からみかんと菓子の差し入れがあった。

二三日は、山口県徳山で朝食をとり、午前一一時に下関へ着くと、そこから警察のボートで福岡県門司へわたり、門司駅を正午に出発する長崎行の列車に乗車した。車両は三等客車であったが、途中の鳥栖で列車の一番後ろに連結された、半紙をガラスに貼り付けて、外を見えなくした急造の囚人運搬車両に乗りかえた。佐賀で弁当の夕食をとることになったが、そのときに三浦と成石は「浮世の飯の喰ひ仕舞だ。よく嚼んでのみ玉へ」と笑い合った。長崎監獄の最寄り駅である諫早駅には午後九時三〇分到着した。駅には一〜二人の看守が提灯を片手に待っており、六人が監獄の門をくぐったのは午後一〇時をまわったころであった。[26]

長崎監獄

長崎監獄は、一九〇八（明治四一）年に開設され、開設当時は千葉・金沢・奈良・鹿児島の監獄とあわせて五大監獄と呼ばれていた。明治政府が治外法権の撤廃にあたり、諸外国からの近代的な監獄整備の要求にこたえ、国家の威信をかけて建造したといわれている。建物は、赤レンガ造りで、約四〇〇もの独居房・雑居房から成り立つ監房をはじめ、管理棟・工場別監・炊事場・教誨堂・倉庫などが建っており、その周りには東西約二〇〇メートル、南北約二二〇メートルのレンガ塀が囲っていた。なお、監獄は一九九二年まで使われており、建物は監獄が移転したあともそのまま放置されていたが、二〇〇七年にほとんどが解体され、現在は正門のみが保存されている。

長崎監獄に到着した六人は、着ていた衣服を脱ぎ、監獄から新調の綿入れと襦袢と手ぬぐいが与えられた。夕食には、物相飯《もっそうめし》（監獄で囚人に与える飯）と味噌のほかに、肝油入りのお湯が出された。夕食のあとは、六人にひとりずつ長崎監獄の典獄に呼び出され、その一番目が武田であった。典獄からは「私は当監の典獄である、無期懲役囚として、送られて来た其方等本監に収容するで、今後は身体の健康を保持し、精神の修養を勤めよ」との訓戒があった。

収監された独房は、電灯は薄暗いうえ、布団一枚に木枕一個、それに琉球表（筵）一枚だけという劣悪な環境であった。また、入り口の脇の壁には報知器が設けられており、つまみを押すと赤く塗った矢羽根型のブリキが大きな音を立てて外に落ちるので、それで看守に知らせるという仕組みになっていた。[27]

監獄での労役は、岡林が「僕は網すきやら大島織やらをやつた」[28]、「激しい労働が出来ないので、網を編んだり、機を織つて暮しました」[29]と、回想しているように、魚網の網すきや大島紬を織ることであった。また、成石は久留米絣も織っている。[30] しかし、労役は一日一〇時間以上にも及んだうえ、[31] 家族との通信は二ヶ月に一回とかぎられていた。[32]

ところで、和歌山大学元教授の関山直太郎によれば、長崎監獄に収監された受刑者は、ひとり残らず『身分帳』というものが作られることになっていた。一九六〇（昭和三五）年夏に諫早刑務所（旧・長崎監獄）を訪ねた関山は、実際にこの『身分帳』を閲覧しており、そこには判決文・履歴書・戸籍謄本・人相書・性行録・作業日記・日々の食事・往復書簡類・表彰・仮出獄などの書類などが残らず綴じられてあったという。[33] 翌一九六一（昭和三六）年一一月、関山氏は再び諫早刑務所を訪れたが、大逆事件連座者の『身分帳』は、武田九平・岡林寅松・小松丑治・成石勘三郎のものしか残っておらず、三浦安太郎と岡本頴一郎のものは残されていなかったという。[34] 三浦と岡本の『身分帳』が残っていないのは、ふたりが獄死したことと関係があると思われる。[35]

『身分帳』には、皇室の吉凶に際して、そのときの感想に対する監獄教誨師の観察文も綴じられていた。それによれば、明治天皇崩御（一九一二年七月三〇日）の際、成石は「非常ニ驚愕シ、面色蒼白トナリ嗚呼勿体ナイト一語発シ、只管恐懼ノ状アリタリ」と書かれている。これに対して、小松は「ヘーソーデシタカ、フーンといえる調子にて、碌々頭をも下げざる状態にてあり」で、何回くり返しても「前項の姑《ママ》く更に感動の色あるを認めず」と記録されている。また、岡林も「何等の感覚もなきが姑く惘然たり。再三繰返し申聞たるに、稍暫くして口を開き、手紙電信云々と申立たるも語尾明瞭ならず」と記されている。武田については、一九一五（大正四）年の大正天皇即位式の感想が記されているが、それは「あゝ有難いかな日本の国体や、私はこの光栄の日本に生れたることを深く感謝いたします」という言葉であった。[36]

その後、この『身分帳』は、文書の保存期間である三〇年を過ぎたため、現在は武田・岡林・小松・成石のものも含めて保存されていないという。[37]

〈注〉

1 「意見書（大審院特別権限に属する被告事件予審掛）」（専修大学今村法律研究室編『大逆事件（一）』専修大学出版局 二〇〇一年 三四〜三五頁）。
2 同右 三二一〜三三三頁。
3 今村力三郎「検事弁論」（専修大学今村法律研究室編『大逆事件（三）』専修大学出版局 二〇〇三年 一一四頁）、平出修「大逆事件特別法廷覚書」（『定本 平出修集〈続〉』春秋社 一九六九年 四八四〜四八八頁）。
4 前掲「検事弁論」一一二頁。
5 同右 四八九頁。
6 平出修「幸徳事件弁論手控」（『定本 平出修集』春秋社 一九六五年 三四四〜三四六頁）。
7 神崎清『革命伝説 大逆事件③ この暗黒裁判』（子どもの未来社 二〇一〇年復刻 二八六〜三〇二頁）、今村力三郎「公判ノート」（前掲『大逆事件（三）』四三〜八九頁）、平出修「大逆事件意見書」（前掲『定本平出修集』三二七〜三四三頁）、前掲「大逆事件特別法廷覚書」四六五〜四八九頁。
8 「今村公判ノート 岡林寅松・小松丑治」（前掲『大逆事件（三）』九五〜九六頁）。

9　「今村公判ノート　内山愚童」（前掲『大逆事件（三）』九二頁）。
10　前掲「今村公判ノート　岡林寅松・小松丑治」九六頁。
11　「大逆事件判決書」（前掲『大逆事件（一）』一〇四～一〇五頁）。
12　同右　一二四～一二五頁。
13　同右　一九一～一九四頁。
14　「幸徳秋水　大逆事件の同志　岡林寅松と語る（八）死一等を減ぜられた坂本が獄中で悲痛な懺悔」（スクラップ帳『藻屑籠　二』個人旧蔵）。
15　平出修「後に記す」（『定本　平出修集』春秋社　一九六〇年　三四二～三四四頁）。
16　今村力三郎「芻言」（前掲『大逆事件（二）』一八七～一八八頁）。
17　「岡林寅松　堺利彦宛書簡（一九一一年一月一三日）」（堺利彦製作・大逆事件の真実をあきらかにする会編『大逆帖』労働旬報社　一九八一年復刻）。
18　「岡林寅松　今村力三郎宛書簡（一九一一年一月一九日）」（前掲『大逆事件（二）』七五頁）。
19　「小松丑治　磯部四郎・花井卓蔵・今村力三郎宛書簡（一九一一年一月二一日）」（前掲『大逆事件（二）』九〇頁）。
20　「死刑囚武田九平外十一名減刑ノ件」（国立公文書館所蔵）。
21　成石勘三郎「回顧所感」（神崎清編『大逆事件記録第一巻　新編獄中手記』世界文庫　一九七一年　五五一～五五二頁）。
22　前掲「幸徳秋水　大逆事件の同志　岡林寅松と語る（八）死一等を減ぜられた坂本が獄中で悲痛な懺悔」。
23　前掲「岡林寅松　今村力三郎宛書簡（一九一一年一月一九日）」七五～七六頁。

24　神崎清『革命伝説　大逆事件④　十二個の棺桶』（子どもの未来社　二〇一〇年復刻）一三二頁。
25　前掲「回顧所感」五五二頁。
26　同右　五五三～五五六頁。
27　同右　五五六～五五八頁。
28　幸徳富治・岡林寅松・坂本清馬談「大逆事件座談会」（中島及編・幸徳秋水著『東京の木賃宿』弘文堂　一九四九年　五七頁）。
29　「幸徳秋水　大逆事件の同志　岡林寅松と語る（一）投獄されて二十一年目に更生した彼の述懐」（スクラップ帳『藻屑籠　一』個人旧蔵）。
30　前掲「回顧所感」五八六頁。
31　同右　五八八頁。
32　同右　五六二頁。
33　関山直太郎「和歌山県における初期社会主義運動」（安藤精一編『紀州史研究　2』国書刊行会　一九八六年九三頁）。
34　同右　一二〇頁。
35　三浦は一九一六（大正五）年五月一八日に、岡本は一九一七（大正六）年七月二七日に獄死している。
36　前掲「和歌山県における初期社会主義運動」一二三頁。
37　別役佳代「無期囚・岡林寅松、小松丑治のこと」（『大逆事件の真実をあきらかにする会ニュース』第五〇号　大逆事件の真実をあきらかにする会　二〇一一年　九頁）。

《第Ⅳ部》

第一一章　堺利彦と荒畑寒村の神戸訪問をめぐって

堺利彦の大逆事件連座者遺家族慰問旅行

一九一一（明治四四）年一月一八日の大逆事件の被告たちに死刑判決が出された日、その日の堺利彦は「外出中、新聞の号外でそのことを知り、すぐ一升徳利をぶらさげて帰宅した。そんな場合酒を飲まないではおられない彼であつた。酔つた彼は、その夜街上で、道普請のシルシのカンテラを蹴とばして、いくらかそれに気をまぎらした」[1]という。さらに、幸徳秋水たちの死刑が執行された日（一月二四日）に至っては、石川三四郎・大杉栄とともに酒を飲み泥酔した堺は、中央線の信濃橋停車場で下車すると、駅前の交番に唾を吐いたり、道路工事の所在を知らせる赤いカンテラをステッキで壊してまわったりするなど、石川や尾行の警官も誰も止めることができない荒れ様であった。[2] この堺の荒れ様について、荒畑寒村も『寒村自伝』で、「四十四年一月二十四日、大逆事件被告十二人の死刑が執行された。（略）堺先生が悲憤やる方なさに酒を被って大酔淋漓、杖をふるって軒燈をたたき毀しながら深夜の街上を彷徨したというのはこの時である」[3]と回想している。

死刑執行の翌二五日から堺は、刑死者の遺体の引き取り、遺品の処理に奔走し、二月から三月にかけては、刑死者の親戚縁者・知人同志たちとの通信や面会を含めて後始末に忙殺された。それらが一段落すると、同年三月三一日、堺は三九日間にわたる事件被告の遺家族を慰問する旅に出かけた。この旅は岩崎革也の援助によって実現したものである。

岩崎は、京都府船井郡須知町《しゅうち》（現・京丹波町）出身で、京都最初の社会主義者ともいわれている。旧名は茂三郎。実家は酒造業を営む地主であり、父の死後、家業を継いだが数年後に廃業した。青年時代、丹波地方で盛り上がっていた自由民権運動の影響を受け、その後、父の命で株の勉強をするために大阪へ出ているが、その間に中江兆民と交流があったという（のちに自分の初孫に「兆民」と名前をつけている）。一九〇〇（明治三三）年に須知村長、一九〇一（明治三四）年に町制になると初代町長をつとめた。一九〇三（明治三六）年、一家で上京し、以来社会主義運動に投じ、幸徳秋水・堺利彦らと交流し、週刊『平民新聞』に多額の寄付を行い、財政を援助している。また、兵庫県但馬地方に週刊『平民新聞』一〇〇部を配布している。[4] 一九〇七（明治四〇）年に帰郷し、地元の須知銀行頭取として、一九四二（昭和一七）年に解散するまでつとめた。その間須知町長を三回、郡会議員、郡参事会員をつとめた。一九二三（大正一二）年から一九二七（昭和二）年まで京都府議をつとめ、一九〇七（明治四〇）年ごろから立憲政友会に所属し、のちに内閣総理大臣をつとめる犬養毅とも親交があった。

東京を出発した堺は、京都に立ち寄って岩崎と面会し、それから岡山の森近運平、熊本の松尾卯一太、新美卯一郎、佐々木道元、それから福岡を経由して郷里の豊津（現・みやこ町）に立ち寄り、海路別府から高知県中村にまわって幸徳秋水、再び海路で高知の岡林寅松、[5] さらに室戸岬を経て神戸で小松丑治、大阪に出て武田九平、三浦安太郎、それから途中報告をかねて須知の岩崎のもとを訪ね、海路で和歌山県新宮へ行き大石誠之助、高木顕明、峯尾節堂、請川村（現・田辺市本宮町）の成石勘三郎・平四郎兄弟、三重県に出て崎久保誓一、それぞれの遺家族に面会し、慰問を行った。五月八日に堺は東京・四谷の自宅に戻った。[6] 旅費は三〇〇円近くかかったが、これはすべて岩崎の援助によるものであった。この旅行中の記録は尾行の探偵によってくわしく報告され、内務省警保局が作成した『社会主義者沿革　第三』に収録されている。

（一）堺利彦「丸い顔」

堺利彦と小松はる

大逆事件連座者たちの遺家族に対する慰問の旅のなかで、堺が神戸・夢野村の小松丑治の妻・はる（春子）のもとを訪れたのは一九一一（明治四四）年四月二八日のことである。当時の夢野村について、はるは「明治のおわり頃の神戸郊外夢野村はまだ人家もまばらだったが、熊野神社の前の坂道を東へ下りつめた高台に海民病院があった。その病院から更に東南へ半丁下の方に監獄があり、病院からは遠く湊川がかすみ、下の監獄内の様子は手にとるように見えた」[7] と回想している。『角川日本地名大辞典』（角川書店　一九八八年）によれば、一八九一（明治二四）年当時の夢野村は、戸数八四戸、人口四二五名（男性二二〇名、女性二〇五名）で、ほかには寺院が一件だけあったという。[8]

堺は、はると面会したときのことをのちに「しぶ六」の名前で「丸い顔」という短い随筆に書いており、自身が主宰する「売文社」から刊行していた『へちまの花』の第三号（一九一四年四月一日）に掲載されている。[9]その「丸い顔」は次のように書き出されている。

「神戸、夢野」という処書が既に何か人に物を思はせる力を持つて居る。「小松春子」といふ名が又如何にも柔しい、しほらしい感じを人に与へる。

神戸の町はづれから六七町、あるいは十町ばかりもあつたらうか、夢野村で小松といふ庭鶏を飼ふところと、あちこち尋ねまはつてヤツトのこと行きあたつた。時は四月の末、ポカポカと暖かい、少し歩けば直ぐに汗ばむといふ日であつた。

堺は、さらに続けて、はるの印象とともに、丑治が入獄してからのはるの生活についても記している。

春子さんの住居は、小い、小ざつぱりした、たしか板葺の家だつた。春子さんは顔も體も丸々しい、可愛らしい小作りの、廿二三か四五の人だつた。

庭鶏は幾つかに仕切つた、篠竹の構の中に、十疋二十疋づゝはいつて居た。足の丈夫な、眼の恐ろしい、春子さんを其の強そうな嘴で啄き殺しはせぬかと思はれるようなのも居た。ほんの今孵つたばかりの、柔しい声でピヨ〳〵鳴いて、春子さんを親のように慕ふかと思はれる雛の子の群れも居た。

春子さんは、夫が居なくなつてから、只つた一人の手で是だけの鶏の世話をして居るのであつた。そして日曜には教会に行くのであつた。そして二月に一度の手紙を唯一つの楽しみにして待つて居るのであつた。

堺の「丸い顔」について、関西大学教授の小山仁示は「堺利彦の人間味が、短い文章のなかにみごとにあらわれていて、読みかえすたびに胸にせまってくる」、「「冬の時代」に堺の書いたものには、言外に重い意味をこめて、ただし表現は外見的に飄々たる感じのものが多い。それだけに、歴史的社会的背景を知れば、うなるほどの味わいがでてくる。「丸い顔」ひとつを読むことによっても、社会主義者堺利彦の怒り、叫び、訴えそして彼の思想と人間性が私たちに伝わってくる」と述べている。[10]また、『大逆事件　死と生の群像』の著者でノンフィクションライターの田中伸尚も「堺の懐の深さと温かさが行間から滲み出てくる忘れがたい佳品である」[11]と書いている。堺は「丸い顔」の最後を次のように記しており、そこからも堺の人間性をうかがうことができよう。

> 東京に帰つて後、やはり折々「夢野、春子」とした手紙や葉書が来た。或時は、二月に一度の手紙が、来る筈の日取からズツト遅れてもまだ来ないが、どうしたのだらうといふ手紙も来た。
>
> 僕は其の手紙の来る度に、あの日あたりのい丶夢野の村と、篠竹の構の前に立つた春子さんの丸い顔とを思ひ浮べて居たが、今では春子さんの眼も鼻も口もハツキリとは見えないで、只そのぼうやりした丸い顔ばかりがおぼろげに浮かんで来る。春子さんは今後まだ幾年、二月に一度の手紙を待つのだらう。

堺は『近代思想』の第一巻第三号（一九一二年一二月一日）に寄せた「売文社より」でも、「神戸夢野村の小松春子さんから、二月に一度の諌早の消息が今度は大変に晩いがとひどく案じた手紙が来た。あの丸顔の可愛らしい人が只ひとりで、庭鶏を飼つて居る様が想はれる」[12]と書いている。堺は帰京してからも、はると手紙やはがきのやりとりをするなど、はるのことをたびたび気に掛けていたことがうかがえる。

一九一一（明治四四）年六月、堺は新仏教徒同志会の高島米峰が経営する丙午出版社から『楽天囚人』を出版している。『楽天囚人』とは、「社会主義者として、前後三回、監獄に入つた」ことがある堺が、獄中から同志や家族に送った書簡をはじめ、獄中生活の記事、獄中で書いた小説に「多少の彩色を施したる者《ママ》」であり[13]、のちに同書は増補改訂版、改造社版、戦後の売文社版とロングセラーとなった。堺はこの出版したばかりの『楽天囚人』六一部を六月五日に大逆事件の被告たちの遺家族と全国の同志に発送しており、はるのもとにも「小松春子様　著者」と堺自筆の署名が入った『楽天囚人』が一部送られている。一九四五（昭和二〇）年の終戦後、この署名入りの『楽天囚人』は、はるから『幸徳秋水全集』の編集をしていた大野みち代にゆずられたが、なかをひらいてみると、雑誌に掲載されていた堺のカラー写真が三枚切り抜いて貼り付けてあったという。はるから『楽天囚人』をゆずられたときのことを、のちに大野は「ベッドの枕元に大事に置かれた箱の中からこの一冊を取り出して私に下さつたときの、老いて白く小さな手と、ささやくようなかすれた声が今またよみがえつてくる」[14]と記している。

神戸多聞教会と今泉真幸のこと

堺は、小松が入獄したのちのはるの生活として、「日曜には教会に行くのであった。そして二月に一度の手紙を唯一つの楽しみにして待つて居るのであつた」と書いているが、はるが日曜日になるとおもむく教会とは、神戸多聞教会のことである。

神戸多聞教会は一八七六（明治九）年二月一四日に開設された摂津第一公会多聞通講義所を前身とする。[15]教会の設立式は一八七七（明治一〇）年一〇月二〇日に行われ、多聞通五丁目（現・神戸市中央区）に仮会堂が建てられた。会堂は一八七八（明治一一）年三月に相生町二丁目の神戸地方裁判所付近に移されたが、一八八五（明治一八）年一月三日には官営鉄道神戸駅付近の相生町二四番地（現在の相生町四丁目と思われる）に新会堂が建てられた。しかし、神戸市内電車の建設による立ち退きのため、一九一四（大正三）年一二月に神戸市兵庫区荒田町三丁目に移転し、現在も教会は同地で経営を続けている。

神戸多聞教会（筆者撮影）

教会の牧師は、教会が設立されてから歴代順に、杉浦義一・長田時行[16]・松井文弥らがつとめ、一九〇九（明治四二）年四月一七日には彼らの後任にあたる四代目牧師として今泉真幸《いまいずみまさき》が着任した。丑治の入獄後、はるは今泉やその一家の庇護を受けていた。のちにはるは、「かねてから神戸市楠町（注・はるの記憶違い）の多聞教会今泉真幸牧師を知って、その一家とも近づきになっていたが、早くから実家の肉親を失っていた私には、今泉一家の暖かい友情が長い期間のよりどころであり、こころの支えであった」[17]と述べている。神戸多聞教会が発行していた『多聞教会月報』の第八七号（一九一一年七月二五日）の「明治四十四年五月常費収入報告」には、一九一一（明治四四）年五月と六月にはるが教会に献金をしていたことが記録されており、[18]大逆事件の直後からはるは多聞教会と関係をもっていた。今泉やその一家の庇護を受けるようになったのもこのころからであろう。なお、『多聞教会月報』の記録によれば、その後もはるは毎月にわたって多聞教会に献金をしており、彼女の信仰の熱心さがうかがえる。

はるの「こころの支え」となった今泉は、一八七一（明治四）年九月一三日に福島県会津若松で生まれた。[19]一八八四（明治一七年）に英語塾で学び、一八八七（明治二〇）年に同志社普通学校に入学した。このころの同志社には、旧会津藩主・松平容保の長男・容大《かたはる》をはじめ、兼子重光・望月興三郎・鈴木彦馬・吉岡安栄（新島八重の姪）ら多くの会津出身者が在学しており、とくに今泉は松平容大の教育係や会津人学生の後見人をつとめていた兼子の影響を強く受けたという。[20]

兼子重光は一八五八（安政五）年八月五日に福島県河間郡勝常村（現・湯川村）の寺院に生まれた。[21]幼名は常五郎。栃木県の師範学校で学んだのち、郷里で小学校教員の職に就いたが、このころから自由民権運動に関心を抱きはじめ、やがて会津地方における自由民権運動の中心人物として、県令の三島通庸の圧政に激しく抵抗した。一八八二（明治一五）年に起こった三島県令による福島県下の自由民権運動家・農民への弾圧事件である福島事件に連座し逮捕されるが、裁判では無罪となり釈放された。しかし、釈放後も官吏侮辱罪で追い打ちをかけられ、身の危険を感じた兼子は、一時は鹿児島まで落ち延びたという。一八八五（明治一八）年九月には京都に落ち着くと、同じ会津出身の山本覚馬の世話で同志社に入学し、翌年三月に新島襄から洗礼を受けた。

今泉も、一八八八（明治二一）年に同志社教会で受洗しており、一八九一（明治二四）年に普通学校を卒業したのちは、北越学館や新潟女学校といった新潟県下のミッション・スクールで教師をしていたが、北越学館の廃校により、一八九三（明治二六）年に再び同志社に戻った。一八九六（明治二九）年に同志社神学校を卒業すると、一八九八（明治三一）年一〇月に同じ同志社出身の大宮季貞《おおみやすえさだ》らとともに『北越評論』を創刊し、その主筆として活躍するほか、『東京毎週新誌』（のちに『基督教新聞』と改題）の編集にもあたった。一九〇四（明治三七）年、同志社に招かれ、一九〇九（明治四二）年四月に神戸多聞教会牧師に着任するまでの間、神学校で倫理学・英書購読を担当した。

一九〇三（明治三六）年一一月一五日、幸徳秋水と堺利彦らによって週刊『平民新聞』が創刊されると、同志社では高等普通学校（一八九六年四月に普通学校から改称）の二年生が「平民新聞同志社一手販売」として、週刊『平民新聞』とその後継誌『直言』の販売担当をしていたとされている。[22] その同志社に在学していた大石七分《おおいししちぶん》（大石誠之助の甥、西村伊作の弟）は、週刊『平民新聞』第四九号（明治三七年一〇月一六日）に「京都同志社より」と題した短信を寄せている。

平民新聞前週、前々週とゞき早々売りさばきました、中々よく売れます、同志社中にも二三人平民新聞を取つて居る人があります、又米田と云ふ先生が（此人は文学者で仏英独等何処の語もしゃべる人）社会主義者でありまして、一ぺん此の人に売りにゆきましたら、図書館へ寄附する故に毎週くれと云ふて居りました、まことに心もちのよい程売れます、うつた時分はうれしかった（大石七分氏報）[23]

この短信が寄せられてから二ヶ月後の一九〇四（明治三七）年一二月四日、大石は京都市内で「社会主義伝道行商」をしていた小田頼造と山口孤剣を来訪しているが、その後小田と山口は昼食を同志社の食堂で済ませると、その足で同志社にいる今泉のもとを訪ねている。[24]小田と山口の今泉への訪問は、大石の紹介によるものであろう。大石によれば、同志社には週刊『平民新聞』の購読者が二〜三人いて、教師で社会主義者の米田某によって図書館に週刊『平民新聞』が毎週寄贈されているというが、今泉も大石から直接購入するなど何らかのかたちで週刊『平民新聞』を読んでいたと考えられる。

今泉が神戸多聞教会の牧師に着任してから二五年が経った一九三五（昭和一〇）年ごろ、はるは丑治の同意を得て今泉からキリスト教の洗礼を受け、日曜日には教会の手伝いに行くとともに、[25]一時は同志社系教団である日本組合基督教会（現在の日本基督教団の前身のひとつ）の大阪事務所でも働いていたという。[26]今泉は、多聞教会牧師をつとめるかたわら、日本組合基督教会の理事・副会長・理事長・総会議長・牧師会長を歴任しており、一九四〇（昭和一五）年一一月一〇日に開催された「皇紀二千六百年式典」には首相の近衛文麿より直接招待を受けている。はるの組合教会大阪事務所への勤務は、組合教会内で有力者となっていた今泉の紹介によるものと思われる。大逆犯の夫をもち、官憲から常に監視されていたはるの庇護者が、自由民権運動の闘士であった兼子重光の影響を受け、社会主義にも関心を寄せていたキリスト教会の牧師であったことは特筆すべき点である。

今泉は、一九四二（昭和一七）年三月に三三年間もつとめた多聞教会牧師を退任すると、終戦後の一九四七（昭和二二）年五月五日から七日にかけて築地本願寺で開催された「全日本宗教平和会議」では副議長のひとりに選出され、一九五五（昭和三〇）年には日本聖書協会理事長として口語訳聖書を完成させた。一九六六（昭和四一）年七月一七日に今泉は満九四歳で亡くなったが、一九六五（昭和四〇）年三月一九日、大逆事件再審請求弁護人の森長英三郎と能勢克男が、京都で今泉と面会している。森長によれば、元巣鴨監獄典獄でクリスチャンの有馬四郎助が、大逆事件を「馬鹿げた話」だと今泉に語っていたことが印象的だったと述べている。[27]

新村善兵衛の神戸訪問

大逆事件で刑死した新村忠雄の実兄で、自身も事件で懲役八年の判決を受けた新村善兵衛も、一九一五（大正四）年七月二四日に収監先の千葉監獄を出獄したのち、堺の訪問から六年後の一九一七（大正六）年五月一七日、はるのもとを訪ねるべく、東京の寄寓先である知人の斎藤小作宅から神戸に向かったとされている。一九日に神戸に着いた善兵衛は、堺と同じく「小松丑治ノ家族ノ所在ヲ承合シタル」も、結局はるの自宅を探しあてることはできずに神戸を離れた。東京に戻った善兵衛は、今度は斎藤の紹介で中国・天津にわたり、二八日に現地の日本租界の井上照という斎藤の縁戚の人物に「自分ハ或者ヨリ圧迫ヲ受ケ内地ニテハ発展ノ余地ナキヲ以テ渡津シタルモノナリ」と頼んだ。しかし、善兵衛の経歴を知った井上は、この善兵衛の頼みを断り、七月二一日に善兵衛は帰国の途についた。[28]善兵衛は、一二月九日に郷里の長野県屋代にもどったのち、大阪に出て菓子屋で番頭のような仕事をしていたが、一九二〇（大正九）年四月二日に大阪市東区仁右衛門町（現在の中央区上町一丁目・玉造一―二丁目）九八番地でスペイン風邪により満三八歳という若さで亡くなっている。

しかし、善兵衛は、丑治とは大逆事件の公判で会っていたと思われるが、はるとの面識はまったくない。なぜ、善兵衛は、面識のないはるのもとを訪ねるべく、神戸に向かったのであろうか。

このことについて、群馬県立土屋文明記念文学館元学芸員の石山幸弘は、著書『大逆事件と新村善兵衛』（川辺書林　二〇一七年）で、善兵衛が神戸に向かったのは、はるのもとを訪ねるためではなく、天津にわたるための必要な諸手続きなどの情報を得ることが目的であったと推測している。したがって、はるのもとを訪ねるというのは、尾行警察をくらますための善兵衛の虚偽であり、東京に帰ったあと斎藤小作から問われて適当に話したことが、のちに調べに来た尾行警察へ引き継がれ、そのまま官憲記録に刻まれたのではないかとしている。[29]

石山が、このように推測する根拠が神戸を訪ねる前の善兵衛の行動である。一九一七（大正六）年五月一七日に東京を出発した善兵衛は、翌一八日に長野県松本を経由して、一九日に神戸へはいっている。記録には、「十七日出発帰路ニ就キシモ自宅ニ帰ラス」[30]とあり、東京を出発したのは神戸に向かうためではなく、郷里の長野県屋代に戻るためであった。しかし、なぜか善兵衛は屋代に帰郷せず、松本を経由して神戸に向かった。石山によれば、斎藤小作から天津にわたることを勧められた善兵衛は、屋代に向かう車中で天津にわたる決心を固め、松本で斎藤宅に電信為替で送金を依頼し、情報を得るために神戸へ向かったとしている。[31]

だが、天津にわたるための情報は、わざわざ神戸に向かわなくても得ることができるはずである。しかし、善兵衛は出獄したのちも官憲の監視対象となっており、官憲からの監視を逃れるために神戸で情報を集めていたと考えられる。もし、天津にわたることが官憲に発覚すれば、渡航自体ができなくなってしまう可能性もある。そのため、善兵衛は、はるのもとを訪れるという名目で神戸に向かい、実際は天津にわたるための必要な諸手続きなどの情報を集めていたのであろう。

(二) 荒畑寒村の「岡林寅松発狂説」

荒畑寒村「大久保より」

堺の訪問から二年後の一九一三(大正二)年一月七日、荒畑寒村もまた小松はるを見舞った。

一九一三(大正二)年一月四日夜、荒畑・大杉栄ら「近代思想社」は、東京・日本橋小網町鎧橋付近にあった西洋料理店・メイゾン鴻之巣において第一回近代思想社小集を開催した。来会者は土岐善麿(哀果)・安成貞雄・和気律次郎・伊庭孝・上司小剣ら一三名で、ほかにも馬場孤蝶・生田長江も招待された。集会は来会者が揃わないうちから、土岐・安成・和気・伊庭の論戦からはじまり、安成と和気が接吻について議論を展開した。余興では和気が歌舞伎舞踊の伴奏音楽である清元節「明烏花濡衣」の一節を披露し、これに対する馬場の講評があったが、集会の最後にこの「明烏花濡衣」を芝居にする提案が出され満場一致で採択された。この日の集会は夜一一時に散会となった。

第一回近代思想社小集が開催された翌日の夜、荒畑は安成貞雄・和気律次郎とともに列車で大阪に向かった。大阪に到着した荒畑は、安成・和気らと別れ、ひとりで武田九平の妻・森口ユキを見舞った。その翌日、荒畑は大阪から神戸に向かうと、夢野村のはるのもとを訪ねたのである。荒畑は、これら一連のことをのちに「大久保より」（『近代思想』第一巻第五号　一九一三年二月一日）に記している。神崎清は著書『革命伝説　大逆事件④』（子どもの未来社　二〇一〇年復刻）のなかで、はるを見舞った人物を大杉栄としているが、[32]この「大久保より」の署名が寒村の「寒」となっていることなどから、正しくは大杉栄ではなく荒畑寒村である。

翌日、僕は神戸に赴き夢野村の小松春子さんを訪ねた。小松君が諫早に入獄してからは、その遺して行つた養鶏事業は、繊弱い春子さんの手一つで経営されて居るのである。「岡林は獄中で発狂したそうです。小松にはそんな事があらせたくないと思ひまして、こうして仕事を続けては居りますが、却々エラう厶《ござ》いまして…」と、眼に涙を溜めながら話された時には、僕は覚へず胸が迫つた。犠牲！あゝ大なる犠牲！いつその涙の微笑と代るべき時は来るのか。[33]

荒畑によれば、岡林は獄中で発狂したというが、荒畑は小説「冬」でも「死一等を減ぜられて無期懲役に処せられたE――（注・岡本頴一郎）は、他の三同志と一緒に今はI――（注・諫早）監獄に自由なき月日を送つて居る。そして、その中の一人で、医師だつた青年は、既に発狂してしまつて居る」[34]と記している。この「医師だつた青年」とは、神戸海民病院に勤務していた岡林のことと思われる。また、一九一四（大正三）年一〇月一五日に荒畑が大杉栄とともに創刊した月刊『平民新聞』の第一号に掲載された「獄中の同志」でも、岡林について「収監後間もなく発狂したさうだが、その後の経過は聞かぬ」[35]と書いている。この通信は不正確な情報だが、荒畑がはるから聞いた情報をもとにしたのであろう。月刊『平民新聞』にも書かれているほどなので、岡林が獄中で発狂したという噂は、当時の同志の間では広く知れわたっていたものと思われる。

しかし、実際に事件後の岡林は、「獄中で発狂した」という噂がたつほどの幾重もの悲劇に見舞われていた。

岡林を襲った悲劇

岡林は、兵庫県揖保郡那波野村（現・相生市）出身の河本やいの（一八八八年一一月二五日生まれ）と結婚しており、一九〇九（明治四二）年五月三一日には長男・松彦が生まれている。岡林とやいのとの婚姻は、戸籍上では一九〇九（明治四二）年三月二〇日となっているが、[36]岡林自身は大逆事件時の検事聴取書で一九〇八（明治四一）年六月一二日と述べている。[37]一九〇八（明治四一）年六月二〇日、小松丑治が和歌山県新宮の大石誠之助のもとにいる森近運平に寄せたはがきには、岡林の結婚式について書かれている。

御手紙拝見　御安着の由し慶賀　野花兄ですが愈々十二日夜　理想的の式ヲ挙げました。中村兄（注・中村浅吉）も出席せられました。新形式ですけれど旧慣を加味して居りました。御承知の通り野花兄は存外儀式ばる男ですから小生の如くヲイ来タカ　夫レ　とはやらない。呵、。処で野花兄もラブに夢中ところのさわぎでなく令弟君も頃日来、老学《ママ》に陥り心配中です。一喜一憂交々来たル。送迎に忙はしい。十五日も引続きの雨天にて大阪ノ同志も見えませぬが十九日には、と今日手紙がまいりましたけど昨今の雨天では当分駄目でしょ。今度《ママ》驚かしてやるのも痛快でしょー。御自愛を祈る[38]

やいのがどのような女性だったのかはあきらかではないが、一九〇八（明治四一）年六月二一日、森近運平が妻・繁子に送った手紙には、「神戸の岡林が近所の看護婦と結婚した」[39]とあり、海民病院で看護師をしていた女性だと思われる。また、松彦が誕生した際には、岡林は高島米峰・境野黄洋・杉村楚人冠ら「新仏教徒同志会」に短信を寄せている。

六月一日の一時間前、小生と妻と、合作の一男子を挙く。産声高く、全身赤色を帯び、頭髪密生し、爪また伸ぶ。貴諭、瀬川博士の育児法記載の如し。万謝々々。名を松彦と命す。これ「貧し児」と語呂合なり。爾来児は、欲も罪も全く無きが如く、又、大に有るものの如し。先は右御報道。頓首。[40]

しかし、松彦は一九一一（明治四四）年七月二三日にわずか二歳で病死し、一九一四（大正三）年九月二四日には父・長太郎が亡くなった。さらに、高知県幡多郡清水町（現・土佐清水市）で小学

左から晃恵・やいの・松彦・岡林寅松
（『大逆事件アルバム』より）

校教師をしていた間幸雄のもとに嫁いでいた実妹・晃恵《てるえ》も、兄が大逆事件に連座したという理由で間家から離婚させられた。[41]

晃恵は一八九〇（明治二三）年一一月一五日に岡林家の四女として生まれた。少女のころの晃恵は「色白の面長な顔立ちに、涼しい瞳をもった楚々とした美人で、性格も優しく近所でも評判の娘だった」[42]という。民衆史研究者の西尾治郎平は、晃恵からの聞き取りをもとに、兄・寅松と晃恵について次のように述べている。

> 兄妹仲も良く、寅松は年の離れた末っ子の晃恵を大層可愛がり、自分の住む神戸へも何度か晃恵たち妹を呼んでいる。晃恵が高等女学校の夏の休みを利用して、神戸に住む寅松のところへしばらく滞在した時も、「よう来た」と云っては、仕事の合間を縫って、連れだって市内を案内して回った。神戸は、高知市に住む晃恵にとっては異境のような土地で見るもの聞くもの珍しく、何もかもが新鮮に見え、空気や空の色まで高知のそれとは違って感じられた。もちろん沖を行きかう外国船も初めてで、少女の晃恵にとっては夢を運んでゆくような、おとぎの国の世界のような幻想に浸らせるものだった。特に注目し晃恵を羨ましがらせたのは、街を行き交う西洋の婦人の

姿で、フリルのついた洋傘をさし裾の長いスカートをひいて歩く姿は人形のようだった。好奇心の塊のような目でいつまでも飽きることなく見つめているため、寅松からやさしく注意されたこともある。少女らしく、レースのフリルのついた洋傘をねだって兄寅松を困らせもしたが、そんな時寅松は、髪に飾るリボンを買ってやったりした。ピンクのサテン地のリボンは、艶々とした晃恵の黒髪に映え、色白の肌によく似合っていた。街中に建築のつち音が響き渡り、活気のある神戸で楽しい時を過ごした晃恵は、医師の修業《ママ》に精出している兄寅松のことを誇りとし、心から尊敬もしていた。早くお医者様になれるよう、一生懸命修業《ママ》して下さいと書いた手紙を送っては寅松を励ましたりもした。[43]

間幸雄と晃恵が結婚したのは、一九〇九（明治四二）年のことで、やがて長女・弥生も生まれている。しかし、夫・幸雄との離婚で、弥生は晃恵から引き離され、実母との再会を果たすことなく弥生は二二歳という若さで亡くなっている。[44]

岡林の悲劇はそれだけにとどまらず、妻・やいのとも離婚を余儀なくされた。戸籍上の離婚は一九一七（大正六）年八月一〇日となっているが、離婚話は事件の判決が出される前からすでに生じていた。判決前の一九一一（明治四四）年一月一三日、岡林はそのことを「細君の実家より離縁を申込まれました、これは新聞紙や寺院の説教で大変私共の名を挙げて攻撃ある由、未決の者を残こくなものですね、新聞屋もですが坊さんの説法の材料とは驚きました」[45]と堺利彦に書き送っている。

一九一一（明治四四）年六月八日、堺利彦と加藤時次郎が在米ロシア人アナキストのアレクサンダー・バークマンに寄せた手紙には、「小松夫人は鶏を飼っています。（略）岡林夫人の場合はたいへんな悲劇です。彼女は、意志に反して、両親によって夫との離婚を強いられています。岡林氏の年老いた父親は、母親に見捨てられた孫を育てています」[46] とあるだけに、入獄後の岡林の境遇の痛ましさが伝わってくる。

発狂説の真相

幾重もの悲劇に見舞われながらも、無期囚として獄中生活を耐え抜いた岡林について、中島及は次のように述べている。

　偶々事件の直前に、岡林の父は老を彼のもとにおいて養ふべく高知から上陸して来た。途端に岡林は検挙せられたのである。間もなく父は病没した。生別即死別であつた。痛苦はこれに止まらなかつた。これより先彼は病院在職中に妻帯して一人の男の子を儲けてゐた。この一粒種を彼は掌中の珠のごとく鍾愛してゐたのである。しかるにこの愛児もまた病没した。一時岡林が獄中において発狂したと伝へられたのも虚伝ではなかつた。真に彼は慟哭哭地、万斛の悲痛を獄中において味つたのである。かかる運命のもとにおいて彼の精神は異常なる修練を積んだもののごとくである。彼はその二十五年《ママ》間を長崎県の諫早監獄で送つたが、その間の心境は『感興録』と題する三〇巻の手記と『和歌日記』八冊とにつぶさに書き遺されてゐる。それは端麗なる書体の細字で、殆んど一字の塗抹の跡がない。かくも美事なる筆録は日々の心境に余程の余裕があり精神の充実があるのでなければ出るものではない。[47]

中島は、獄中での岡林の発狂は「虚伝ではなかった」としながらも、「彼の精神は異常なる修練を積んだ」と述べ、獄中手記についても「かくも美事なる筆録は日々の心境に余程の余裕があり精神の充実があるのでなければ出るものではない」と評している。岡林が獄中で発狂したという噂について、神崎清は「在監中の岡林は、妻の実家から離婚をせまられていた。そのショックが、発狂説になって彼女（注・小松はる）の耳にはいったのであろう」[48]としている。入獄後の岡林の境遇が発狂という噂を生んだのであろう。

実際、獄中の岡林は、発狂していてもおかしくない精神状態にあった。長崎監獄が作成した岡林の『身分帳』によれば、一九一一（明治四四）年一一月ごろから、妻との離婚や、子どもの死亡でショックを受けたのか、精神に異常をきたし自殺の恐れがあるという旨が記載されていたという。[49]また、晩年の小松はるは「岡林さんの方は、意地悪い看守がいて、しょっちゅうその看守にたたかれていたようです。小松がこちらの独房からみていて、かわいそうに思ったそうです」と大野みち代に証言していたという。[50]このことも岡林の精神状態の悪化に拍車をかけたと推測される。岡林自身は、のちの『高知新聞』のインタビューで、記者から「健康状態はどうです」と問われ、「比較的健康でした。しかし、いろ〳〵苦悩に煩悶した時もありました」と答えている。[51]獄中の岡林は、発狂とまではいかないが、精神的な煩悶を抱えていたことは確かである。したがって、岡林が発狂したという噂は、獄中で精神的な煩悶を起こしたという話が、誇張されて伝わったものと思われる。

なお、岡林が獄中で記していたという『感興録』と題した三〇巻に及ぶ手記と、『和歌日記』八冊は、「惜しいことに狡児が悪知恵を働かせて、何時の間にか保存者の手から三八冊全部を持ち去って了った」[52]ため、現在も行方不明のままとなっている。

大逆事件連座者の遺家族の悲劇とは

はるは、丑治が入獄してからの生活について、次のように回想している。

> 諫早の長崎監獄に廻わされた監獄からの便りは明らさまに書けないことが多いのか丑治からの便りにはナゾが多く意味を正しくとるには心が要った。丑治の監獄での食事に私はよそながらひどく神経をとがらせ、毒を盛られるようなことがありはしないかなど取越苦労でおちおちねむられない幾夜もあった。私どもには子供がなかったので、再婚をすすめる人もあったが私はもう丑治の帰りだけを待ちわびた。働き手を失った乏しい暮しの中から費用を苦面《ママ》して諫早へ二回面会に行った。私の日常の外出には勿論だが、その諫早への往復にも尾行がつきまとって離れなかった。諫早に着いた私を、監獄の前の何とかいう旅宿の主人たちは大変やさしくしてくれた。そのうれしさはいまでもよう忘れない。丑治との対面は畳一枚ほどの場所で許されたが、その間にも看守が見張りを怠らず、打ちとけた話はできず、言葉少ない涙の対面に終ってしまった。お互に生きていることを確め合ったことで満足しなければならなかった。[53]

働き手を失った貧しい生活のなか、官憲に監視され、いつ帰るともわからない無期囚の夫・丑治を待ち続けたはるの苦しみがうかがえる。小松や岡林をはじめ、大逆事件にはいくつもの連座者たちの遺家族の悲劇があった。森長英三郎は著書『風霜五十余年』（私家版　一九六七年）で次のことを書いている。

> 大逆事件が政治、社会、文学、さらに国際的に与えた影響については十分に研究されてきたが、これは大逆事件の影響の半面にしか過ぎない。大逆事件によって、多くの被告人の家族たちや、死刑を免れた被告人たちが、官憲の圧迫や官僚政府の教宣によって、どんなに苦しんだか、その苦しみにたえたかを明らかにすることなしに大逆事件の本質をつかめない。そして遺族たちの苦しみは五十余年後のいまも部分的につづいていることをおもうと、大逆事件が世紀の大事件であったことを、いまさらながら痛感する。[54]

小松夫妻の養鶏場跡地（筆者撮影）

小松はるは、周囲から再婚を勧められながらも、丑治が帰るのを神戸でひとり待ち続けた。岡林も、父と息子の死、妹の離婚、妻との離婚によって、獄中で発狂したという噂が立った。小松や岡林の家族も、「官憲の圧迫や官僚政府の教宣」によって苦しんだ事件連座者の遺家族であったといえよう。

ところで、神戸・夢野には、かつて三軒もの養鶏場があったが、そのうち戦後まもなくまで残っていた一軒が小松夫妻の養鶏場ではないかとされている。[55] 堺と荒畑が小松はるのもとを訪れてから一〇〇年後の二〇一四年九月、治安維持法犠牲者国家賠償要求同盟兵庫県本部の戸崎曽太郎氏の案内で、高知県四万十市の「幸徳秋水を顕彰する会」の田中全氏とともに、筆者は夢野の高台にある小松夫妻が営んでいた養鶏場の跡地を訪れた。はるが「神戸郊外夢野村はまだ人家もまばらだった」と回想した夢野の地は、現在は住宅や団地が建ち並んでいる。小松夫妻の養鶏場も、現在では神戸市が戦災復興のために建設した市営団地となっており、ここにかつて養鶏場があったことをしめす痕跡はどこにもない。

〈注〉

1 堺利彦「日本社会主義運動史話」(『日本近代史叢書7 日本社会主義運動史』河出書房 一九五四年 二四〇〜二四一頁)。
2 石川三四郎『自叙伝 上巻 青春の遍歴』(理論社 一九五六年)一七一〜一七二頁。
3 荒畑寒村『新版 寒村自伝(上巻)』(筑摩書房、一九六五年)一九八頁。
4 兵庫県労働運動史編さん委員会編『兵庫県労働運動史』(兵庫県商工労働部労政課 一九六一年)二七頁。
5 『社会主義者沿革 第三』では、堺が高知で見舞った岡林の家族は西野久寿弥太のもとに嫁いだ晃恵としている(松尾尊兊編『続・現代史資料I 社会主義沿革1』みすず書房 二二二頁)。しかし、岡林家の戸籍謄本(田中全氏提供)によれば、西野久寿弥太に嫁いだのは、岡林家四女の晃恵ではなく、三女の光恵となっている。そのため、『社会主義者沿革 第三』に掲載されている晃恵の名前は誤りで、正しくは光恵のもとを訪ねたと思われる。

6 堺の慰問旅行の行程については、『社会主義者沿革　第三』の「堺利彦、陰謀事件関係者遺家族慰問ノ旅行顛末」（前掲『続・現代史資料Ⅰ　社会主義沿革1』二二一～二二五頁）と、山泉進「堺利彦と「冬の時代」」（『科学的社会主義』第三七号　社会主義協会　二〇〇一年。小正路淑泰編著『堺利彦―初期社会主義の思想圏』論創社　二〇一六年再録）参照。

7 大野みち代「小松はるさんのこと」（『大逆事件の真実をあきらかにする会ニュース』第一二号　大逆事件の真実をあきらかにする会　一九六六年　一一頁）。

8 「角川日本地名大辞典」編纂委員会編『角川日本地名大辞典第二八巻　兵庫県』（角川書店　一九八八年）一五五〇頁。

9 しぶ六「丸い顔」（『へちまの花』第三号　売文社　一九一四年四月一日　三頁）。一九一五（大正四）年に刊行された堺の『文章速達法』にも、「丸い顔」が「雑文見本」のひとつとして所収されている。

10 小山仁示「「丸い顔」をめぐって―大逆事件連座者の家族と堺利彦」（『堺利彦全集月報№5』法律文化社　一九七一年　一～二頁）。

11 田中伸尚『大逆事件　死と生の群像』（岩波書店　二〇一〇年）二三二頁。

12 渋六「売文社より」（『近代思想』第一巻第三号　近代思想社　一九一二年一二月一日　三三頁）。

13 堺利彦『楽天囚人』（丙午出版社　一九一一年）一頁。

14 神崎清『革命伝説　大逆事件④』（子どもの未来社　二〇一〇年復刻）三三七頁、大野みち代「ある遺族のこと」（『大逆事件の真実をあきらかにする会ニュース』第一九号　大逆事件の真実をあきらかにする会　一九七一年　七頁）。

15 神戸多聞教会の沿革は神戸多聞教会編『神戸多聞教会略年表』（日本基督教団神戸多聞教会　一九八七年）参照。

16 一八八六（明治一九）年九月二五日から一九〇二（明治三五）年一月四日まで多聞教会牧師をつとめたのち、一九〇二（明治三五）年に一月四日大阪・天満教会の牧師となり、同年一一月に『大阪朝報』の記者であった管野須賀子を受洗させている。

17 前掲「小松はるさんのこと」一二頁。

18 「明治四十四年五月常費収入報告」（『多聞教会月報』第八七号　神戸多聞教会　一九一一年七月二五日　四頁）。

19 今泉の経歴は、特記以外は日本キリスト教歴史大事典編集委員会編『日本キリスト教歴史大事典』（教文館　一九八八年）と、前掲『神戸多聞教会略年表』を参照した。

20 本井康博「「八重の桜」と共に咲く―民権闘士から牧師になった兼子重光―」（『新島襄を語る・別巻（三）八重の桜・襄の梅』思文閣出版　二〇一三年　一二九頁）。

21 兼子の経歴は前掲「「八重の桜」と共に咲く―民権闘士から牧師になった兼子重光―」参照。

22 白鳥晃司「「楚人冠と「大逆事件」研究、その後「事件」犠牲者・管野須賀子の京都時代〝発見〟〝発見〟の連続　その足跡を追う」（第五〇回千葉県歴史教育研究集会資料　二〇一七年）二〇頁。

23 大石七分「同志社より」週刊『平民新聞』第四九号　一九〇四（明治三七）年一〇月一六日。

24 小田頼造・山口孤剣「伝道行商記（十）」週刊『平民新聞』第五八号　一九〇四（明治三七）年一二月一八日。

25 前掲「小松はるさんのこと」一二頁。

26 「幸徳事件の無期囚出獄　廿年振に妻と再会　孤独と貞操を守り通した半生　流す涙も忘れる歓び」『大阪朝日新聞』一九三一（昭和六）年五月五日夕刊。

27　森長英三郎「私の旅行日誌」（『大逆事件の真実をあきらかにする会ニュース』第一一号　大逆事件の真実をあきらかにする会　一九六五年　一一頁）。
28　「特別要視察人情勢一斑　第八」（前掲『続・現代史資料Ⅰ　社会主義沿革1』五六三頁）。
29　石山幸弘『大逆事件と新村善兵衛』（川辺書林　二〇一七年）一三一～一三三頁。
30　前掲「特別要視察人情勢一斑　第八」五六三頁。
31　前掲『大逆事件と新村善兵衛』一三六～一三八頁。
32　前掲『革命伝説　大逆事件④』三五六～三五七頁。小野寺逸也「神戸平民倶楽部と大逆事件」（『歴史と神戸』第一三巻第二号　神戸史学会　一九七四年）や、田中ひかる「『近代思想』をおもしろく読む三つの方法」（「大杉栄と仲間たち」編集委員会編『大杉栄と仲間たち　『近代思想』創刊100年』ぱる出版　二〇一三年）など、神崎以降の神戸における大逆事件や『近代思想』に関する諸研究でも、この「大久保より」の筆者を荒畑ではなく大杉としている事例が多くみられる。
33　荒畑寒村「大久保より」（『近代思想』第一巻第五号　近代思想社　一九一三年二月一日　三八～三九頁）。
34　荒畑寒村「冬」（『近代思想』第二巻第四号　近代思想社　一九一四年一月一日　一二三頁）。
35　「獄中の同志」月刊『平民新聞』第一号　一九一四（大正三）年一〇月一五日。
36　「岡林家戸籍謄本」（田中全氏提供）。
37　「岡林寅松　聴取書」（『森長訴訟記録・Ⅳ』森長英三郎所蔵　七五頁）。
38　「小松天愚　森近運平宛はがき（一九〇八年六月二〇日消印・神戸〈発〉、同年六月二二日消印・新宮〈着〉）」（別役佳代「無期囚・岡林寅松、小松丑治のこと」『大逆事件の真実をあきらかにする会ニュース』大逆事件の真実をあきらかにする会　二〇一一年　八頁）。

39 「森近運平　森近繁子宛書簡（一九〇八年六月二一日消印・新宮〈発〉、同年六月二四日消印・備中金神〈着〉）」（「弓削家森近資料」森山誠一氏提供）。
40 「私信数通」（『新仏教』第一〇巻第七号　新仏教徒同志会　一九〇九年七月一日　七一三頁）。
41 西尾治郎平「岡林寅松とその妹（その三）」（『大阪民衆史研究』第三四号　大阪民衆史研究会　一九九四年　一四～一八頁）。
42 同右　一四頁。
43 同右　一四頁。
44 西尾治郎平「岡林寅松とその妹（その四）」（『大阪民衆史研究』第三五号　大阪民衆史研究会　一九九四年　二〇頁）。
45 「岡林寅松　堺利彦宛書簡（一九一一年一月一三日）」（堺利彦製作・大逆事件の真実をあきらかにする会編『大逆帖』労働旬報社　一九八一年復刻）。
46 『マザー・アース』一九一一年七月号（山泉進編著『思想の海へ〔解放と変革〕⑧　社会主義事始「明治」における直訳と自生』社会評論社　一九九〇年　二一四～二一五頁）。
47 中島及編・幸徳秋水著『東京の木賃宿』（弘文堂　一九四九年）一七～一八頁。
48 前掲『革命伝説　大逆事件④』三五七頁。
49 関山直太郎「和歌山県における初期社会主義運動」（安藤精一編『紀州史研究　2』国書刊行会　一九八六年　一四九頁）。
50 田中伸尚『一粒の麦死して　弁護士・森長英三郎の「大逆事件」』（岩波書店　二〇一九年）一五六頁。
51 「幸徳秋水　大逆事件の同志　岡林寅松と語る（一）投獄されて二十一年目に更生した彼の述懐」（スクラッ

プ帳「藻屑籠　一」個人旧蔵)。

52　中島及「追慕一片」(『大逆事件の真実をあきらかにする会ニュース』第一一号　大逆事件の真実をあきらかにする会　一九六五年　五頁)。

53　前掲「小松はるさんのこと」一一頁。

54　森長英三郎『風霜五十余年』(私家版　一九六七年)一頁。

55　戸崎曽太郎氏からの教示。

第一二章　仮出獄後の岡林寅松と小松丑治の生活

長崎監獄からの仮出獄

大逆事件から二〇年が経とうとしていた一九二九（昭和四）年九月一〇日、小松は獄中から妻・はるに次の書簡を出している。

拝啓、あつさもいつしか過ぎ去りてははだ寒く覚え候。留守元は如何に候や。小生は尓来健勝れず閉口いたし候。九月二日発熱、十日余り休業の止むなきに至り病状にあり、毎食後発熱食欲なく喝を覚え全身苦悶を感じ各関節痛を覚え胃腸炎を感ず、余りの不思議さに医学校の先生の御診察を願上候得共御許可を得ず、胃痛の為め食事の出来ざるのが何よりの苦痛にて、昨今就業はいたし居候得共一人前の仕事は出来ず候。之れでは俊寛僧徒相成るかも測り難し。只だ今日の欲望とは云わじ、食欲と安眠の二つが得らるればよいので、夫れ丈の為めに苦しんで居る。皆様によろしく御伝言下され度候。此の手紙は後日大阪に送って呉れたまえ。要事さえ無ければ別に返事はなくてもよい。

内外風潮幾変更　小生顔色幾変荒　落花黄葉又蓬雪　窓外山容幾変光。

此の老になってもまだ平仄があわない。小生のもち前にて候。[1]

この手紙を受け取ったはるは、大阪の武田伝次郎のもとを訪れ、広島県深安郡御領村（現・福山市神辺町）にある金光教芸備教会の宿老・佐藤範雄に夫の救出を願い出るよう伝次郎に依頼した。はるが丑治の救出を依頼した武田伝次郎は、大正期の大阪アナキズム運動の中心人物で、大逆事件に連座し無期懲役となった武田九平の実弟である。

佐藤は、宮内省に出入りして、政府の要人と接触があった。そのため、大逆事件の判決直後、佐藤は岡山県後月郡高屋村の有力者である大塚笹一・岡本長一郎・土肥仁作・倉田賢治・上野米三らからの依頼で、森近運平の助命嘆願のために上京したが、森近の死刑執行には間に合わなかった。[2] また、一九二七（昭和二）年一月一四日、武田伝次郎と、日本主義者・大西昌（黒洋）、社会運動家・木本正胤（凡人）らは、芸備教会を訪れ、長崎刑務所（一九二二年に長崎監獄から改称）に収監されている兄・九平の救出を佐藤に懇請している。この伝次郎らの懇請に対して、佐藤は長崎刑務所長との面会や、司法当局との交渉など、長崎刑務所に収監されている大逆事件連座者の仮出獄の請願運動に乗り出している。九平は、一九二九（昭和四）年四月二九日に成石勘三郎とともに仮出獄したのち、「信原幸道《のぶはらさちみち》」という名前を与えられ、芸備教会で佐藤の説教を受けているが、これも伝次郎からの依頼によるものであった。[3] はるが伝次郎に丑治の救出を佐藤に願い出るよう依頼したのは、このような経緯を知っていたからであろう。

はるの依頼を受けた伝次郎は、一九二九（昭和四）年一〇月二二日、佐藤の秘書をつとめる井上鍵之助に手紙を寄せた。

神戸の小松丑治君が目下長崎刑務所にて別書の通り病気にて、医師の心得も有る故、自身の容体を所長に話し病院の診察を願ったが許さず、煩々に堪えない容様に付、大先生より何とか御願をと昨夜妻女が参り候。出来得るものならば御高力に御すがりたく候。[4]

この伝次郎の要請を受けての佐藤の動きは不明だが、その一年半後の一九三一（昭和六）年四月二九日の天長節の日、小松は岡林とともに長崎刑務所を仮出獄しており、ふたりの仮出獄には佐藤の何らかの尽力があったと考えられる。

（一）エスペラント大会に参加した岡林寅松

新資料「幸徳秋水　大逆事件の同志　岡林寅松と語る」

二〇二〇年六月、筆者がインターネットのオークションで大逆事件について調べていると、出品されている商品のひとつに、『藻屑籠　一』という古いスクラップノートが、高知県の古物商から出されていた。その商品の解説で、スクラップされている新聞記事などの紹介があったが、そのなかに「幸徳秋水　大逆事件の同志　岡林寅松と語る」という見慣れない連載記事があったため、ただちに落札した。

『藻屑籠　一』は、「株式会社上田商店」と書かれた赤刷りの罫紙を二つ折りにしたもの約五〇枚に、紐とじで『藻屑籠　一』と墨字で書かれた茶褐色の表紙が付けられている。スクラップされている新聞記事は、浜口雄幸首相（高知県出身）の秘書官の手記や、土佐のキリスト教史など、高知県に関する記事が大半を占めている。このスクラップノートは、俳句や郷土史などを趣味とし、戦後まもなくに没した地元の文化人が作成したものである。その人物は、子どもがいなく、屋敷はそのままになっていたが、最近縁者が整理することになり、家財一式のなかから、美術品（陶器）などとともに、『藻屑籠　一』も古物商へ引き取られたとのことである。なお、『藻屑籠』の二以降の連番は、いまのところ見つかっていない。[5]

「幸徳秋水　大逆事件の同志　岡林寅松と語る」は、全一一回にわたって連載されており、それぞれの副題は次の通りである。

第一回「投獄されて二十一年目に更生した彼の述懐」
第二回「幸徳とは一度も逢つた事がない　何にも知らずに連坐」
第三回「事件に連坐した廿六名の氏名　製材所裏の怪音」
第四回「製材職工となつた宮下太吉　爆裂弾を押収さる」
第五回「決死の同志五十余名を集め焼打や暗殺の陰謀」
第六回「海民病院を訪れた内山愚童　応接で爆弾の話」
第七回「土佐平民倶楽部の幹部と秘密文書の往復」
第八回「死一等を減ぜられた坂本が獄中で悲痛な懺悔」
第九回「同志を推薦しただけで死刑　森近運平のこと」

第一〇回「肺を病める幸徳の熱弁が同志を感激さす」
第一一回「死刑宣告後の幸徳の述懐　歌に慰さむ岡林」

これらの記事は、スクラップノートに貼られていることもあり、新聞名と日付は記載されていない。しかし、ノートをカラーコピーしたところ、第三回連載が貼られている余白部分に、第四回連載の裏面（のり付けされている面）に書かれている『高知新聞』の題目と、「夕刊」の文字が浮かび上がったため、『高知新聞』で連載されたものと特定できた。また、日付についても、連載第一回の冒頭には、仮出獄を許された岡林が「昨三日、突然、生れ故郷の高知市に現れた」とあるので、一九三一（昭和六）年五月四日から連載がはじまったと考えられる。岡林のインタビューが連載されたと思われる一九三一年（昭和六年）五月ごろは、高知県内には『土陽新聞』と、一九〇四（明治三七）年に同紙から独立した『高知新聞』があった。『土陽新聞』については当時の原本が保存されているが、『高知新聞』は戦災で焼失し残っていない。[6]

五六歳の赤ん坊

『高知新聞』の「黒眉生」という記者が、岡林の「隠れ家」を訪問したのは、岡林が帰郷した日の一九三一（昭和六）年五月三日の午後八時ごろである。『大逆事件アルバム　幸徳秋水とその周辺』（日本図書センター　一九七二年）に掲載されている岡林の仮出獄証書に書かれている「仮出獄後ノ居住地」は、岡林家四女・晃恵《てるえ》の再婚先で、高知県吾川郡諸木村（現・高知市春野町）の松本喜義宅となっている。[7] しかし、「黒眉生」が訪問した岡林の「隠れ家」は、岡林家二女・万壽恵《ますえ》の嫁ぎ先で、高知市八軒町（現・本町二丁目）に住む理髪機械商の竹崎敬太郎宅であった。

「黒眉生」は、まずは仮出獄を果たした感想を聞いており、岡林は涙ぐみながら記者と次のようなやり取りをしている。

記者「何年目の御出獄ですか。」

岡林「二十一年目です。三十六の年に事件に連坐して、五十六の今日、漸く娑婆の光に会ふことが出来ました。」

記者「嬉しいでせう。」

岡林「嬉しくて、嬉しくて、ひとりでに涙がこぼれます。私が死刑を宣告された時の気持と、今日、こうして、恩典に浴して仮出獄した時の気持とを対比すると、ひとりでに胸がせいてきます。」

記者「奥さんはありましたか。」

岡林「女房はありました。子供もありました。しかし、私が事件に連坐して投獄されると、女房は実家へ帰され、子供は妹に世話になつてゐたが、肺炎に犯されて死にましたので、今は全くの一人ぼつちであります。」

記者「お寂しいですね。」

岡林「二十一年目に出て来ても、親も子も女房もゐないので、がつかりしました。頼る者のない敗残の死骸です…。」[8]

そして、記者は「現在、あなたは、昔のやうな思想を抱かれてゐますか」と尋ねると、岡林は「私の昔は、二十一ケ年の牢獄生活で消滅しました。出来れば、私は五十六歳の赤ん坊として生れ返へりたいと思つてゐます」と答えている。記者は、岡林とともに仮出獄した小松についても質問している。

記者「あなたと一緒に出られた小松丑治さんは、神戸に止まられたさうですね。」

岡林「さうです。小松は神戸に自宅があります。彼には妻もあつて養鶏をやつてゐるやうですが、彼の妻は二十一年間孤閨を守つて、夫の帰りを待つてゐたのですが…。人の運命は解らぬものです。私もせめて、子供が死なずに成長してゐてくれたら、今年二十三歳になります。男の子ですから。もう少しは役に立つてゐる時分です。」

このように話すと、岡林は再び気落ちした表情になり、これには記者も心から同情したという。[9] 仮出獄を果たして神戸の妻・はるのもとに帰った小松の生活については、あとでふれていくことにしたい。

「黒眉生」について

岡林は、幸徳秋水とは直接の面識がないにもかかわらず、大逆事件に連座したということはさきにふれた。そのことに関係して、記者は岡林に次のような質問をしている。

記者「幸徳とあなたとが、一度もあつたことがないのに、どうして、あの大事件に連坐されましたか。」

岡林「それは、私も意外に思つてゐる処です。何のために自分が大逆犯人となつたかと今でも不思議に思つてゐる位です。しかし、所詮、私の不徳と、弁明の足りなかつた結果でありまして、今更、取りかへしもつきません。」

記者「すると、あなたは、この事件には何にも関係しなかつたのですか。」

岡林「関係といふよりも、そんな大きな恐ろしい計画があるといふことを全く知らなかつたのです。」

記者「それが、どうして、事件に連坐されるやうになつたのです。」

岡林「幸徳の同志に、内山愚童といふ僧侶がありました。彼は幸徳等と、この○○○○（注・「天皇暗殺」と思われる）を計画して全国を行脚して同志を募つたのです。その内山が、曽て私の処へ訪ねて来て、一ばん泊つたことがあります。内山は死刑を執行された人ですが、その内山に私は薬のことを聴かれたのです。その当時は、それをどうするためやら、また、何の目的を以て、私に聴いたやら全く知りませんでしたが、医術に多少の経験を以てゐた私は、それに答へたのです。後から考へると、それが○○○○に使用する爆裂弾のことでした。」[10]

大逆事件での容疑である内山愚童の「皇太子暗殺計画」について、岡林は連載記事の別のところでも「決して私たちは、○○○○の陰謀は耳にしてゐません。その点が私の今に苦しんでゐる処です。いへばいふ程、弁解がましくなりますが、実際は○○○○のことは知らなかつたのです。」[11]と述べている。岡林は何も知らずに大逆事件に連座したことがうかがえる。

連載の最後で、記者は「あなたの妹さんや、その御一家は実に親切な良い方ですね」と言うと、岡林は「親も妻も、子もない一人ぼつちの私は、妹の一家に身を寄せるより他に途がありません。こんな私でも、何の距てもなく親切にしてくれます。しかし、これがために妹一家へ世間の誤解をかけるのを怖れてゐます」と述べている。すると、記者は次のような言葉を返している。

世間の誤解―あなたが帰つたといふ事によつて妹さんの御一家を誤解する人があつたら、その人こそ、考へ方が間違つてゐる人間であります。仮令、その過去はどうであらうと、すでに更生して、一個の赤ん坊として帰つたあなたを、心良く迎へますのは、美しい兄妹親戚の情ではありませんか。[12]

この連載記事では、記者の「黒眉生」は、岡林を終始同情的に報じている。しかも、大逆事件では岡林は冤罪だったと主張しているだけではなく、事件自体が当時の国家権力によるフレームアップであったと述べているようにも読み取れる。

岡林を取材した『高知新聞』の記者の「黒眉生」は、同紙のジャーナリストであった中島及と思われる。[13] 中島は、県立海南中学校を卒業したのち、早稲田大学英文科を中退し、『土陽新聞』を経て、一九三〇（昭和五）年に『高知新聞』へ入社した。海南中学校在学していたころに週刊『平民新聞』を購読しており、早稲田大学在学中の一九〇八（明治四一）年秋には巣鴨の幸徳秋水宅をはじめて訪問している。一九〇九（明治四二）年には、幸徳訳・クロポトキン著『麺麭の略取』の多方面への頒布や、大英博物館への郵送に奔走し、幸徳と管野須賀子が創刊した『自由思想』の発行編集人も買って出ている。しかし、幸徳の配慮で創刊直前になって『自由思想』の発行編集人は管野に変更された。大逆事件後の一九一三（大正二）年五月、中島は上京して「売文社」を主宰する堺利彦と面会している。そのため、官憲から「特別要視察人」と指定された。同年六月、中島は自宅に売文社高知支店を開設し、主任を名乗るが、賛同するものが現れず、そのまま自然消滅した。大逆事件に連座し無期懲役となった坂本清馬とは海南中学校の同窓生であり、高知市の週刊『平民新聞』読者会「土佐平民倶楽部」の会員でもあった。そのためであろうか、連載記事では、「土佐平民倶楽部」のことや、坂本の獄中書簡についても取り上げている。

また、岡林と同じように、中島も官憲による弾圧を受けた経験があった。一九一五（大正四）年六月、『土陽週報』に掲載した「秘められたる明治陰謀史の一節」が新聞紙法違反となり、大審院まで争うが、一九一六（大正五）年一月一四日から同年五月二九日にかけて、高知監獄で六ヶ月間も服役している。中島は、幸徳や堺との関係のみならず、掲載された記事が弾圧を受けた経験から、大逆事件の真相や、官憲による弾圧の実態を知ってもらうために、仮出獄を果たした直後の岡林にインタビューを行い、それを自身がつとめる『高知新聞』で連載したのであろう。

大阪でのエスペラント大会

帰郷した岡林は、その後大阪に出て、二〜三の職場を経たあと、大阪市港区市岡の市場通二丁目（現・港区磯路）にあった大衆病院（のち大和病院と改称）に、堺利彦の紹介で勤務することになった。そして、病院勤務のかたわらローマ字運動にも参加していた。明治・大正期の大阪の社会運動史研究者の荒木傳は、病院を経営していた弁護士で社会大衆党の代議士でもあった田万清臣の妻・明子に、大衆病院に勤務していたころの岡林について聞き取りをしている。

口数の少ない、それはそれは真面目な人でした。ずっと病院の一室を借りてそこで生活していました。変わっていましてねえ、冬でも板の間で寝るクセがあるのです。それに水浴を好むんですよ。自分の部屋の入口にいつも「真冬独房」の木札をつっているんです。「真冬」はあの人の号でしたからね。短歌や俳句もつくっていましたね。それに大変な勉強家で、エスペラント語に堪能でした。それにもう一つ変わっていたことは、どこへ行くにも電車に乗らなかったことです。助松の私たちの家へ行くのもゴム長をはいて歩いて行くんですよ。これには市岡警察の刑事さんも弱っていましたねえ。[14]

一九三九（昭和一四）年四月二八日から三〇日にかけて、中之島公会堂を会場にして、日本エスペラント学会主催による第二七回日本エスペラント大会が開かれた。大会当日の様子は、『エスペラント La Revuo Orienta』掲載の「大会の日記」（第七年第六号　一九三九年六月）や、「LA XXVII-a KONGRESO de JAPANAJ ESPERANTISTOJ Osaka,28-30 Aprilo,1939 OFCIALO PROTOKOLO（第二七回日本エスペラント大会公式議事録）」（第七年第八号　一九三九年八月）、『第二十七回日本エスペラント大会要綱』（第二十七回日本エスペラント大会準備委員会　一九三九年）にくわしく記されている。[15] それらによれば、大会は二八日午後六時に西区靭本町一丁目の信濃橋交差点北西角にあった日清生命ビル六階の早稲田クラブでの懇親晩餐会ではじまり、出席者は約一二〇名であった。当時、大阪エスペラント会は毎週火曜日に例会をこの早稲田クラブで開いていた。

二九日は、中之島公会堂で午前九時一五分から天長節祝典・国歌斉唱・皇居遥拝ののち、開会式・小坂賞授与式・大会協議会・昼食（席上で各エスペラント団体代表のあいさつ）・特別講演・日本エスペラント学会維持員会総会・市内観光・分科会（観光・医学・鉄道・科学・カタカナ・ローマ字・仏教・婦人・国際エスペラント連盟・切手収集・キリスト教）が行われた。開会式に先立って行われた天長節祝典だけではなく、大会の趣意書で日中戦争を「聖戦」と称し、「正義日本の立場を国際的に宣揚する」、「祖国に対するいはれなき国際的誹謗を克服することは長期建設途上に於ける不屈の日本精神の発揚であり、一面日本の前進に対する、彼等欧米エスペランチストの、より深き理解の促進である」、「意義深き新東亜建設の第一年に際し、名誉ある伝統を襟持せる大会を、躍進日本の心臓たる大阪市に迎へることは、吾々の最も光栄とするところである」など[16]、戦時体制下の大会であったことをうかがえる。

三〇日は、午前八時三〇分に阪急梅田駅に集合し、そこから阪急電車で兵庫県宝塚に向かい、阪急宝塚南口駅前にあった宝塚ホテルがこの日の大会の会場となった。大会は、午前一〇時三〇分からはじめられ、昨日行われた各分科会の報告と昼食（席上で各地方エスペラント会代表のあいさつ）のあと、午後一時に大会を閉会し、閉会後は宝塚大劇場で少女歌劇を観劇している。

岡林とエスペラント

大会後の一九三九年（昭和一四）八月に発行された『エスペラント La Revuo Orienta』第七年第八号に掲載されている第二七回日本エスペラント大会の公式議事録のなかの参加者名簿である「大会参加申込者」によれば、大会には二二九名ものエスペランティストが参加を申し込んでいる。大会への参加申込者の内訳を都道府県別にみると、大阪府が一〇五名と一番多く、以後は東京府が三〇名、兵庫県二〇名、愛知県一七名、京都府一六名、満州七名、福岡県四名、山口県・広島県・和歌山県各三名、石川県・新潟県・大分県・三重県・宮崎県・岡山県各二名、埼玉県・滋賀県・奈良県・岐阜県・徳島県・高知県・北海道・朝鮮半島・山形県各一名となっている。

この「大会参加申込者」には、二二九名の申込者全員の氏名と居住地が掲載されているが、そのなかに岡林の名前が記載されている。それによれば、岡林は参加申込者が一番多い大阪府から、本名の寅松ではなく、岡林真冬の名前で大会への参加を申し込んでいる。なお、『エスペラント La Revuo Orienta』に掲載されている岡林の名前は、いずれも本名の寅松ではなく、すべて岡林真冬となっている。

大会当日、二二九名の参加申込者のうち、実際に出席したエスペランティストは一五五名であった。岡林の大会での活動については、『エスペラント La Revuo Orienta』第七年第六号掲載の「大会の日記」や、大会の公式議事録からは読み取ることができない。しかし、不参加者は「大会参加申込者」の氏名の左横に星印が付けられており、岡林の名前にはその表記が付いていないため、実際に大会に参加していたと考えられる。[17]

大会では日本のエスペラント運動に尽力した功労者に対して表彰される小坂賞の第一回授与が行われた。この賞は、一九三八（昭和一三）年一〇月一六日から一七日にかけて名古屋で行われた第二六回日本エスペラント大会において、大阪エスペラント会の桑原利秀から、日本エスペラント運動の父・小坂狷二《こさかけんじ》の生誕五〇周年の機会に、小坂の日本エスペラント運動に対する功績を記念して提案されたものである。桑原の提案が出された際、小坂は「賞」に個人名を冠するのは適当ではないとして、賞の名称を「小坂賞」ではなく「日本エスペラント功労賞」とする修正案を出したが、結局大会参加者によって原案のまま採択された。[18]

小坂賞の設定はただちに実行され、小坂賞委員会が発足した。それにともなって小坂賞基金の募集が行われ、第一回授与までに予定金額一三〇〇円を上回る一四五一円九銭が集まっている。[19] 小坂賞の授与は、一九三九（昭和一四）年の第二七回日本エスペラント大会から毎年日本エスペラント大会で表彰されるようになった。

小坂賞基金の寄付者の氏名は、出身地・寄付額とともに、「小坂賞基金寄附者芳名」として、『エスペラント La Revuo Orienta』の各号に掲載された。そのうち、一九三九（昭和一四）年二月発行の『エスペラント La Revuo Orienta』第七年第二号に掲載された「小坂賞基金寄附者芳名（2）」によれば、一九三八（昭和一三）年一二月一日から二七日までに寄付をした者のなかに、岡林真冬の名前があり、基金に金一円を寄付したことになっている。一二月一日から二七日までの間で、岡林が基金に寄付をしたとされる詳細な日付は、「小坂賞基金寄附者芳名（2）」をみるかぎりでは不明である。しかし、寄付者の氏名は受付順に掲載されており、岡林の名前は名簿の後半あたりにみられるため、一二月中旬ごろから二七日までに寄付をしたものと思われる。[20]

岡林がいつごろからエスペラントに関心をもつようになったのかはわかっていない。しかし、坂本清馬は獄中でエスペランティストでもあった大杉栄から差し入れられたエスペラント語訳の『ハムレット』、『新約聖書』を読んでいたという。[21] 岡林と大杉は、直接の面識はないが、手紙のやり取りはしていた。[22] そのため、岡林も坂本と同じように、獄中で大杉からエスペラント書籍の差し入れを受けていたと推測される。したがって、岡林がエスペラントに関心をもつようになったのは、大逆事件の無期囚として長崎監獄に収監されていたころと考えられる。

幸徳富治・坂本清馬との対談

一九四五（昭和二〇）年三月一四日の大阪大空襲により、勤務先の大衆病院が戦災で焼失すると、岡林は郷里の高知に戻り、再び松本喜義のもとに身を寄せた。高知に帰ってからの岡林について、西尾治郎平は岡林の実妹・晃恵から聞き取りをしている。

晩年の寅松は、村人から「神様のみたいな人だった」と評されたように、これがあの「逆賊」とののしられた大逆事件の被告であったのか、こんなよい人がなぜ？といぶかられるような真摯な日常生活を送った。事件について言い訳がましい弁明も一切することはなかった。ただ晃恵には

「この事件の真相は、先にきっと分かる時が来る」と言っていたという。無実のでっちあげで不当な監獄生活を余儀なくされたことを、後世の歴史家が明らかにしてくれると堅く信じていたのであろう。[23]

また、「大逆事件の真実をあきらかにする会」の初代事務局長をつとめた坂本昭も、「妹の晃恵さんもその御主人も、寅松さんの怒ったのを見たことがないというほど温厚な人で、一生を通じて医業に関係のあったことに、この人に貫くヒューマニズムを感ずる。郷里に帰ってからはローマ《ママ》〔字〕を青年に教えていたことなどからも、この人の人間像が新しく理解されるように思われる」[24]と述べている。

左から坂本清馬・幸徳富治・岡林寅松（1946 年撮影。『大逆事件アルバム』より）

終戦後の一九四六（昭和二一）年秋、高知市長浜の雪蹊寺において、大逆事件に連座した岡林寅松と坂本清馬、さらに幸徳秋水の甥・幸徳富治を交えた座談会が開かれた。企画したのは中島及である。この座談会は、中島が編集長をつとめる『月刊高知』の昭和二一年一一月・一二月合併号に掲載され、のちに中島及編・幸徳秋水著『東京の木賃宿』（弘文堂　一九四九年）に全文転載された。

中島は、岡林と坂本の関係について、「もと旧友でもなければ、互ひに固く生死を誓ひ合つた同志でもない。ただ不可解なる事件のとばつちりを喰つた犠牲者といふだけにすぎない。ここにも大逆事件なるものの内容の粗末さ加減が現はれてゐるのである」[25]と述べている。そんなふたりであったが、会えばすぐに胸襟を開いて話し合った。

坂本「遺文によつて研究してみても、先生の無政府主義は絶対の平和主義です。道義と平和です。(略)平民新聞の創刊号に「余の《ママ》思想の変化」(注・坂本の記憶違い。幸徳の論説「余が思想の変化」が掲載されたのは日刊『平民新聞』第一六号)で、議会制度では、議会は役に立たたぬといふことをいひ、無政府主義に転向してきた。革命にいたる導火線としては、「獄中か革命を論ず」にも書いてあるやうに、革命をこしらへるのではなく、革命は自然に起る。これをなるべく早く平和にするのが革命家の任務だといつてゐられました。まあ、手段としては、あんまり弾圧的な、労働者を圧迫するやうな当路の官憲はやらねばなるまいといはれました。(略)幸徳先生は渾身これ仁といふ人で、顔は福徳円満といふ方ではなかつたが、人を慈しむといふ人であつた。その人が明治天皇を殺すといふやうなことを考へるはずがないよ。」

岡林「赤旗事件で、圧迫されたので、政府を嚇すといふことはしなければならぬといつてゐた。」

坂本「先生の考へは大逆的なものではなかつたと思ふ。ただ宮下(注・宮下太吉)なんかが来て、熱狂的なことをいふ場合、それを否定するやうなことはしなかつた。青年の思想を今直ちに矯正するのはいかんから、このまま進んでゆくといつてゐられたよ。結極《ママ》政府の無法な弾圧が青年達をニヒリスチックな反抗心に追ひたてたのだね。皇室に危害を加へるやうな、馬鹿なことをするものかと先生は政策的にもはつきりかうした行為は否定してゐる。」
岡林「幸徳さんは何となく僕には狸を思はせるよ。決して悪い意味でいふのではない。その態度といひ、全身が狸に似てゐるやうな気がする。しかも幸徳さんは私と対面する時などいつもにこにこしてゐられた。」
坂本「とにかく、この事件は、不敬罪と反乱罪にはなつても大逆罪にはならないよ。」
岡林「今村力三郎弁護士も「幸徳事件にありては、幸徳伝次郎、管野すが、宮下太吉、新村忠雄の四名は事実上疑ひなきも、その他の二十名に至りては果して大逆罪の犯意ありしや否や大なる疑問にして大多数の被告は不敬罪に過ぎざるものと認むるを当れりとせん。予は今日に至るも、その判決に心服するものに非ず。殊に裁判所が審理を急ぐこと奔馬の如く、一の証人すらこれを許さざりしは予の最も遺憾としたる所なり。」と明言してゐるのだし、幸徳先生は当時は、その計画を行ふ意志がなかつたのは事実だから、これはどうしても弾圧の犠牲といふべきだらうね。」
坂本「日本は皇室と国民の間のへだてが大き過ぎたのだ。これは君側にあるものが悪いのだ。君側の重臣を驚かしてやらうといふのでやつたものらしい。つまり自分は犠牲になつてもいいといふ考へだ、一粒の麦種地に落ちて死なずばだよ。秋水は死んだが、その多くの実は今立派に結実しつつあるではないか。」[26]
三人の座談会が終わり、中島が就寝したのは、午前二時をまわったころであった。しかし、岡林と坂本はなお綿々と語り続けていたという。[27]そして、座談会は岡林と坂本の次のようなやり取りで締めくくられている。

坂本「岡林さん、もう二十年生きちよりよ。さうしたらおまんは九十ぢやねえ。しかし僕はまだ二十五歳の青年のつもりだ。きつともう一度活躍してみせるよ。おまんは生きちよつてそれを見とうせ。」

岡林「うん、生きる、生きるよ。そしてうんとやらう。」[28]

大逆事件の判決からちょうど五〇年にあたる一九六一（昭和三六）年一月一八日、坂本は森近運平の実妹・栄子とともに、鈴木義男と森長英三郎ら一〇名の弁護人を代理人として、東京高等裁判所に再審請求を提訴した。もし岡林が生存していれば、坂本らの再審請求に加わっていた可能性はきわめて高い。

復　権

長崎刑務所を仮出獄したのちも、岡林は「毎月一度欠かさず警察署へ出頭して仮釈放証書に捺印」[29]してもらわなければならない生活を送っていた。終戦後、岡林と坂本は、マルクス主義法学者・平野義太郎と、社会運動家・山本正美を通じて、自由法曹団に復権要求を依頼した。この依頼に対して、団員の森長英三郎は、一九四六（昭和二一）年一〇月二一日に司法大臣へ復権を要求した。一方、坂本も東京の知人の指示により、同年一一月五日に復権の上申書を高知地方検察庁に提出した。[30]坂本の知人の裏からの運動もあって、岡林と坂本は一九四七（昭和二二）年二月二四日に復権した。この復権は、司法大臣・木村篤太郎名義による特赦であり、「昭和二十一年十一月三日の恩赦に関する詔書に基いて、特典を以てその刑の言渡の効力を失はしめられる」[31]というものであった。そのため、無罪が宣告されたわけでも、無実が証明されたものでもなく、ただ単に刑の「効力」だけが停止されたに過ぎなかった。しかし、それでも選挙権などの人権は回復された。

復権したのち、岡林は森長英三郎にお礼のはがきを送っている。

　申し上げます、此度お世話になった一件、いよいよ特赦状が昭和22年2月24日付木村司法大臣から3月10日川北検事正の手を経て交付されました、《…その刑の言渡効力を失はしめられる》とございます、あなたがたのお骨折の結果と厚く御礼を申し上げます。　かしこ[32]

森長によれば、岡林からの手紙は、封筒やはがきはローマ字で書いており、内容も縦書きだが、右からではなく、左から読むようになっていたという。[33]これには、森長も「それほど自分の信念を貫いたという点はあるですね。そういう信念を貫くということから、仮出獄が遅くなったのではなかろうか」[34]と述べている。

復権から一年半後の一九四八（昭和二三）年九月一日、岡林は急性腸炎により満七二歳で亡くなった。最晩年の岡林については、中島及がくわしく記している。

　昭和九《ママ》年仮出獄となつてから、大阪市岡の前称大衆病院、後の大和病院（田万代議士経営）に勤務して生計を立ててゐたが、戦災に遭つて一切を失ひ、昭和二十年、久々で生れ故郷の高知に帰つて来た。時に頽齢既に七十であつた。壮時には倭躯《ママ》ながら姿勢正しくその歩く姿は眼立つて颯爽としてゐたといはれる人が、いまは流石に腰屈み胴折れて往年の面影がない。それでもその風丰は豊頬円満、一点の邪気なく、低声寡黙、会話は殆んど要件か思想学問上の事に限り、苟くも自己に関することはおくびにも出さず、毫末も自己生涯の運命をかこつ風がなかつた。時に出でて道端に薬草を摘み、平生はおほむね読書かまたは書き物に耽り、たまたま演説会があると、三・四里の道を遠しとせず下駄履きの徒歩で出掛けて熱心に耳を傾けてゐた。

その演説会の帰途である。時は昭和二十三年二月十九日、高知市において徳田球一の演説会が催された。夜更けとなつて散会したが、どうした手違ひか約束して置いた宿泊先が寝てゐて起きてくれない、さらばと行雲流水の思ひで深夜の堤を市外数里を離れた寓居に向つてとぼとぼと歩いてゐた。通行人は他に一人もゐない。しかるに突然現れた一人の暴漢が不意に襲い掛つて老翁を突き倒しその所持品を強奪して逃走した。盗まれた品物は、一、西洋哲学史、短歌啓蒙、外一冊、一、印形、郵便貯金通帳、其他であつた。困つたのは盗まれた品物のうちの三冊の書物が、いづれも県立図書館からの借出本であつたといふことであつた。返却しやうにも代りの本がない。さりとて金で弁償するには貯金通帳を盗まれてゐる。差当つて五百円を納入すべく県立衛生病院の使丁となつて弁償金を稼ぎ出さうとしたが、七十歳の老翁にとつては廊下の拭掃除から職員室の闇米買出しにいたるまでの雑役は余りにも過重の労働であつた。自炊生活で覚束ない栄養を支へながらのこの労働は、その気力に反比例して肉体は眼にみえて衰へていつた。やつと稼ぎ畜め

岡林寅松の墓（田中全氏提供）

た五百円が図書館に送り届けられると間もなく、在勤三ヶ月目の昭和二十三年九月一日に彼は衰弱のため遂にその数奇に富んだ一生を静かにとぢた。[35]

岡林の墓は高知市山ノ端町の小高坂山にあり、長男・松彦もそこに眠っている。戒名は真照院円融居士。岡林は復権すると、それからまもなく日本エスペラント学会に入会しており、日本エスペラント学会は『エスペラント La Revuo Orienta』で、岡林の死去を伝えている。

岡林真冬氏　幸徳秋水事件の生残り（終身懲役）の1人として知られていた岡林氏は古くからのエスペランチストで、戦後解放されるとまもなく学会に入会されたが、昨年9月1日になくなられたことが、最近わかつた。[36]

（二）「貧しき聖人」として生きた小松丑治

小松の仮出獄を報じた『大阪朝日新聞』

長崎刑務所を仮出獄した小松丑治が、神戸の妻・はるのもとに帰ったのは、一九三一（昭和六）年五月一日のことである。神戸多聞教会が発行していた『日本組合多聞基督教会隔週報』も、「小松はる姉の夫君は二十年振で帰家」[37]と、小松が神戸に帰ってきたことを伝えている。

仮出獄後、二〇年ぶりに神戸に帰ってきた小松が妻・はると再会したときのことは、『大阪朝日新聞』一九三一（昭和六）年五月五日夕刊が、「幸徳事件の無期囚出獄　廿年振に妻と再会　孤独と貞操を守り通した半生　流す涙も忘れる歓び」という見出しで、美談記事として第二面で大きく報じている。記事は五月一日朝、湊川町七丁目の小松の自宅に丑治が帰ってきたところからはじまっている。

> 一日メーデーの朝、陽あたりのいい丘陵の街神戸市湊川町七丁目にさゝやかな養鶏場を営む小松はる（五十《ママ》）方のくゞり戸を開けて「おいッ」と小さな声を掛けた人がある、強度の近眼鏡を掛け渋い木綿縞の着物に鳥打帽を被り風呂敷包一個を携へた老人である、「どなた？」と障子を開けて出てきた主婦がその人を一目見るなり「まアッ」と驚嘆の声諸とも二人は上り端で思はず抱き合つた、まことに芝居のやうな場面である、帰つてきた老人が幸徳事件に連座し長崎県諫早の刑務所に廿年間を送つた小松丑松《ママ》（五十五）さん、養鶏場の主婦がその妻女はる（五十《ママ》）さんだ

小松が自宅に帰ってきてから三日後の五月四日、『大阪朝日新聞』の記者は、小松夫妻のもとを訪れ、大逆事件について小松から次のような感想を引き出している。

幸徳事件は去る明治四十三年夏のことで、死刑になつた連中のほかわれ〳〵は死一等を減ぜられて無期になりました、誰と誰が無期になつたかよく知らないくらゐです、アノ事件は名古屋《ママ》の宮下（死刑）が首謀で、幸徳などの思想は今から思ふと無政府主義でも共産主義でもなかつたやうです、たゞ大逆事件があつたのでやられたやうです、私など単に神戸にあつて平民新聞を読んだり社会主義を研究してゐたばかりです、弁解がましいことをいへば笑はれるかも知れませんが何のためにやられたのか本当はよく判らないのです

この小松の言葉は、大逆事件では自身は無実であったと主張しているだけではなく、事件自体が当時の国家権力によるフレームアップであったと述べているようにもみえる。さらに、記者は「あなたの思想のうへに何か変化はありませんか」と問いかけると、小松は次のように答えている。

大体私には学問がなかつたのです、社会主義の本など読んでいたゞけなのです、ですから難かしいことは何も判りません、刑務所のなかには新聞の形式を備へた週刊雑誌「人」が出てゐただけですし書籍の購読は自由ですが宗教や修養の本ばかりでした、今度帰つてきて聞いたのですが昨今共産党事件が持あがつてゐるさうですね、どうも若い最中を別な世界に隔離されてゐたので時勢がさつぱり判りません、明治四十三年のことですから神戸の電車は知つてゐますが自動車も初めて見たですよ、ハ、、、、浦島太郎よりももつと世の中の変り方に驚いてゐます、余りめまぐ

るしくつて何も考へるひまがありません

はるについても、「無期囚になりいつ帰つてくるか判らぬ夫を待つてゐても仕方がないから離別して早く方法を講じた方がよくはないか」という知人からの勧めを拒み続けてきたことに言及し、「アノ事件で夫を奪はれ」たうえ、「世の精神的、物質的な迫害と闘はなければならなかつた」と同情を寄せている。記者が「奥さんのお心持ちには感激させられますね」と丑治に語りかけると、丑治は「妻には感謝してゐますが…、私は今とに角疲れてゐます」と言い、はるも「私なにも国のために働いたといふんでもありませんから…」と話している。

小松の仮出獄を報じた『大阪朝日新聞』の記事も、さきにふれた『高知新聞』での岡林のインタビュー記事と同じように、終始小松夫妻に対して同情的である。昭和にはいって以降、思想・表現の自由や、結社の自由などが相次いで弾圧された。一九二八（昭和三）年六月二九日には最高刑を死刑とする改正治安維持法が緊急勅令で成立し、同年の「三・一五事件」（一六〇〇名検挙）や、翌一九二九（昭和四）年の「四・一六事件」（一〇〇〇名検挙）では、共産党員が多数検挙された。また、小松と岡林が仮出獄した一九三一（昭和六）年の九月一八日には、満州事変の発端となる柳条湖事件が起こるなど、日本は戦争へと突き進んでいった。そのようなさなか、大逆事件の連座者に対して好意的な記事を書くことで、当時の国家へのささやかな抵抗をしめした記者が各地にはまだいたのである。

ふたつの証言

仮出獄後、小松は神戸で再び養鶏業をはじめたが、特高警察から常に監視される生活を送った。このころの小松について、妻・はるは晩年になってから次のように証言している。

出獄後の丑治には勿論、職があるわけではなく、特高の視察はきびしく、そのわずらわしさからめったに外出もしなくなった。昭和八年義兄重の臨終に東京大森へ駆けつけたが面会数分で、特高がうるさくて死水もとらずに別れた。そんな丑治は、折々、打ちひしがれた様子をして今泉家を訪れ、ただ黙ってその玄関に卵を並べて帰るという、全く日蔭者の生活であった。とかくするうちに世の中は準戦時体制から戦時体制にはいり、日に日につのる食糧難時代の私の苦闘は言葉には云い表わしようがなく、時には他家が食べ捨てた残菜を持ちかえって食事を補ったこともあった。[38]

大逆事件の再審請求で主任弁護人をつとめた森長英三郎も、晩年のはるについて、「閉鎖的で、大逆事件犯人の遺族であることは、（略）一、二のものしか知らないし、彼女はそれについて何もいわな」かった。「その姿は大逆事件で、ながい年月、いためつけられた老女という以外に形容のしようもないものであった。もし丑治が生きていてちょっとしたことをしても、無期懲役にされるのではないかといい、いまも大逆罪におびえて」おり、「私たちがいくら解放の時代を説いても信じようとはしな」かったという。[39] 大逆罪という重圧と世間からの白眼視に、はるは迫害され続け、戦後もそれから解放されることはなかったのである。

昭和 15 年ごろの小松丑治（小松家所蔵、田中全氏提供）

晩年の小松に関する証言はもうひとつある。二〇一四年九月、高知県香南市で小松泰子さん（一九二五年三月二八日生まれ、現在の高知県香美市香北町出身）という丑治の縁者（祖父が丑治と従兄弟）にあたる方が見つかった。一九四〇（昭和一五）年冬、小松は庄谷相《しょうだにあい》（現・香美市物部町）にある先祖の墓参のため、高知に帰郷している。泰子さんが晩年の丑治と対面したのは、そのときの一回だけである。二〇一六年一月二五日、筆者は香南市内において、「幸徳秋水を顕彰する会」の田中全氏、岡林寅松の実妹・晃恵の令孫・徳弘達男氏とともに、小松泰子さんから聞き取りをしている。丑治と対面した当時一五歳だった泰子さんは、晩年の丑治について、次のように話している。

昭和一五年冬休み、女学校から帰省中、小松丑治が神戸から香北町の実家に帰ってきた。五日間ほどいた。白内障で目が見えにくくなっていたので、見えるうちに先祖の墓参りをしたいということで。目が不自由なので、丑治の兄・重の息子・武の妻・てるが障がい者五歳の娘を連れて、一緒に帰ってきた。丑治の妻・はるは一緒ではなかった。

丑治の前歴は、近所の人は知らなかったと思う。知っていても言わなかったかもしれないが、周囲から悪く言われたことはない。自分は聞いていたが、そのときは、そんな話は出なかった。

自分も聞きにくかった。丑治が逮捕された理由は当時知らなかった。天皇を殺そうとしていたのは、終戦後に知ったが、そんな人には見えなかった。岡林寅松の名前は出なかった。友人と捕まったことは知らなかった。父と話したときにしたかもしれない。警察の尾行がいた記憶はない。

てるは丑治の世話をよくしていた。丑治は「聖人」のよう。もの静かで、部屋の奥の炉にずっと姿勢よく正座していた。足を崩したのを見たことがない。男前で「きれい」な人だった。気品があった。田舎の人に思えない。背も高かった。やせていたが、病気という感じはなかった。いろんなことを知っており、生き字引。戦争で木綿がなくなった、木綿は火薬になる、という話もしていた。丑治との話は気楽にした。話しにくいという感じはなかった。自分に対しても進学をするのなら東京がいいとすすめてくれた。妻・はるは、鶏を飼って出獄を待っていてくれて、感謝していると言っていた。私ははるとは会ったことはないが、いま考えれば会っておけばよかった。

丑治の話は、祖父母はあまりしなかったが、東京で小学校の音楽教師をしていた「龍井」さんが、毎年夏に帰ってきたときによく丑治の話をしていた。昭和一八年、丑治のすすめもあって進学のため東京に出た。「龍井」さんは栄養学校をすすめたが、歯科女学校に進学した。東京では「龍井」さんのお世話になった。「龍井」さんは昭和二五年まで帰ってきていたが、来なくなってからは丑治のことは聞かなくなった。丑治が亡くなったことはあとから知った。

晩年の小松は、特高警察から監視され貧しい生活を送っていた。しかし、一五歳の少女からは、

「聖人のよう」、「男前できれいな人」、「気品があった」という印象をもたれている。特高警察による監視のなかで、貧しい生活を送りながらも、二〇年間もの獄中生活を耐え抜いた「主義者」としての尊厳やかがやきを失っていなかったのであろう。

小松の死去と残された妻・はる

一九四三（昭和一八）年ごろ、小松は京都市伏見区深草綿森町一五番地の親族宅へ転居したが、一九四五（昭和二〇）年一〇月四日、栄養失調により満六九歳で亡くなった。この日はGHQによって政治犯釈放の指令が出された日であった。白内障にかかっていたという小松の眼は、亡くなったときにはほぼ失明状態であったと思われる。小松の死について、はるは「特高のぎびしい監視のうちにやがて終戦を迎えたが、その年十月四日、栄養失調で解放されたよろこびを味わういとまもなく、綿森町の家で日陰者として死んでいった。七十才だった。しかしその思想は最後まで変えてはいなかった」[40]と述べている。岡林寅松も、一九四六（昭和二一）年一二月三日に森長英三郎へ寄せた手紙で、「惜しいことにわが親友小松丑治君は昨年伏見で病死しました」[41]と小松の死を惜しんでいる。なお、小松の死については、服毒自殺説もあったというが、はるは「いや、そんなことはないでしょう。死んだのは栄養失調でしょう」と否定している。[42]

小松の死から一年後の一九四六（昭和二一）年一〇月、このころ京都に移り住んでいた神戸多聞教会元牧師・今泉真幸の紹介で、はるは京都洛西教会の田村貞一牧師のもとに身を寄せた。はるは、洛西教会の一室に住まいを許され、田村牧師の庇護のもと、教会と幼稚園の雑役を手伝い、ときには幼稚園児とともに遊ぶこともあったという。[43] 一九六四（昭和三九）年、はるは交通事故に遭い、田村牧師から外出を止められ、[44] 一九六五（昭和四〇）年春ごろからは神経痛を病んで日常的な動作が不自由となったため、同年一一月一日に教会の世話で明石市魚住町に現在もある明石愛老園に移った。一九六五（昭和四〇）年、はるは大野みち代の訪問を四回にわたって受けており、のちに大野はそのとき聞き取ったことを「小松はるさんのこと」として『大逆事件の真実をあきらかにする会ニュース』の第一二号に寄稿している。

晩年の小松はる（『大逆事件アルバム』より）

一九六七（昭和四二）年三月二五日午後七時五〇分、はるは急性肺炎により満八二歳で亡くなった。はるの葬儀は明石愛老園でも行われたが、同年四月一六日、京都洛西教会でも田村貞一牧師によって「故小松はる姉追悼会」が開かれている。[45] 大野みち代は、『高知新聞』に「ある老女の死―大逆事件余聞」を寄稿し、はるを追悼している。

私は、はるさんに五回ほどお目にかかることができ、その苦難のあらましの聞きとりを得ることができた。粗衣をまとつた、色白の小さな姿は、孤愁にみち、いまさらとりかえしてあげようもない深い傷あとそのもののように痛ましかつた。葬儀は四月十六日、洛西教会でおこなわれたが、遺骨は高知市筆山に眠る夫の側に合祀されることになつている。神戸に生まれ、育ち、京都でひつそりと余生を送り明石で死んだはるさんは全く土佐を知らない。夫丑治さんの話で土佐の風土、人情にあこがれていたはるさんにとつては土佐の土に骨を埋めることは、本懐ではなかろうかと思う。[46]

小松丑治の墓（田中全氏提供）

「大逆事件の真実をあきらかにする会」も、『大逆事件の真実をあきらかにする会ニュース』第一五号の「訃報」で、はるの死を伝えている。執筆者については明記されていないが、当時同会の事務局長をつとめていた森長英三郎と思われる。

大逆事件関係者の未亡人であることをひたかくしにかくして来られた、はるさんを、私達が世間に引出し、名乗らせたようなものであったが、その結果、はるさんは心の安らぎを覚えて、亡くなられたのではないかと、勝手に思っている。[47]

小松の墓は高知市小石木町の筆山墓地にあり、妻・はるもそこに眠っている。一九六五（昭和四〇）年五月四日には、小松の墓前祭が日本国民救援会高知県本部主催で行われ、岡林と小松の縁者・遺族をはじめ、労働運動史研究者の絲屋寿雄、『高知新聞』ジャーナリストの中島及、日本国民救援会の大野武夫・みち代親子など二〇余名が参列している。[48]

岡林寅松と小松丑治の顕彰に向けて

一九六四（昭和三九）年一〇月三〇日、岡林の墓所に「幸徳事件犠牲者岡林寅松墓所」[49]、一九六五（昭和四〇）年五月四日には小松の墓所に「幸徳事件犠牲者小松丑治墓所」[50]と書かれた木製の標柱が日本国民救援会高知県本部によって建てられた。その後、これらの標柱は木製であったため朽ち果ててしまい、現在はどこにも見当たらない。しかし、二〇一六年六月に「幸徳秋水を顕彰する会」と「高知市立自由民権記念館友の会」によって、それぞれの墓所に「大逆事件犠牲者岡林寅松の墓」、「大逆事件犠牲者小松丑治の墓」と書かれたアルミ製の墓標が新しく建てられた。近年では、二〇〇四年一〇月一一日に「高知市立自由民権記念館友の会」の主催で、高知県出身の大逆事件犠牲者五名（幸徳秋水・奥宮健之・坂本清馬・岡林寅松・小松丑治）を追悼・顕彰する会が開かれている。[51]また、「幸徳秋水を顕彰する会」と「高知市立自由民権記念館友の会」によって、二〇一四年一二月一三日に小松丑治と中江兆民、二〇一五年一月二三日に岡林寅松と植木枝盛との合同墓参が行われた。このほかにも、二〇一六年一月二四日、幸徳秋水刑死一〇五周年墓前祭の記念講演会・交流会「非戦の系譜―大逆事件　土佐の先覚者たち―」で、「奥宮健之の雪冤を目指す会」の奥宮直樹が「自由党闘士奥宮健之」について講演し、筆者も「神戸平民倶楽部　小松丑治　岡林寅松」を発表している。

一方、神戸では、一九七三（昭和四八）年、龍谷大学助教授（当時）・酒井一が、兵庫県史編集専

門委員会が編集する『兵庫県の歴史』の第一〇号に「大逆事件と神戸」を寄稿している。これは兵庫県で発行されている雑誌にはじめて掲載された岡林と小松に関する研究である。翌一九七四（昭和四九）年にも、神戸史学会が『歴史と神戸』第一三巻第二号で、「大逆事件と神戸」という特集を組んでおり、郷土史家・小野寺逸也による長文の論考「神戸平民倶楽部と大逆事件」が掲載されている。そして、大逆事件から一〇〇年が経った二〇一〇年一二月二五日、治安維持法犠牲者国家賠償要求同盟兵庫県本部副会長（当時）の戸崎曽太郎らによって、神戸ではじめての大逆事件犠牲者を偲ぶ集会として、「「大逆事件から百年」兵庫県のつどい～神戸の犠牲者に思いを馳せて」が開催された。また、二〇一八年四月一日にも、「幸徳秋水を語る神戸のつどい」が「憲法を生かす会・灘」のメンバーを中心とした有志によって開催されている。

二〇一一年九月二四日、「大逆事件一〇〇年」を期して、幸徳秋水の出身地である高知県四万十市ではじまった「大逆事件サミット」は、堺利彦の出身地・福岡県京都郡みやこ町、管野須賀子の出身地・大阪市、大石誠之助らの出身地・和歌山県新宮市と続いて、二〇二〇年一〇月に神戸で第五回サミットが開催される予定であった。しかし、新型コロナウイルス感染症の拡大の影響により、神戸でのサミットは中止となった。だが、新宮でのサミット以降、第五回サミットの開催に向けた準備の一方で、神戸でも長期的な学習会・研究会を継続できる会の結成の機運が高まり、二〇二〇年一〇月三一日、灘区の神戸学生青年センターで約五〇名の参加者のもと、「大逆事件を明らかにする兵庫の会」の結成総会が開かれた。当日採択された会則の第三条（会の目的）には、「本会は、神戸において平民社の諸活動を先駆的に進め、大逆事件の犠牲となった、小松丑治、岡林寅松などの思想と行動について研究し、かつ大逆事件の真実を明らかにし、彼らの名誉回復・顕彰につとめることを目的とする」と明記されている。神戸での岡林寅松と小松丑治の本格的な名誉回復・顕彰運動はまだはじまったばかりである。

〈注〉

1　「小松丑治　小松はる宛書簡（一九二九年九月一〇日）」（渡辺順一「佐藤範雄の感化救済活動―両大戦間における大逆事件連座者及び無政府主義者達との交渉を中心に―」金光教教学研究所紀要『金光教学』第二七号　金光教教学研究所　一九八七年　七三頁）。

2　吉岡金市『森近運平―大逆事件の最もいたましい犠牲者の思想と行動―』（日本文教出版　一九六一年）三〇二～三〇三頁。

3　前掲「佐藤範雄の感化救済活動―両大戦間における大逆事件連座者及び無政府主義者達との交渉を中心に―」五四～五九頁。

4　「武田伝次郎　井上鍵之助宛書簡（一九二九年一〇月二二日）」（同右　七三頁）。

5　田中全氏からの教示。

6　同右教示。

7　『大逆事件アルバム　幸徳秋水とその周辺』（日本図書センター　一九七二年）一一九頁。

8　「幸徳秋水　大逆事件の同志　岡林寅松と語る（一）投獄されて二十一年目に更生した彼の述懐」（スクラッ

プ帳『藻屑籠　一』個人旧蔵）。

9 「幸徳秋水　大逆事件の同志　岡林寅松と語る（二）幸徳とは一度も逢つた事がない　何にも知らずに連坐」（スクラップ帳『藻屑籠　一』個人旧蔵）。

10 同右資料。

11 「幸徳秋水　大逆事件の同志　岡林寅松と語る（六）海民病院を訪れた内山愚童　応接で爆弾の話」（スクラップ帳『藻屑籠　一』個人旧蔵）。

12 「幸徳秋水　大逆事件の同志　岡林寅松と語る（十一）死刑宣告後の幸徳の述懐　歌に慰さむ岡林」（スクラップ帳『藻屑籠　一』個人旧蔵）。

13 中島の経歴については、鍋島高明『高知新聞ブックレットNo.１４　反骨のジャーナリスト　中島及と幸徳秋水』（高知新聞社　二〇一〇年）、鍋島高明編『中島及著作集　一字一涙』（高知新聞社　二〇一四年）参照。

14 荒木傳『なにわ明治社会運動碑（下）』（柘植書房新社　一九八三年）四三〇～四三一頁。

15 三宅史平「大会の日記」（『エスペラント La Revuo Orienta』第七年第六号　日本エスペラント学会　一九三九年六月一日　二～一〇頁）、「LA XXVII-a KONGRESO de JAPANAJ ESPERANTISTOJ Osaka,28-30 Aprilo,1939 OFCIALO PROTOKOLO（第二七回日本エスペラント大会公式議事録）」（『エスペラント La Revuo Orienta』第七年第八号　日本エスペラント学会　一九三九年八月一日　二九～四二頁）、『第二十七回日本エスペラント大会要綱』（第二十七回日本エスペラント大会準備委員会　一九三九年）参照。

16 第二七回日本エスペラント大会の趣意書の全文は次の通りである。

「聖戦の進展に伴ひ正義日本の立場を国際的に宣揚することは益々その必要性を増しつゝある。

過去一年あまり、世界のあらゆる層から、いはれなき誹謗が集注《ママ》されたにも拘らず、欧米のエスペラント同好者が一切沈黙を守り、事態を静観した態度こそ彼等が平素日本の真の姿を理解すること深く、その国民性を信頼すること厚き証左に他ならない。之に反し国民政府の要人達が全支のエスペランチストを陥落前の漢口に招致して、エスペラントを通じての国際デマ宣伝を慫慂し、欧米に対して個人通信に、文書宣伝に実に活発なる宣伝戦を敢行したが欧米のエスペラント新聞界では誰一人として支那のデマに耳を借した者はなかつた。この事実に直面して、吾々は、吾等日本エスペランチストの誠意が、彼等欧米人に対して如何に大きく作用してゐたかを寧ろ驚きをもつて自覚するのである。

世界のエスペランチストは吾等日本の数万のエスペランチストを通じて、誰よりも深く日本を知り、誰にも増して日本に信頼してゐる事がいよいよ明かとなつた。今日に至るまで永い間の、吾等の先輩の無言の宣伝が「宣伝でない宣伝」として吾等自身すら気付かないうちに、彼等の心を掴んでゐたのである。さればこそ吾等が今次聖戦について語るところを、彼等は疑ふことなく、ありのまゝに受け入れたのである。

今にして吾等は、宣伝は俄か作りのチンドン屋の業でないことをより明確に認識する。今や東亜新事態の黎明にあたつて、吾等の使命は一層重い。吾々はより一層強く深く欧米エスペランチストの心を掴み、彼等をしてまつさきに日本の真意を諒解せしめねばならない。祖国に対するいはれなき国際的誹謗を克服することは長期建設途上に於ける不屈の日本精神の発揚であり、一面日本の前進に対する、彼等欧米エスペランチストの、より深き理解の促進である。

この秋にあたり、吾々は、天長の佳節を期して全国より同好の士を招き、第二十七回日本エスペラント大会を、当大阪に於いて開催せんとす。意義深き新東亜建設の第一年に際し、名誉ある伝統を襟持せる大会を、躍進日本の心臓たる大阪市に迎へることは、吾々の最も光栄とするところである。」

（前掲『第二十七回日本エスペラント大会要綱』一～二頁）。

17　「大会参加申込者」（『エスペラント La Revuo Orienta』第七年第八号　日本エスペラント学会　一九三九年八月一日　四五頁）。

18　初芝武美『日本エスペラント運動史』（日本エスペラント学会　一九九八年）一〇六～一〇七頁。

19　「小坂賞委員会報告」（『エスペラント La Revuo Orienta』第七年第八号　日本エスペラント学会　一九三九年八月一日　二六頁）。

20　「小坂賞基金寄附者芳名（2）」（『エスペラント La Revuo Orienta』第七年第二号　日本エスペラント学会　一九三九年二月一日　四六頁）。

21　一九五七（昭和三二）年三月一〇日、坂本は関西エスペラント同盟の宮本正男に、次のような手紙を寄せている。

「宮本正男様

　3月4日付のおはがきを、8日朝五時高知市から帰宅して拝見しました。「1914年1月2日のザメンホフの手紙のあとに出て来ます」とありますが、1914年といえば大逆事件の裁判の判決の言渡しのあったのは、1911年1月18日でしたから、ちょうど3年後になりますね。”En Japanujo, 17 el la 24 tieaj eperantistoj, estis pendigitaj, pro ribelo”とありますが、これは間違いです。1911年の1月18日に、被告人26名の中24名が、死刑の言渡を受けて、翌19日の夜9時頃に、12名が特赦減刑で、無期懲役になったのです。そして減刑された12名が21日に千葉監獄へ3名、秋田監獄へ4名、長崎諫早監獄へ5名、分送せられた後で、24日に幸徳秋水、大石誠之助、森近運平、新村忠雄、宮下太吉、古河力作、松尾卯一太、新美卯一郎、成石平四郎、内山愚童、奥宮健之の11名が絞殺せられて、25日に管野スガ子が絞殺せられたのでした。

　この12名の中、ほんとうにエスペランティストといっていい人は1名もいなかったのです。但し幸徳、大石、森近の3人は学習したのかも知れません。その中で幸徳、大石は、英語の達人でしたから、簡短《ママ》なはがき文通位はしたかも知れません。とにかくエスペランティストであったという事実は、私には記憶がないのです。

私は最初大杉栄君が中国留学生にエス語を教えるのを、傍聴して覚えたのです。そして秋田監獄へ送られた後に、大杉君から

"Esperantaj Prozajoj" "Diversajoj" 「ハムレット」「新約聖書」（両方共エス訳）

を送ってもらって読んだのでした。ですから大逆事件の犠牲者の中でまあエスペランティストといっていいのは、私一人でした。然し出獄後、思想運動ばかりやって、折角25年の獄中生活でものにした英語も独乙語もエス語も引続けて学習しなかったので皆目忘れてしまったのです。大変残念に思いますので、七〇の手習いで、この頃またエス語を復習するかたわら、中国語を学習しています。ともかく出来るだけ努力して学習する決心でやっていますが、今日の私は、借金を如何にして返すかということ、日中友好を益々発展さして、両国国交回復の正常化を如何にして実現するかということ、大逆事件の裁判の再審請求の申請をするために、去る二十七年十一月に拵えた約四五万字の反駁書、二十八年十二月に拵えた約五万字の判決理由書の反駁書をもう一度増補修正すること、その他昨年八月から一〇月までに書いた「日本かなづかい」（標準語、共通語）の改革論の増補訂正などのために、用事が非常に多いので、語学の学習を一週間に三日なら三日と日を定めてすることが出来ないために、殆ど学習する時間がないような実情で困って居るのです。「貧乏暇なし」といいますが、全くよくいったものです。然し何等かの形で無政府主義社会実現のために活動することは、死ぬまで変らないのです。

日中国交正常化↓日中連邦建設（日中朝連邦建設）↓アジア連邦建設（アジア、アフリカ連邦建設）↓世界連邦建設↓世界無政府主義社会建設―これが私の思想の公式であって、私を万年青年で活動さす原動力です。

それで私は日本人民が、その基礎工作として、万人が働く社会、万人が働きさえすれば安楽に食える社会を造ることが出来るように、皆の人が安心して生活が出来る社会を造ろうという真面目な考をもっている人を、市町村議員、県会議員、国会議員に選ぶように心掛けてもらいたいとおもっています。その中一番大切なことは国会議員ではなくて、われわれの一番身近な市町村議員を、たとえ一人でもいいから信念の人、正義の人、人民の安楽な生活のためにほんとうに奉仕する人を、選挙することです。こういう人が市町村議会に二三人いて、人民を背景として、人民の欲する所を、掴んで之を実現するために、議会で斗うならば市町村政治はほんとうに人民の幸福のために、人民のする政治となるのです。無政府主義とか社会主義とか共産主義とかいう、赤や黒や白の旗色をハッキリすることは必要ではないのです。唯一つ大切なことは人民の生活を安楽にするために、徹頭徹尾、奉仕することです。

1957．3．10　朝4時30分　坂本清馬」

（「大逆事件とエスペラント」『La Movado』第一二一号　関西エスペラント連盟　一九六一年四月一日　四～五頁）。

22　「幸徳秋水　大逆事件の同志　岡林寅松と語る（七）土佐平民倶楽部の幹部と秘密文書の往復」（スクラップ帳『藻屑籠　二』個人旧蔵）。

23　西尾治郎平「岡林寅松とその妹（最終回）」（『大阪民衆史研究』第三六号　大阪民衆史研究会　一九九四年一〇頁）。

24　坂本昭「墓標─ここにも一人の犠牲者がいる」（『大逆事件の真実をあきらかにする会ニュース』第九号　大逆事件の真実をあきらかにする会　一九六四年　一頁）。

25　中島及編・幸徳秋水著『東京の木賃宿』（弘文堂　一九四九年）一五頁。

26　幸徳富治・岡林寅松・坂本清馬談「大逆事件座談会」（前掲『東京の木賃宿』五三～五六頁）。
27　同右　五六頁。
28　同右　五八頁。
29　「岡林真冬　森長英三郎宛書簡（一九四六年一二月三日）」（渡辺順三編『菊とクロハタ　幸徳事件の人々』新興出版社　一九六〇年　二〇四頁）。
30　前掲『大逆事件アルバム　幸徳秋水とその周辺』一二一頁。
31　同右　一二〇頁。
32　同右　一二〇頁。原文はローマ字。判読は森山誠一氏による。
33　森長英三郎・大野武夫・坂本昭・田辺裕丈・鍋島友亀・藤本幹吉談「大逆事件に連座した岡林寅松のことども―森長英三郎氏をかこんで―」（『るねさんす』第二〇一号　高知県教職員組合　一九六四年　三五頁）。
34　同右　三五頁。
35　前掲『東京の木賃宿』一八～一九頁。
36　「Nekrologo」（『エスペラント La Revuo Orienta』第一七年第七号　日本エスペラント学会　一九四九年七月一日　三二頁）。
37　『日本組合多聞基督教会隔週報』第二〇一号（神戸多聞教会　一九三一年五月三一日）一頁。
38　大野みち代「小松はるさんのこと」（『大逆事件の真実をあきらかにする会ニュース』第一二号　大逆事件の真実をあきらかにする会　一九六六年　一二頁）。
39　森長英三郎「大逆事件の再審請求棄却余聞」（『文化評論』第七四号　日本共産党中央委員会　一九六七年一一月一日　一一五頁）。

40 前掲「小松はるさんのこと」一二頁。
41 前掲「岡林真冬　森長英三郎宛書簡（一九四六年一二月三日）」二〇五頁。
42 田中伸尚『一粒の麦死して　弁護士・森長英三郎の「大逆事件」』（岩波書店　二〇一九年）一五六～一五七頁。
43 前掲「小松はるさんのこと」一二頁。
44 前掲『一粒の麦死して　弁護士・森長英三郎の「大逆事件」』一五七頁。
45 「訃報」（『大逆事件の真実をあきらかにする会ニュース』第一五号　大逆事件の真実をあきらかにする会　一九六七年　二五頁）
46 大野みち代「ある老女の死―大逆事件余聞―」『高知新聞』一九六七（昭和四二）年四月一九日。『大逆事件の真実をあきらかにする会ニュース』第一九号（大逆事件の真実をあきらかにする会　一九七一年）にも全文転載されている。
47 前掲「訃報」二五頁。
48 絲屋寿雄「小松丑治さんの墓前祭」（『大逆事件の真実をあきらかにする会ニュース』第一一号　大逆事件の真実をあきらかにする会　一九六五年　四～五頁）。
49 前掲「墓標―ここにも一人の犠牲者がいる」一頁。
50 森長英三郎「大逆事件墓誌」（『大逆事件の真実をあきらかにする会ニュース』第一一号　大逆事件の真実をあきらかにする会　一九六五年　一〇頁）。
51 窪田充治「高知県出身の大逆事件犠牲者五名を追悼・顕彰する会ひらく」（『大逆事件の真実をあきらかにする会ニュース』第四四号　大逆事件の真実をあきらかにする会　二〇〇五年　一一～一五頁）。

第一三章　『新仏教』における井上秀天の論説

井上秀天と『新仏教』

「神戸平民倶楽部」の会員で、大逆事件で取り調べを受けたのは、岡林寅松・小松丑治・井上秀天・中村浅吉の四名である。このうち、岡林と小松は「大逆罪」で起訴された。井上と中村は、起訴は免れたが、事件後の動向がわかっているのは井上のみである。

大逆事件後の井上は、事件では結局不起訴となったにもかかわらず、大正年間は「要視察人」として常に官憲の監視下におかれることになった。大逆事件後の動向がわかっていない中村についても、井上と同じように「要視察人」となっていたと考えられる。大逆事件後は官憲の監視下におかれていた井上であったが、事件後にもかかわらず、彼は事件前から寄稿を続けていた仏教雑誌『新仏教』で連載をしている。井上が『新仏教』に寄稿した論説などは、全部で八七本にもなるが、そのうち大逆事件後に掲載されたのは六九本である。

『新仏教』は、一八九九（明治三二）年一〇月に高島米峰・境野黄洋・田中治六・杉村縦横（楚人冠）によって結成された「仏教清徒同志会」（一九〇三年に「新仏教徒同志会」に改称）の機関雑誌として、翌一九〇〇（明治三三）年七月に創刊された。新仏教徒同志会は、「我徒は仏教の健全なる信仰を根本義とす」、「我徒は仏教及び其の他宗教の自由討究を主張す」、「我徒は迷信の勦絶《そうぜつ》を期す」、「我徒は宗教に対する政治上の保護干渉を斥く」などの綱領を掲げて結成された。その綱領のひとつに、「我徒は健全なる信仰智識及び道義を振作して、社会の根本的な改善を力《つと》む」とあるように、一九〇二（明治三五）年二月一日発行の『新仏教』第三巻第二号で足尾銅山鉱毒問題に関する特集を組むなど、社会問題に対しても関心を寄せていた。そのため、新仏教徒同志会は、社会主義とは一線を画していたが、社会主義者とは非常に親密な関係にあった。

高島米峰や境野黄洋は官憲から監視されており、田中治六・杉村縦横・毛利柴庵《さいあん》は社会主義に関心をもち、社会主義者と親交があった。また、社会主義者で新仏教徒と交流があったのは、幸徳秋水・堺利彦・森近運平・荒畑寒村・木下尚江・石川三四郎などで、とくに堺の書籍の多くは高島が経営する鶏声堂や丙午出版社から刊行され、幸徳の遺稿『基督抹殺論』も大逆事件後まもなくに高島が出版したものである。

井上がいつごろ新仏教徒同志会の会員になったのかは不明だが、一九〇四（明治三七）年五月発行の『新仏教』第五巻第五号の「会員動静」には、「井上秀天君　曹洞宗軍隊布教師となる。（第十一師団附）」[1]とあり、一九〇四（明治三七）年五月までには会員になっていたことは確かである。なお、岡林寅松と小松丑治も『新仏教』の読者であり、岡林は岡林真冬の名前で「私は、新仏教第一号よりの読者です。自ら新仏教徒を以て任じて居ます。森近赤人（注・森近運平）君は、よく通常会へ出ますねエ。神戸で新仏教の読者は、井上秀天君と、小松天愚君と二人知ツて居ます」[2]と通信を寄せている。

神戸平民倶楽部の会員時代における論説

井上が『新仏教』に寄稿をはじめたのは、肺結核のため戦地から後送され、須磨で療養していたころである。一九〇六（明治三九）年一月、井上がはじめて『新仏教』に寄稿した「須磨病間録」では、日本人の国民性を次のように批判している。

　日本は確に名誉の国と云ふべきものならん。されど（略）日本は亦確に不幸の国なり。蓋し世界の第一等国とは、自殺を以て名誉とし、菜食を以て誇とし、身幹の倭《ママ》小なるを以て高ぶり、不道徳大臣を上に戴き居ることをも意に介せず、平時に怯且つ不義にして、徒に戦時にのみ名誉?を博する国民を有する国の謂ならんか。

そして、日露戦争での従軍布教師兼通訳としての経験から、日本軍は「殺人の巧妙なる点」においてはロシア軍よりも優れているが、負傷兵の救護は「負傷兵を先にして死人を後に」する日本軍に対して、ロシア軍は「死者を先にして傷者を後にすること実に当然の道と云ふべし。予はこの意味に於てロシヤ人の人道を解し赤十字旗を神聖視することの重きを喜ぶものなり」と評価している。軍人の宗教心については、「釈迦、キリスト来るも、堕落せる日本軍人の前に於ては、その為す所、蓋し今の従軍布教師に同じからん。日本軍人の精神的要求は、落語家の落語以上に高からず」と述べている。さらに「大多数の日本人」に「唯有するものは、下等動物通有の下劣根性のみ」と、兵士のみならず、多くの国民が日露戦争の勝利によって、自らの堕落した精神性を自覚しないことを批判し、「予は今の政府当局者大官連の保持せる徳操と、彼等の敵視せる社会主義者の徳操と比較して見たく欲するものなり」と書いている。[3] 井上が「神戸平民倶楽部」の会員になったのは、この「須磨病間録」が掲載されてから四ヶ月後の一九〇六（明治三九）年五月のことである。井上の「神戸平民倶楽部」への入会には、「政府当局者大官連の保持せる徳操と、彼等の敵視せる社会主義者の徳操と比較して見たく欲するものなり」という考えが根底にあったのであろう。

一九〇八（明治四一）年六月の「晩春の小気焔」では、「神戸は中々便利な処。内外文明の交叉点に位置を占め、実以て調法至極な都会ではあるが、これには「金銭の十分にある者には」と傍註を施しておかねばならぬ」と述べ、戦争を遂行する政府と、神戸の市民性を批判している。

△金銭の為めに眼を黒白させてをるのは大日本帝国の政府様ばかりではなく、神戸の市民も金銭にかけては神仏以上の智慧を持つて居る。大日本帝国も戦争をしては借金をし戦争をしては国民を殺し、斯様な事を名誉がつて繰返して居れば遂には大君の為め、国家の為めに餓死せねばならぬ所謂一旦緩急あつて餓死以て公に奉ずる時が来るかも知れぬ。予輩はそれまでに極楽の桟敷を一枠位予約買入を申込んでおきたいものだ。

△神戸の空気は実に清潔で新鮮である。（略）肺病の初等科に属する人は神戸で一二年もくらせば全治保険つきである。併し神戸の人は貧乏人には至つて不親切な方々であるから、銭のない肺病患者は決して来る可らずだ。文明の濁流は肺病患者には大の禁物。神戸に来れば寿命が三年位

縮まつて極楽行のはやまること、これ亦保険つき。

最後に、「日本の政府者は中々かしこい。社会主義者と芸術家に対し盲滅法界に圧政を下賜する実に難有きことである。これも法律万能主義から割出したる結果であらう」と政府による社会主義への取り締まりを批判し、「「新仏教」にコンナ事をかきをると、圧政を下賜せらるれかも知れぬからこの位で御免を蒙ることにする」と言論・思想の自由に対する弾圧への皮肉を込めて論説を締めくくっている。[4]

井上は、一九一〇（明治四三）年八月九日に執筆した「不問答」でも、言論・思想の自由に対する弾圧を批判している。その内容は、小説家・小山内薫の短編小説集『笛』が風俗壊乱で発禁処分になったことに関係して、「実際に於て言論の自由、思想の自由、出版の自由は日本にはないと申しても差支あるまいと予輩は思ふ。併し貴族乱行の自由、高等官吏淫行の自由はたしかに日本にはある」といい、「一宴会の氷代に千幾百円の大金を費し、以て之を光栄とし、学校の校舎で芸妓にとりまかれて大酒宴を張り、以て之を名誉とする貴族大臣の存在する限り、国民に強いて戊申詔書の聖旨を体得実行せしむる事は、絶対に不可能である」としている。また、学校火災の際に御真影を取り出すために火中に飛び込んで焼死した学校職員の事件を取りあげ、それが「真正なる愛国者の標本」でなければ、「却て大御心を悩まし奉る事になる」と指摘している。さらに井上はこの論説のなかで次のことを記している。

予輩は昨夏から今夏にかけて、三人の探偵君に五六度訪問せられた。この至つておとなしい、悪気のない、完全に近い予輩を内務省では社会主義者の連類者爆裂弾組の一人と見做しておるとの事。馬鹿々々しくて仕方がないが、こゝ真正なる忠君愛国者の本旨に依り、肝癪《ママ》玉の破裂は、まづぬきにして、頗る紳士的態度を以て探偵君に会見した。探偵君も亦至つて紳士的態度を以て、頗る探偵君らしからぬ、叮嚀此上なき言葉を以て予輩に接した。他日閑の時に「内務省廻はしの探偵君の訪問を受る記」をかいて見る積りであるから、探偵君の事に就てはマアこんな事でやめておく[5]。

この論説は、大逆事件の捜査が行われているさなかに書かれたものであり、政府による社会主義への弾圧を批判する意味も込めて書かれたと思われる。井上は、『新仏教』に社会批判や平和論に関する論説をたびたび寄稿していたうえ、「神戸平民倶楽部」の中心人物である岡林寅松や小松丑治をはじめ、幸徳秋水・森近運平ら中央でも活動していた社会主義者とも交流をもっていた。そのため、大逆事件が起こる以前から、井上は兵庫県下の社会主義者もしくはそのシンパとして、官憲からの監視対象になっていたのであろう。

大逆事件

さきにふれたように、神戸での大逆事件の捜査は、一九一〇（明治四三）年八月三〇日明け方から行われた。この日、井上は神戸地方裁判所判事・矢部克己らによる家宅捜索を受け、幸徳秋水・森近運平・武田生（武田九平と思われる）などからのはがきをはじめ、河上肇『社会主義評論』、山口義三（孤剣）『社会主義と婦人』、クロポトキン著・幸徳秋水訳『麺麭の略取』、『東京社会新聞』、『日本平民新聞』、一九〇七（明治四〇）年から一九〇九（明治四二）年までの日記三冊が押収された。[6]同年九月二日、井上は重要参考人として神戸地方裁判所検事局で取り調べを受けた。同年九月二八日に岡林寅松と小松丑治が起訴され、二人の身柄は東京に移されたが、井上も一〇月一一日に東京地裁検事局に呼び出され、参考人として取り調べを受けた。森長英三郎によれば、そのときの井上の供述調書と、彼が検察に提出した長文の弁明書が事件の訴訟記録に残っているとのことであるが、[7]確認する機会を得ていない。一九一一（明治四四）年一月一八日、大逆事件の判決が出され、岡林と小松は死刑判決を受けたが、翌一九日に無期懲役に減刑され、長崎県諫早監獄に送られた。井上は、事件では結局不起訴となったが、大正年間は「要視察人」として常に官憲の監視下におかれることになった。しかし、近代日本仏教史研究者の赤松徹真は、「事件を契機として「要視察人」の烙印を押されたことは、彼（注・井上秀天）の曹洞宗教団とそれに所属する僧侶としての歩みを断念させる決定的な画期となった」[8]としている。

大逆事件後の井上は、「要視察人」となっていたこともあってか、社会主義者と交流をもったという記録は現在もみつかっていない。しかし、事件後も社会主義者に好感をもっていたようで、『新仏教』に投稿した論説には大逆事件や社会主義に言及したものもある。

一九一一（明治四四）年四月の井上の「雑記帳」によれば、大逆事件後まもなくにもかかわらず、高島米峰が大胆にも幸徳秋水の遺稿『基督抹殺論』を出版した勇気に快意をしめしている。[9]同年三月、堺利彦はイギリスの作家ジェローム・K・ジェロームのユーモア随筆集『Idle Thoughts of an Idle Fellow』を、貝塚渋六の名前で翻訳し、『ノンキ者のノンキ話』という題で刊行しているが、井上はその訳書を次のように評している。

堺枯川氏の『ノンキ者のノンキ話』は原著者の筆に劣らぬ面白味のある軽妙な訳筆であるが、予は訳筆そのものより、寧ろその植字の上に存する苦心のあとに感服する。一例をあげると、促音の「つ」を本文のタイプより一層小さくして、「あつた」を「あった」してあるなどは、確に枯川氏のおてがらであると思ふ。僅一四六頁の小冊子ではあるが、その植字上に払はれた枯川氏の周到なる注意は実に莫大なるものである。[10]

その堺は、一九一二(明治四五)年六月二八日、高島米峰とともに、『社会契約論』で知られるフランスの哲学者ジャン＝ジャック・ルソーの生誕二〇〇年を記念する晩餐会を東京神田淡路町の料亭・多賀羅亭で開き、その後場所を移して講演会が神田美土代町のキリスト教青年会館で開催された。晩餐会の参加者は、主催者の堺・高島をはじめ、荒畑寒村・大杉栄・三宅雪嶺・高畠素之ら約四〇名であり、講演では堺・高島・三宅らがルソーの思想などについて論じた。この講演会の会場は一〇〇名を超える警官隊に取り囲まれていたという。[11] 一九一二(大正元)年八月の「小噴火口」では、このルソー二〇〇年記念を開催した堺と高島の大胆不敵さを「予は実に敬服の至りである」とたたえ、「世の凡人は徒らに危険思想だとか、無〇〇主義(注・無政府主義)とかを恐怖するが」、貧困や戦争を生み出す「危険政治や無人道政治の方が、ヨッポド戦慄すべきものではあるまいか」と述べている。[12]

一九一一（明治四四）年九月、平塚らいてうらによって「青鞜社」が結成された。それに関連して、一九一三（大正二）年五月には、「日本にかつて、〇〇〇〇者（注・社会主義者）が出た時に、余はこれを不祥事と思はす、却て日本の思想界が進歩の階梯に一歩を高めたのであると云ふ事実を立証するものであると信じた」が、青鞜社の誕生は「久しく旧慣に捕はれて奴隷根性の上に安心立身して居る日本の女性が、やゝ覚醒しかけた兆」であり、彼女たちの主張と行動は「多少批難すべき余地があるにしても、兎に角、『新しい女』は中々面白い種類の女、話相手にする価値ある女」であると書いている。[13] 青鞜社は、機関雑誌として『青鞜』を発行していたが、その編集にはのちに大杉栄の内妻となるアナキストの伊藤野枝が参加しており、大杉や荒畑寒村も青鞜社の運動に関心を寄せていた。伊藤・大杉・荒畑ら社会主義者や無政府主義者が青鞜社の運動に関わっていることから、井上もその運動に関心を寄せるようになったのであろう。

大逆事件弁護人で、与謝野鉄幹・晶子夫妻らによる詩歌雑誌『明星』同人の歌人・作家でもあった平出修は、総合雑誌『太陽』一九一三（大正二）年九月号に、大逆事件の裁判を描いた小説「逆徒」を発表した。井上は、この「逆徒」を一読しており、「斯様な実話に近い小説は後世の歴史家を益すること多大…後世の歴史家が〇〇〇〇（注・大逆事件）の真相を剔抉する上に多大の光明を与へるものである」[14]と推奨している。しかし、「逆徒」が掲載された『太陽』は、一九一三（大正二）年九月一日に出されるも、その日の未明に新聞紙法によって発禁処分となった。井上は政府当局による言論の弾圧への批判の意味合いを込めて「逆徒」を推奨したのであろう。ただ、井上と同じく発禁となった『太陽』を手にした読者も少なからずいたようで、作家の相馬御風は同年九月四日に「僕の知つた者の間でも随分もう買つて居た人が多い様子です。あなたの御骨折は決して無駄にはならなかつた事と思ひます。（略）僕も運よく買ふ事が出来まして、昨夜ゆつくり拝見しました」[15]と平出に手紙を寄せている。

大逆事件後、日本の社会主義運動は「冬の時代」をむかえた。「冬の時代」における社会主義に関する言論活動は、堺利彦の『へちまの花』や『新社会』、大杉栄・荒畑寒村らの『近代思想』や月刊『平民新聞』がよく知られている。しかし、井上のように、大逆事件では重要参考人として取り調べを受けたにもかかわらず、「冬の時代」においても社会主義に好意的な論説を在野から寄稿していたことは特筆すべきである。

井上の平和論

大逆事件後の一九一一（明治四四）年一二月、井上は自らの平和論を明確に打ち出した「平凡極まる平和論」（『新仏教』第一二巻第一二号　一九一一年一二月）[16]を発表している。この論説は、一九一一（明治四四）年八月三〇日、避暑のため滞在していた長野県軽井沢でデビッド・S・ジョルダン博士の講演会を聞き、それについてのちに検討するような批判を加えたものである。ジョルダンは、魚類研究で世界的に知られたアメリカの生物学者で、日本の魚類分類研究にも大きな功績を残しており、第一次世界大戦ではアメリカの参戦に反対し、世界連邦主義を提唱した人物である。なお、井上の平和論は、「平凡極まる平和論」のほかに、「偉大なる平和論」（『新仏教』第一三巻第一号　一九一二年一月）、「仏教と戦争（上）・（下）」（『新仏教』第一三巻第五号・第六号　一九一二年五月・六月）がある。しかし、「偉大なる平和論」と「仏教と戦争（上）・（下）」は、いずれもビルマ（現・ミャンマー）の地方行政官ハロルド・フィールディング＝ホールの著書を井上が翻訳したものであるため、ここでは「平凡極まる平和論」を中心にして、井上の平和論を取りあげていくことにする。

「平凡極まる平和論」の内容は、「平和の日本は平和の説法をなすには差支のない国であつて、平和の日本におる日本人は平和の説法にお祭騒ぎをなし、自ら平和を愛する国民を以て任じ」ている。しかし、戦争状態になると、「平和の福音に耳を傾けざるのみか、平和、非戦など、苟も人間らしき言語を口にし、耳にすることを厭忌し、平和主義、非戦主義の上に立つて、人道の大義を師子吼する者を、非人扱にし、国賊視して、自ら大忠臣、大愛国者を以て許す国民である」と述べ、「予輩は日本及日本人の大多数が、果して平和―正しき意味に於て真の平和を愛する国民であるか否かを疑ふものである」と日本国民のありようを批判している。さらに、戦争がない状況にだけ、平和を唱える平和論者についても、次のように言及している。

予輩は平和の時代のみに在て、徒らに平和を騒ぎたてる人物を避忌する。戦時に在ては戦争狂に雷同附加して、殺戮を以て慈善事業の如く心得、戦争の罪悪に正義の文字を冠らせて、国民を挙つて殺伐非道に誘導し乍ら、平和の時世に処してのみ、根拠なき無意味なる平和を鴉鳴雀噪する所謂平和論者は、畢竟職業としての平和論者―露骨に云へば、パン問題より割出されたる平和論者であつて、決して尊重すべき、傾聴すべき性質のものではないのである。

ここで井上は『新約聖書』にも書かれている「人は麺麭のみにて生くる者に非ず」という「パン問題」を持ち出しているが、これはクロポトキン著『麺麭の略取』からの影響と考えられる。実際、一九〇八（明治四一）年末ごろ、井上は岡林寅松を通じて、小松丑治・中村浅吉とともに、幸徳秋水訳・秘密出版の『麺麭の略取』の購入を申し込んでおり、大逆事件の家宅捜索の際にはそれが押収されている。

井上によれば、「平和の時世に処してのみ、根拠なき無意味なる平和を鴉鳴雀噪する」ような平和論者は、単なる帝国主義を支持する人間であり、その平和論は軍備の弁護に過ぎない。そして、「戦争は如何なる名称の下に行はれても、無上の罪悪である、（略）戦争は行為そのものが業に罪悪であつて、その目的と動機の如何によつて、正義不正義の別の存すべきものでない、要するに戦争は利を目的とせる不仁の行為、修羅の殺戮であつて、その人道を距ることは実に百億万由旬よりも尚遠いのである」と断言する。また、井上の批判は当時の宗教家にも向けられている。

然るに世の平和論者の多くは…絶対的平和主義の上に安心立命すべき宗教家まで―キリスト教の牧師連宣教師連も、仏教の僧侶も―戦時に在ては曲学阿世、無暗に主戦論者に雷同附加して、戦争の罪悪に正義の実冠をのせかけ、殺戮の惨劇を仁義の軍なりとコジツケて、世の没理漢の歓心を買ふことのみに心がけ、徒らに平時にのみ、心にもなき平和論を叫号して、以て自己の虚名を衆愚の前に広告せんとつとめをる。斯の如き者は、実に衷心平和を愛するものではなく、たゞ名聞利益のために、浮気半分に平和論を口になすものであつて、其平和論たるや、根蒂なく、生命なく、半文銭にも値せぬものである。這個軟骨なる平和論者が、幾百千万人あつても、決して地上に平和を期待することは出来ぬのである。

一九〇四（明治三七）年二月に日露戦争が勃発すると、曹洞宗は同年二月一五日に「普達 甲第十一号 全国末派寺院」を出して、全国各地の門末寺院に戦争への協力を呼びかけている。

今般露西亜帝国ニ対シ宣戦ノ詔勅ヲ発セラレタルニ就テハ全国末派寺院及一般僧侶タル者深ク叡慮ヲ奉戴シ左ノ件々ヲ体得シテ忠君報国ノ志ヲ発揮シ此国家有時ノ際ニ於ケル各自ノ本分ヲ完ウスヘシ

一 各寺院毎朝特ニ天皇陛下ノ玉体康寧聖寿無彊ヲ奉祝シ帝国陸海軍人ノ身体健全武運長久ヲ祈念スヘシ

二 各寺院僧侶説教若クハ法話ヲ為スノ際檀家信徒ニ対シ其職務ヲ励ミ且忠勇ノ精神ヲ以テ節険ノ美風ヲ養ヒ切ニ帝国陸海軍人ヲ慰恤スルコトヲ奨ムヘシ

三 各寺院僧侶ハ此際各自ノ衣資ヲ節シテ当局告示ノ旨趣ニ準シ応分ノ恤兵金ヲ寄附スルコトニ努ムヘシ[17]

井上と同じ曹洞宗僧侶の内山愚童が大逆事件に連座した際、曹洞宗は内山を「宗内擯斥《ひんせき》」（永久追放）処分としている。事件から八〇年後の一九九三年四月一三日、曹洞宗は内山に対する処分を取り消したが、その際に教団は「宗門の一連の処置は、当時の天皇制支配の国家権力に対し、仏教思想の独自性に生きた宗門僧侶を守ることより、むしろ強力に体制側に立った措置であった」、「その時々の政治権力や天皇主権国家に迎合してきた時代を反省し、（略）今日おかれている教団の社会的立場をしっかりと捉えなくてはならない」と述べている。[18] 当時の仏教教団がいかに国家や政治権力に迎合してきたかがうかがえる。

そして、平和とその実現について、井上は「肉―物質上からのみ解決せらるべき問題ではない、世界の平和は世界人類の内心に、平和を樹立することによつて完成せらるべきものである」として、次のように述べている。

平和は宗教の理想、目的であつて、宗教的根蔕なき平和論は、真に地上に平和をもとめんとする善良なる方法として、あまり価値のあるものでない。実に平和は宗教の最終目的である、宗教をはなれて、人類は理想たる―永遠の光明ある平和は成立せぬのである。よし斯の如き平和は幾百万年の後にあらでは、実現し得ざるものとしても予輩人類は人類のつとめとして、宗教を通じて、真の平和を追ふて進むべきものではあるまいか。

仏教にせよ、キリスト教にせよ、宗教は何れも平和主義の上にたてられたるものであつて、その教祖は何れも人類の平和を理想としてをる偉大なる平和論者である。今日の所謂平和論者の如く、富国強兵の我執にとらはれたる、利己的我田引水的似而非平和論とは雲泥の相違があるのである。

井上は、「平和は宗教の最終目的である」、「宗教を通じて、真の平和を追ふて進むべき」と、仏教やキリスト教をはじめとする宗教に基づいた平和の実現を主張している。彼の平和論は、「パン問題」のような経済的な理論ではなく、宗教的な理念に基づいたものであったことがうかがえる。最後に井上は、再び宗教に基づいた平和の実現を唱えて、この「平凡極まる平和論」を締めくくっている。

宗教の上に国境はない、宗教の教祖の眼から見れば、四海はすべて皆同胞、人類はすべて兄弟姉妹である、真の平和論は、実にこの一大信条―一大信念―一大事実から湧出せねばならぬのである、この一大信念を除外としては、真の平和は決して求め得らるべきものでない。（略）這個宗教的一大信念の上に立脚地を有せざる平和論は、唯これ軍備の弁護にすぎないのであつて、必ず後に至つて来るべきヨリ強大なる、ヨリ悲惨なる、ヨリ悲惨なる戦乱に伴はれてをるものである。

予輩は、世に擾々として溢れをれるキリスト教宣教師牧師、仏教僧侶の大多数が、自己の教祖の一大信念、一大理想を閑却して、徒らに宗教を以て生活の資を得る材料に使用しをれるを見て、実に人道のために浩嘆にたへぬのである。

明治維新後の日本は、西欧列強に追いつくために、強引な西欧化から近代化を行い、富国強兵・殖産興業を押し進め、西欧諸国の植民地政策に追随した帝国主義的諸政策を推進していった。その結果、日本は日清・日露戦争や韓国併合・第一次世界大戦などを経て、大陸への進出を進め、台湾・朝鮮半島などを支配して領土を拡張するなど、軍国主義の道を突き進んできた。そして、当時の仏教教団は、軍国主義へと突き進む国家や政治権力に迎合してきたのである。国家や政治権力に迎合する宗教に対して、井上は「為政者に利用された宗教は去勢された牛馬の如きもので、宗教としての生命は絶無である。自己の宗教を去勢された牛馬に等しからしめて貫いたくて大騒ぎをやる宗教家こそ至愚」[19]と批判している。井上の社会批判や平和論は、軍国主義へと突き進む国家に協力する仏教をはじめとした宗教教団に対する不満や反発が根底にあったと思われる。

官憲記録にみられる井上秀天

一九一四（大正三）年六月二八日、バルカン半島の北東に位置するサラエボで、オーストリア・ハンガリー帝国皇太子夫妻が暗殺された。このサラエボでの事件をきっかけに、同年七月二八日、第一次世界大戦が勃発した。この大戦では、日本は日英同盟を理由に、アメリカ・イギリス・フランスなどの連合国陣営に加わり、ドイツ領であった中国・山東省や南洋諸島などに兵を進めた。

第一次世界大戦に対しても、井上は「須磨の浦より」（『新仏教』第一六巻第一号　一九一五年一月）や「日英同盟病を診察す」（『現代通報』第二号　一九一五年四月二一日）、「軽佻なる政府と国民」（『現代通報』第三号　一九一五年五月二一日）などで日本の参戦を批判した。そのため、一九一五（大正四）年六月現在の社会主義者視察取締経過報告書である『特別要視察人情勢一斑　第五』（内務省警保局作成）の第六款「時事問題ト要視察人」の「欧州戦乱及我帝国ト独墺両国トノ国交断絶ト要視察人」の項目には、安部磯雄・荒畑寒村・石川三四郎・堺利彦らとともに井上の名前が載っている。

第六款　時事問題ト要視察人

茲ニハ時事問題又ハ時々ノ出来事ニ対スル要視察人ノ行動及其ノ感想等ヲ蒐集セリ（略）

（1）欧州戦乱及我帝国ト独墺両国トノ国交断絶ト要視察人

大正三年六月二十八日「ボスニア」州ノ首都「サラジエヴオ」ニ於テ同地巡遊中ナリシ墺洪国皇儲「フエルヂナンド」大公殿下及同妃殿下カ「ボスニア」州民ニシテ塞爾維種ニ属スル井土青年ノ為ニ暗殺セラル、ヤ政治上、人種上、地理上又ハ国際関係等種々ナル事情ヨリシテ欧州ノ風雲頓ニ険悪トナリ同年七月二十八日墺洪国ハ塞爾維ニ対シ宣戦シ次テ独逸及土耳古ハ墺洪国側ニ立チ露、仏、英、白耳義、黒山国、伊太利ノ各国ハ塞爾維側トナリ各其ノ対手国ニ対シテ宣戦シ我帝国モ日英同盟協約ノ関係上英国ト行動ヲ共ニスルノ已ムヲ得サルニ至リ同年八月十六日独逸ニ対シ同月二十三日正午迄ノ回答期限ヲ附シテ最後通牒ヲ発シ期日ニ及フモ応諾ノ回答ナキ為同月二十三日同国ニ対シ宣戦ヲ布告セラレ延テ墺洪国トノ国交モ亦断絶シ墺洪国皇儲殿下及同妃殿下ノ薨去ハ茲ニ乃チ十一個ノ交戦国ヲ存スル一大戦乱ト化シ于今其ノ状態ヲ持続シ居ルノミナラス殆ト其ノ終局ノ予測シ得ラレサルモノアリ（略）

叙上ノ戦乱ニ付テハ要視察人ノ一般ハ独逸ノ横暴カ斯ル事変ヲ発生セシメタルモノナルコトヲ口ニシ殊ニ日独開戦ニ対シテハ三国干渉当時ヲ追懐シ宿怨重ナル独逸ハ飽迄モ之ヲ膺懲シテ国民ノ鬱憤ヲ霽サヽルヘカラスト為セルモ主義信念ノ深キ者ニ在リテハ筆ニ口ニ或ハ戦争ノ罪悪ナルヲ述ヘ、軍務ニ服スルノ悲惨ナルヲ説キ或ハ戦後主義者ノ運動ノ激烈ナルヘキヲ唱ヘ、日独開戦ヲ

非議シ其ノ他注意ヲ要スル言動ニ出テタルモノナキニアラス今是等ノ重ナルモノヲ取テ左ニ之ヲ掲ク（略）

（ク）井上秀夫《ママ》（兵庫）

○大正四年一月一日発行雑誌「新仏教」（東京ニ於テ高島大円ノ経営セルモノ）第十六巻第一号掲載「須磨の浦より」題スル記事ノ一節抜萃

今ヤ世界列強と申す大馬鹿者がダムダム弾や飛行機の爆弾投下をトヤカク申して居ますがこれもたしかに天下至愚の一種に相違ありませんダムダム弾や飛行機の爆弾投下が野蛮の行動であると思ふほどマダ多少なりとも人間せしい考を持つて居る列強が動物地《ママ》味た戦争に従事するとは実に矛盾至極のことではありませんか要するに有為天変定まりなきこの無常の娑婆に在てヤレ英国ヤレ日本ヤレ独逸ヤレ露国ヤレ何ト水の上に漂泊して居るこの国土に執著して互ニ我見我慢の押合をしてをる○○○○信者こそ実に凡夫迷妄のはなはだしきものでハありますまいか…実に人間の愚ほど憐れなものはありません

○大正四年四月二十一日発行雑誌「現代通報」（発行地東京以下同シ）第二号掲載「日英同盟病を診察す」ト題スル記事ノ一節

あゝ、日英同盟の妙薬も、かゝる危篤に相成候ては、迚も馬糞ほどの効能もありますまい。ソレニ日英同盟を第一の理由として、あわてがましくも、独逸に対して、戦争するとは、これこそ、頭痛膏薬を肛門にはりつけて、痔をいぢめようとして居る様なもので、はられた膏薬こそヨイつらの皮とでも申すべきでありませう。

○大正四年五月二十一日発行雑誌「現代通報」第三号掲載「軽佻なる政府と国民」ト題スル記事ノ一節

海軍が南洋に出動しました。陸軍が青島に出征しました。これで、金銭を一攫したものは、陸海軍の高級武人と御用商人のみ。国民の大多数は、高い税金を払はせられて、その上に、馬鹿を見せられておまけに、ひどい目に逢はせられるのであります。元来、戦争に提灯行列なんかやる人間が馬鹿の骨頂と申すべきであります。[20]

また、井上は一九一八（大正七）年一月一日に知人へ出した年賀状でも、第一次世界大戦を批判する文言を書いている。そのことについても、一九一七（大正六）年五月二日から一九一八（大正七）年五月一日までの社会主義者視察取締経過報告書である『特別要視察人情勢一斑　第八』の「欧洲戦乱ト要視察人　附露国第二次革命ト要視察人」という項目に、堺利彦・安部磯雄らとともに井上の名前が掲載されている。

（二）　欧洲戦乱ト要視察人　附露国第二次革命ト要視察人

欧洲戦乱ニ対スル要視察人其ノ後ノ言動中重ナルモノヲ掲クレハ左記ノ如クニシテ彼等ハ其ノ会合又ハ刊行物誌上等ニ於テ戦乱ニ関スル論議ハ常ニ之ヲ試ミツ、アルモ其ノ多クハ第五篇以下ニ叙スル処ト大同小異ナルヲ以テ茲ニ之ヲ省略シ重複ヲ避クルコト、セリ（略）

七　井上秀夫《ママ》（兵庫在住）ハ大正七年一月一日知人ニ発送セシ年賀端書中ニ左記ノ字句ヲ刷入セ

リ

世界的大戦乱の中に、また新しき年が来ました、この貴重なる生命と光陰とを、血腥き戦争のために浪費することは実に愚の至りです狂の極です戦争は神が人類に与へ給ふた特権―自由意思―の濫用ですその濫用より来る罪悪です。[21]

しかし、日露戦争では開戦論・非戦論・厭戦論が誌面で論議されていた『新仏教』であったが、第一次世界大戦では井上を除いては開戦論の立場を採っていた。一九一五（大正四）年一月一八日、日本政府は中華民国大総統の袁世凱に「対華二十一ヵ条要求」を突き付けたが、その後、中国において日本人の布教権を認めることなどが盛り込まれた第五号が、国際的な非難などにより、日本政府は第五号に消極的な姿勢をとりはじめた。これに対して、新仏教徒同志会は『新仏教』第一六巻第六号（一九一五年六月）で「支那内地布教権問題」を特集し、政府に布教権の公認が獲得できるように迫っている。この「対華二十一ヵ条要求」は、同年五月二五日に交換公文の調印、六月八日に東京で批准書の交換が行われたが、最終的に第五号は事実上削除されている。

第一次世界大戦が開戦してから一年後の一九一五（大正四）年六月一二日、新仏教徒同志会は会合を開き、その会で『新仏教』の廃刊を決定した。廃刊号である『新仏教』第一六巻第八号で、高島米峰は次のように述べている。

必要に応じて生れたるものは、その必要が無くなれば滅ぶべきである。我が愛する『新仏教』は、この号を一期として滅びるのである。然らば、曽て十六年前に、生れざるを得ざりしその

「必要」が、今無くなつてしまつたのだろうか。

新仏教の普及したこと。時勢の推移が迅速で、当時の新仏教は、必ずしも今の新仏教でないこと。曽て、渾然融和して居た新仏教幹部に、漸次距離を生じて来たこと。新仏教の哲学は、やゝ時代後れとなりしこと。新仏教徒の大多数は、開教当時の熱誠を失いしこと。新仏教幹部の、生活状態の変化に伴うて、主義のために尽す力の漸次に減退したること。会費を納めざる会員の多きこと。会費も義務金も納付せざる幹部あること。遂には、十数人の幹部中、僅かに一二人のものが、会務を処理し、雑誌を発行すといふが如き、状態に立至りしこと。幹部会を開いても、東京会員の総会を開いても、出席するものが極めて少くなつたといふこと。その筋の圧迫は、漸次雑誌の購読者を減殺すること。購読者の減少は、会の経費を危くすること。数へ来れば、『新仏教』存在の「必要」も無く、又その存在の意義も無く、而して存在が不可能でもある。[22]

高島によれば、同志会の幹部内に距離が生じたことや、結成当時の熱意を失ったものが大多数を占めるようになったこと、会費未納の会員が多くなったこと、会合への参加者が少なくなったことなどが『新仏教』廃刊の理由だとしている。「我徒は仏教の健全なる信仰を根本義とす」、「我徒は宗教に対する政治上の保護干渉を斥く」、「我徒は健全なる信仰智識及び道義を振作して、社会の根本的な改善を力《つと》む」などの綱領を掲げて結成された新仏教徒同志会であったが、第一次世界大戦では開戦論の立場を採っており、「『新仏教』存在の「必要」も無く、又その存在の意義も無」くなっていた。井上は、このような有様になった新仏教徒同志会をどう思っていたのかはわからないが、第一次世界大戦では開戦論の立場を採っていた『新仏教』で非戦論を唱えており、同志会が最終的に支持した日本の帝国主義・軍国主義に終始反対していたことは確かである。

井上の最期

『新仏教』が廃刊したのち、井上は一九一七（大正六）年ごろから米国領事館書記官として勤務し、一九一九（大正八）年から一九四一（昭和一六）年一二月八日まで英国総領事秘書官として勤務していた。一九二八（昭和三）年一月中旬から四月にかけて、前イギリス大使チャールズ・ノートン・エッジカム・エリオットが奈良・京都・神戸で仏教・東洋思想の研究などをするに際して、神戸・トアホテルで井上は約二週間にわたってエリオットの研究・相談相手をつとめ援助した。エリオットは一九二九（昭和四）年三月にも来日しているが、そのときも仏教研究などの相談相手をつとめた。一九三〇（昭和五）年には、中央アジア研究で世界的に知られていたイギリスの探検家オーレル・スタインが四月に来日したので、井上は四月一九日に神戸・オリエンタルホテルでスタインに出会い、東洋の古代文化・芸術などについて談話した。一九四一（昭和一六）年一二月八日、太平洋戦争の開戦と同時に勤務先である英国総領事館からスパイ容疑として憲兵隊に検挙され、半年後に釈放された。一九四三（昭和一八）年にはスイス・バーゼル薬品会社学術部に勤務するかたわら、同年五月から毎月第二土曜日に神戸の実業家や弁護士の有志が会員の「眼蔵の会」で仏教・禅思想などの講演会をはじめた。晩年の井上について、叔父の家が井上の自宅の近所にあったという詩人の中村隆は、次のように回想している。

その家（注・井上の自宅）は私の叔父の屋敷のすぐ下にあった。宏壮な建物を生い繁った樹木が取りまいていて、私の幼年の空想癖を満足させてくれた。その家の子供さんと一緒にしばしばその庭にも侵入した。見事な老桜の下に四角いコンクリート造りの池があって大きな鯉や金魚が青みどりの中を泳いでいた。その後に花や野菜の広い畠があって、夕刻になると決ってその家の主人（注・井上秀天）が藤椅子に凭れ、高い咳払いをあたりに響かせながら黒ビールのジョッキを傾けていた。その人の面貌は定かでないが、その咳払いは今でも耳の底に残っている。

私が東京で在学中、家からの便りで、その人が憲兵に捕えられスパイ容疑で取調べられたということを聞いた。英国総領事館に勤務していたということだけで…。私はその時も耳の底でその人の咳払いを聞いた。[23]

一九四四（昭和一九）年七月にサイパン島を攻略し、同年九月にはグアム・テニアン両島の日本軍を全滅させたアメリカ軍は、Ｂ29爆撃機の前進基地をマリアナ諸島に進めるとともに、日本本土への空襲を開始した。すでに一九四二（昭和一七）年四月一八日に米空母ホーネットから発信したジェームズ・Ｈ・ドゥリットル陸軍中佐指揮下のＢ25爆撃機によって東京・名古屋・神戸などの諸都市が空襲を受けていたが、本格的なアメリカ軍による日本本土の空襲は、一九四四（昭和一九）年一一月二四日のＢ29八〇機による東京・名古屋・大阪の空襲以降のことである。

神戸市域に対するアメリカ軍の空襲は、「ドゥリットル空襲」以降、一九四五（昭和二〇）年八月一五日の終戦までに、合計八三日、一二八回も行われた。当初は軍事施設や軍需工業を狙った局地的なものであったが、一九四五（昭和二〇）年三月一七日の空襲以降、無差別市街地爆撃が本格化した。一九四五（昭和二〇）年三月一七日未明、B29六九機による夜間空襲では、焼夷弾など三万三九五二個が投下され、神戸市の西半分が壊滅し、被害は死者二七〇〇余名、重軽傷者六二〇〇余名、全焼全壊家屋六万八〇〇〇余戸、延焼半壊約六〇〇〇戸に達し、二三万六一〇六名が罹災した。[24]

この三月一七日の空襲での死者のひとりに井上秀天がいた。享年満六四歳。戒名は興禅院秀天智照大居士。「神戸空襲を記録する会」の吉田俊弘の調査によれば、井上の遺体は自宅近所の小学校の校庭でほかの犠牲者とともに荼毘に付された。そして、鳥取に住む井上の縁者に、遺骨の代わりとして、井上を荼毘に付した小学校の校庭の土を送ったという。井上の墓は鳥取県東伯郡北栄町江北の曹洞宗松岸寺に永代供養で祀られている。[25] 鳥取の縁者に送られた井上の資料は、のちに北栄町北条歴史民俗資料館（北栄みらい伝承館）に寄贈され、[26] 二〇一七年には同館で企画展として「知られざる日本宗教家・井上秀天」が開催されている。

アメリカ軍の空襲による神戸市域の被害は、罹災者総数五三万八五八名、死者七四九一名、重軽傷者一万七〇一四名、被災戸数一四万一九九一戸とされている。[27] 神戸市中央区の大倉山公園には、神戸空襲で亡くなった人たちの名前を刻んだ慰霊碑「いのちと平和の碑」が建てられている。この慰霊碑は、「神戸空襲を記録する会」が募金を集め、死没者の名前を調べ、神戸市の協力のもと二〇一三年に建てられたものである。終戦から七五年後の二〇二〇年六月七日、新たに一四八人の氏名が追加で刻銘されたが、そのなかには井上の名前も刻まれている。

〈注〉

1 「会員動静」（『新仏教』第五巻第五号　新仏教徒同志会　一九〇四年五月一日　四〇六頁）。
2 「人間消息」（『新仏教』第八巻第二号　新仏教徒同志会　一九〇七年二月一日　一一二頁）。
3 井上秀天「須磨病間録」（『新仏教』第七巻第一号　新仏教徒同志会　一九〇六一月一日　八四～八五頁）。
4 井上秀天「晩春の小気焔」（『新仏教』第九巻第六号　新仏教徒同志会　一九〇八年六月一日　五五一～五五二頁）。
5 井上秀天「不問答」（『新仏教』第一一巻第九号　新仏教徒同志会　一九一〇年九月一日　一〇九四～一〇九七頁）。
6 大逆事件記録刊行会編『大逆事件記録第二巻　証拠物写（下）』（世界文庫、一九六四年）五九六～五九七頁。
7 森長英三郎「大逆事件と大阪・神戸組」（『大阪地方労働運動史研究』第一〇号　一九六九年　一七頁）。
8 赤松徹真「井上秀天の思想―その生涯と平和論及び禅思想―」（『龍谷大学論集』第四三四・四三五号　龍谷学会　一九八九年　五二一頁）。
9 井上秀天「雑記帳」（『新仏教』第一二巻第四号　新仏教徒同志会　一九一一年四月一日　三七八頁）。
10 井上秀天「日記から」（『新仏教』第一二巻第六号　新仏教徒同志会　一九一一年六月一日　三七八頁）。
11 一参会者記・高島米峰評「ルソー記念晩餐会の記　附、記念講演会」（『新仏教』第一三巻第八号　新仏教徒同志会　一九一二年八月一日　八二四～八二七頁）。

12 井上秀天「小噴火口」（『新仏教』第一三巻第八号　新仏教徒同志会　一九一二年八月一日　八六〇頁）。

13 井上秀天「牛糞録」（『新仏教』第一四号第五号　新仏教徒同志会　一九一三年五月一日　四五四頁）。

14 井上秀天「牛糞録」（『新仏教』第一四巻第一〇号　新仏教徒同志会　一九一三年一〇月一日　八七九頁）。

15 「相馬御風　平出修宛書簡（一九一三年九月四日）」（『定本　平出修集〈続〉』春秋社　一九六九年　五三三〜五三四頁）。

16 井上秀天「平凡極まる平和論」（『新仏教』第一二巻第一二号　新仏教徒同志会　一九一一年一二月一日　一一〇七〜一一一四頁）。

17 「普達　甲第十一号　全国末派寺院」『宗報』第一七二号（工藤英勝「日露戦争関連公文書―曹洞宗『宗報』における近代戦争」『曹洞宗研究員研究紀要』第二四号　曹洞宗宗務庁　一九九二年　一三四頁）。

18 「内山愚童師の名誉回復によせて」『曹洞宗報』第六九六号　一九九三年九月（曹洞宗人権擁護推進本部編『曹洞宗ブックレット　宗教と人権8　仏種を植ゆる人―内山愚童の生涯と思想―』曹洞宗宗務庁　二〇〇六年　一〇六頁）。

19 井上秀天「忙人閑話」（『新仏教』第一二巻第三号　一九一一年三月一日　二七四頁）。

20 「特別要視察人情勢一斑　第五」（松尾尊允編『続・現代史資料Ⅰ　社会主義沿革1』みすず書房　一九八四年　四二三〜四二七頁）。

21 「特別要視察人情勢一斑　第八」（前掲『続・現代史資料Ⅰ　社会主義沿革1』五九〇〜五九一頁）。

22 高島米峰「『新仏教』を葬る」（『新仏教』第一六巻第八号　新仏教徒同志会　一九一五年八月一日　七二一〜七二三頁）。

23 中村隆「井上秀天のこと」（『歴史と神戸』第四巻第四号　神戸史学会　一九六五年　一五〜一六頁）。

24　『新修　神戸市史　歴史編Ⅳ　近代・現代』（神戸市　一九九四年）八八五〜八八八頁。
25　吉田俊弘氏からの教示。
26　同右教示。
27　前掲『新修　神戸市史　歴史編Ⅳ　近代・現代』八八九頁。

【資料編】

Ⅰ　神戸平民倶楽部関係

○週刊『平民新聞』

1　精神的労働者と社会主義

社会主義の必要は肉体的労働者にのみ限るにあらず、精神的労働者にも亦より多く其必要あるなり。例へば幾多の官署、幾多の会社等に就きて見よ、部下の忠実なる精神的労働の結果は総て其上長の者の名誉或は報酬に帰し、部下は僅なる俸給に圧制せられて、其犠牲に供せらるゝ也。而して上長者は曰く、之れ地位の報酬なり、之れ地位の報償なりと。然り、誠に然り。唯だ社会主義は其責任を万人に分担せしめ、其地位をして平等ならしめ、而して万人平等に其幸福を享有せんとする者也。（肥前、桐舟）

（週刊『平民新聞』第二〇号　一九〇四年三月二七日）

2　決死隊の心情

或地の連隊に決死隊を志願した一等卒があった。其心情を聞いて見ると、家には両親が老いぼれて、まだ祖母も存命して居るが、二人の子供を産んだ妻と実弟とは長く病牀に臥して居る。之まで自分と妹と働いてもヤリきれない折柄召集されたので、イッソ自分の身を殺した年金で一家を支へようと決心したのであった。（野花生投）

（週刊『平民新聞』第三七号　一九〇四年七月

二四日）

3　神戸市の読者会（第一回）

去る十日夜七時より当市下山手通荒川氏宅にて開会。出席者は十名（新聞記者三、官吏二、医一、銀行員一、商人一、学生一、不詳一）にして、荒川氏の開会の辞ありて後、臼谷氏の国家社会主義論あり。之に対して質問反論等続出し甚だ愉快なりき。散会に先ち本会の規約を左の如く定めたり。

△本団体を神戸平民倶楽部と称し東京にて発行せる平民新聞の読者を以て組織し社会主義に関し研究討議するを目的とす。△倶楽部員は順次に当番となりて毎月一回第二土曜日其の宅に於て例会を開く事。

次回の会合は十月第二土曜日（八日）東出町一丁目百六十五小松氏宅にて開き「神戸市に於ける浮浪人の取締法を如何にすべきや」「社会主義神髄に就て」等を重なる話題と為す筈。

（週刊『平民新聞』第四五号　一九〇四年九月一八日）

4　神戸平民倶楽部例会（第二回）

△予定の如く去八日午後七時より当市東出町小松氏方にて開会。来会者十名。△社会主義と宗教、当地労働者の境遇等は重なる話題なりき。

△次回は十一月十二日（第二土曜日）午後七時より奥平野臼谷氏方に於て開会。

（週刊『平民新聞』第四九号　一九〇四年一〇月一六日）

5　神戸平民倶楽部例会（第三回）

△時　十一月十二日（第二土曜）午前《ママ》七時より

△処　上橋町四丁目一三九ノ一同部内谷村の室

△費　金五銭（会員外は要せず）
△題　社会主義と宗教、教育及商業
　（会員以外の研究者も来会随意）
（週刊『平民新聞』第五二号　一九〇四年一一月六日）

6　神戸平民倶楽部第四例会
▲時　十二月十日（第二土曜日）午後六時より
▲処　兵庫東出町一丁目百六十五小松方
▲費　金五銭（会員外は要せず）
　何人にても来会御随意
（週刊『平民新聞』第五六号　一九〇四年一二月四日）

7　伝道行商の記（十一）
（神戸より）　小田生
山口生

▲十六日　曇天、例により二人の刑事に尾行されつゝ、行商に出た。中村春雄、栗林要人、脇坂正之の三氏は各々質屋の主人で熱心なる社会主義者である。居留地の百番舘《ママ》に松本貞子女史を訪ふて、女史が夫君の感化によりて社会主義者になられたこと、夫君が社会主義の為め働くことが出来ずして戦地で病没せられたことなど聞いた。大坂《ママ》毎日の竹中清、神戸新報の齋藤渓舟の諸氏を訪ふて帰る。夜、岡林真冬、林謙の二氏来訪。月の色かき消さん許りに木枯が吹き出した。
▲十七日　摩耶おろしは峯の松も折れよとばかり吹きすさぶ。今日も行商に出た。金子白夢、松井文弥、中村輪大等の諸氏を訪問して帰る。聞けば和歌山の中学校の生徒が社会主義の演説をやつた為め、物議を生じその生徒の属してをる教会は退会を命じたそうだ。基督教徒の

胆つ玉の小さいこと今更ながら呆れざるをえない。夜雲井通の林謙君の宅で平民倶楽部の集会を開き、胸襟を開いて大に快談した。（抄録）
（週刊『平民新聞』第五九号　一九〇四年一二月二五日）

8　神戸平民倶楽部例会

去十日夜東出町一丁目百六十五小松君宅に於て開会。集まるもの十一名。△天愚生の「焼芋主義」てふ論文朗読、野花生の「マルクス、エンゲルスの学説」に就ての演説、羽山君の「我が個人主義の解釈」なる言文一致の論文朗読、社会主義と宗教に就ての討論、及兎園生の「社会主義者となりし動機」に就ての演説等ありて十時過ぎに散会した。△又去十七日の夕臨時例会を開いた。コレは待ちに待つて居た小田、山口の両君が神戸に来られたからである。神戸署の探偵君を先頭に参るもの九名。焼芋と煎餅に舌鼓打ちつゝ、シンミリと語り合つた。十時散会。（隣賢生）
（週刊『平民新聞』第五九号　一九〇四年一二月二五日）

9　神戸平民倶楽部例会（第五）

△時　一月十四日（第二土曜の夜）午後六時より
△処　奥平野二百九十六番の九永井方
△費　金五銭（部員外の方は会費不要）
（何人でも来会勝手）
（週刊『平民新聞』第六一号　一九〇五年一月八日）

10　神戸平民倶楽部例会（第五）

去十四日の夜奥平野なる永井実君の宅で御主人留守中なるにも係はらず集会した。来会者は僅かに五名で相生橋署の刑事二名も桁にあげてヤツト七名。△話端は先づ刑事との間に開かれ所謂朝憲紊乱に就いて徒らに誤解せないやう願ふと説き次に普通選挙の話をしたら刑事君「自分も大に賛成だ」と言下に答へた。余は不日其寓を叩き調印を求める所存だ。十一時散会。（兎園生）

（週刊『平民新聞』第六三号　一九〇五年一月二二日）

○『直言』

11　神戸平民倶楽部第六例会

△時　二月十一日（第二土曜）午後六時より

△処　雲井通七丁目三七の六岡醤油店

△費　金五銭

△目印　平民倶楽部の提灯が吊してあります

諸君万障を排し奮て来会あれ

（『直言』第二巻第一号　一九〇五年二月五日）

12　神戸平民倶楽部より

平民新聞の死した其翌三十日は私の誕生日に当りますので、私は神戸平民倶楽部員を招きまして有意味の会合をいたしました。熱心なる部員十人程集りたれど流石に猫も犬も知りませんでした。粗末な御馳走ではありたれど、夜二時まで談り合ひました。「直言」は無論続いて送て戴きます。

（『直言』第二巻第二号　一九〇五年二月一二日）

13　神戸平民倶楽部第六例会

予定通り二月十一日の夜、雲井通り岡方にて開会。今回初めて平民倶楽部の赤提灯を吊した。集会者は少なかつたが、思はぬ新顔の人が六人見へた。中には出獄人保護事業に骨を折て居る人もあり、明石から遥々来会された熱心家もあつた。野花生の主義の講演、天愚生の消費組合の話あり、後は主として罪といふことと罪人を救ふ方法とで談は持ちきり。十二時散会。

（『直言』第二巻第三号　一九〇五年二月一九日）

14　神戸平民倶楽部第七例会

△時日　三月十一日（第二土曜）午後六時より

△場所　奥平野村三一八、永井方

（会場不明の時は巡査交番所にて御聞合せあれ）

△会費　五銭（会員外は要せず）

（何人にても勝手に御来会あれ）

（『直言』第二巻第五号　一九〇五年三月五日）

15　神戸平民倶楽部第七例会

此の月の例日に予定の通り第七例会を奥平野村永井方にて開く。今回は未曽有の少数なれども新顔が這入りました。即ち海員が一人、元巡査で露国教会信者の或所の官吏が一人で、話題は主として神戸の労働者口入屋に就ての問題でありました。

（『直言』第二巻第八号　一九〇五年三月二六日）

16　神戸平民倶楽部第八例会

△日時　四月八日（第二土曜日）午後六時より

△場所　兵庫東出町一丁目百六十五小松方

△会費　五銭、来会随意

（『直言』第二巻第九号　一九〇五年四月二日）

17　神戸平民倶楽部第八例会

四月八日―一切平等絶対非戦主義の親玉お釈迦様の誕生日―に第八例会を東出町一丁目小松天

愚宅にて開く。大阪平民社の森近君の《ママ》来席されたので、談話に花が咲いて、遂に翌朝の二時になりました。吾々同志のみの会合では仕方がないから、来月は公開演説会を催したいとの希望には皆々一致しました。（野花）

（『直言』第二巻第一一号　一九〇五年四月一六日）

18　神戸平民倶楽部第九例会

五月十三日の夜、東出町小松宅に開会す。兼て耶蘇協会の説教聴衆者などへ数百枚の社会主義檄と例会広告とを撒いてありました故、それだけの効能はあると思ひきや、耶蘇信者は一人も見えず。意外の少数でありましたが、新顔の熱心者が三人来会あり。大阪平民社の赤人君も来てくれました。近頃警察が特別の保護を遊ばすことに就て一同腕を扼して感謝しました。（野花）

（『直言』第二巻第一七号　一九〇五年五月二八日）

19　海員社会にも

私は卑賤なる一海員であります。病気で神戸海民病院に入院する事凡そ三ヶ月有余。〇〇〇《ママ》野花といはるゝ人は熱心なる社会主義者で、人道の為め、労働者の為め、非常に奔走せらるゝ御方である。私も主義者の一員と成りたるので直言を愛読して居ります。願はくば吾等海員社会にも早く此の伝播せんことを希望します。（神戸海員寄宿舎にて〇〇）

（『直言』第二巻第二一号　一九〇五年六月二五日）

20　神戸平民倶楽部（第十例会）

予定の通り、六月二日の夜、奥平野永井方にて開く。かねて周囲の湯屋などへ室内《ママ》広告をしておきましたが、当夜は折柄暴風雨で、会場の永井君と天愚生と野花生との三人のみ。種々の雑誌の評などして、十時半に切りあげました。(岡犬王)

(『直言』第二巻第二一号　一九〇五年六月二五日)

21　神戸平民倶楽部例会

△時　七月八日午後七時より　△来会随意

△兵庫東七町《ママ》一、一六五小松方

(『直言』第二巻第二三号　一九〇五年七月九日)

22　神戸平民倶楽部例会

△時　八月十二日(第二土曜日)午後七時

△所　兵庫東出町一、一六五小松方

△来会何人にても随意

(『直言』第二巻第二七号　一九〇五年八月六日)

23　神戸平民倶楽部例会

△時日　九月九日(第二土曜日)午後七時

△場所　兵庫東出町一、一六五

△目印　赤ちやうちん

△何人にても来会随意

(『直言』第二巻第三一号　一九〇五年九月三日)

○『光』

24　神戸より

毎月第二土曜日に例会を開いてをりますが、刑事君が臨場するので出席者が余りありませぬ。しかし何とかして倶楽部会館を設けたいと考へてをります。(岡林野花)

(『光』第一巻第三号　一九〇五年一二月二〇日)

25　神戸より

僕等は之れから刑犬の来る例会は第二土曜日と定めておいて、其の外の日に誰れでも遠慮も心配もなく来ることの出来る集会を開くつもりです。第二土曜会は兵庫東出町一丁目百六十五小松方で開きます。（岡林野花）

（『光』第一巻第四号　一九〇五年一月一日）

26　神戸より

旧臘二十日神戸奥平野村永井氏宅で同志の忘年会を開きました。私は年と共に忘れたいことは或意味に於て日露戦争及びこれに附帯するありとあらゆる罪悪なりと叫びましたが、凡夫の悲しさ忘れきれませぬ。それで今年よりは一生懸命で運動をやらうと思ひます。同志の内に貧民窟の附近に居住する者がありますが社会主義的夜学校を設け或は少年の為社会主義日曜学校をやるとの話です。

忘年会の福引に「今夜の集会」に空箱が当りました。「犬も猫もかぎつけぬ」ですと。それから「己れが執つて動かぬは断じて此の」に下駄の杉台が当りました。これは杉台は「主義ダイ」の洒落ですと。（岡林真冬）

（『光』第一巻第五号　一九〇六年一月二〇日）

27　知れる人知らざる人

岡林野花氏　は神戸の同志を中心として『赤旗』と称する社会主義雑誌を発行する由。

（『光』第一巻第九号　一九〇六年三月二〇日）

28　各地方の社会主義団体

▲曙会（横浜市戸部町三丁目吉田只次方）

▲焔会（常陸柿岡町小木曽克堂方）

▲同胞会（下野佐野町近藤政平方）

▲いろは倶楽部（岡山県窪郡大高村大字老松）
▲渋茶会（弘前市笹森修一方）
▲平民倶楽部（紀伊新宮町）
▲社会主義研究会（紀伊串本矢倉松太郎方）
▲北総平民倶楽部（下総印旛郡八生村坂宮平助方）
▲神戸平民倶楽部（兵庫東出町一ノ一六五小松方）
▲湘南平民倶楽部（横須賀辺見四九四）

右は何れも毎月定期に研究会茶話会等を開きて主義の研究及び伝道に尽力しつゝ、ある団体なれば同地方の読者は互に一致協力せられんを望む。尚ほ不明なる団体少なからざれば各地の団体の所在地と主任者とを御一報を乞ふ。

（『光』第一巻第一三号　一九〇六年五月二〇日）

29　知れる人知らざる人

井上秀三《ママ》君　は神戸の地を去り、岡山孤児院に入り、同情の為め、愛の為め働くべしといふ。

（『光』第一巻第一九号　一九〇六年八月二〇日）

○日刊『平民新聞』

30　読者の領分

▲明石の縄本君からの通信に神戸の研究会を開けとの事ですが岡林野花君も小生も旧冬以来業務多忙の為め運動も出来ませなんだ。春早々には大にやるつもりでしたが又々野花兄は一ヶ月前より病気にて大に弱つて居りましたが昨今では床中にて四十二章経を研究して居る。然し未だ仏さんにはならぬから安心してくれ玉へ。

（神戸平民倶楽部にて　天愚）

（日刊『平民新聞』第四六号　一九〇七年三月二〇日）

○『大阪（日本）平民新聞』

31　岡林野花君より
平民新聞廃刊後貴兄等の消息を聞きたいと思てゐました。今度は愈々貴兄の主任で大阪で旗揚げをなさるとの事勇ましきことであります。春来貧と病とに疲れし私も大に励まされました。天愚兄も壮健です。神戸平民は振ひませぬ。其内訪問しますよ。（五月十七日）
（『大阪平民新聞』第一号　一九〇七年六月一日）

32　神戸平民クラブ
岡林君の来書に曰く、私も天愚君と一緒に夢野村熊野神社東脇の一軒家に借家した。これが当分の神戸平民クラブ。例会は毎月第二第四土曜日の夜に開会の筈です。去六日の例会八名の来会者よ。仲々談話に花が咲いたと、森近生申す。此次の例会には参りたし。

（『大阪平民新聞』第四号　一九〇七年七月一五日）

33　東西日記　覔牛
廿四日　午後から神戸へ行く。風雨甚しく旅行にはいやな日也。夢野村の海民病院に岡林君を訪へば二名の角袖は先刻から来て待つて居るとのこと。大阪の警察より電報ありしなり。夜岡林君と小松君共同の宅にて茶話会あり。会するもの八名。僕は国家社会主義と自由社会主義との区別について一場の談話をなす。（抄録）
（『大阪平民新聞』第七号　一九〇七年九月五日）

34　幸徳秋水氏歓迎会（大阪）
既報の如く本月三日に開いた。来会者二十余名午後四時宿屋の前で幸徳氏と母堂とに出て頂いて、撮影した。夫人は一寸外出中で漏れたのは遺憾であつた。それから一同本社へ帰り談話会は始められた。先づ予は発起人として一言の挨拶を述べ、神戸の井上秀天氏外一二名の歓迎の辞や感話がすんで幸徳氏の談話があつた。氏は先づバクニンの「労働と科学と反抗」なる語を援き来つて今の世の野蛮なる状態悲惨なる事実は生産の不足にもあらず、圧制に対する反抗心の不足にありてふ道理を簡単に説き将来の運動に就ての注意等も話された。

それから鮓と貰ひ物のビールを出して晩餐の真似事を始めたのである。同志諸君の感話は又現はれた。先づ平井君は所謂罪悪の子として生れ父に棄てられ母と別れ世の荒波に揉まれて遂に社会主義に来れる経歴を語られた。「門閥と富と足らぬことなき人の子にて父の膝下に在り乍ら曽て親の愛と云ふべきものを知らず」の一語今日の貴族紳士の家庭を形容し得て痛快ではないか。次に松尾君は同じく幼少より今日に至るまでの実歴談を試みられた。君も門閥の家に生れ父は早く死し或事情から他家に養はれたのであると云ふ、十三四の頃より「産んだ親と育てた親と何れの恩が重いか」てふ疑問の解決に苦しんだ事、其後黄金の前に膝を屈せずして自信を遂行せんとし非常の貧苦に陥つて其間に最愛の妻君が労働過度と生活難との為に死なれた事などを語られた。「富者が犬の一食に費す金あらば予が最愛の妻は死せざりしものを！」満座面を上げ得る者は一人もない。何と暴悪なる社会では無いか。悲憤に堪へずして荒畑君は立つた「身を挺んで家を忘れて社会の為に尽す人道の戦士を病ましめしものは誰ぞや、親の愛、犬の一食、妻の死、之等の悲惨事を作る者は誰ぞや、諸君は斯かる社会に何時迄耐へ得るか」

歔欷の声は座に満ちた。幸徳氏は「吾等の困難は欧米先進者の苦痛に比しては頗る軽きものなり、吾等は困難の内に希望あれども幾億の同胞は一点の希望なき暗黒界裡に消へ行きつヽあり、吾等は之等同胞の為に泣かん」と語られた。来会の同志諸君が曽て見たる事なき悲愴慷慨なる会合は夜十時を以て散会した。（森近生）

（『日本平民新聞』第一二号　一九〇七年一一月二〇日）

35　第一回社会主義講演会　　神戸平民倶楽部　桐舟

十一月二十四日、当地元六倶楽部で第一回社会主義講演会を開いた。これ迄同志の研究会は、毎月二回の例会を開いてゐたが、公開したのは今回が初めてヾある。その前日から、破天荒の広告をなし、三百枚余りのチラシを配つたので、警察はそれ神戸同志が大挙運動をやるのだと、びつくりしたのか刑事が交る交るやつて来る。余は広告がはぎとられはしないかと心配して、市内を歩いてみると、血を以て染めた、大々的広告は、翻々として躍つて居る。午後六時が開会だと、広告してゐたので、会場の準備を整えて待つて居る。声援を願ふてゐた大阪平民社からは、森近君、武田君、荒畑君を先登として七八名の同志がみへる。遠来の同志、大石禄亭君の面影と其服装を見た時は、露国の革命家ではないかと思つた。会場も整ひ、弁士も揃つたが聴衆が少い。少くとも二百人位は来るであらうと予定して居たが、案外三十人許りもない。広告のきヽめがなかつたのかと、又余と南君はチラシを抱へて楠社の門に立ちながら、路傍演説をやつて、面白い話しで、誰れでも聞かねばならぬ演説があるから、すぐ元六倶楽部に行けとすゝめた。一時間ばかりたつて帰つてみても其の効能がない。

いよ〳〵七時過ぎ開会した。岡林野花君が、開会の辞として神戸平民倶楽部の歴史を述べられ、荒畑寒村君「現時の奴隷」と題し、沈痛なる弁舌もて資本家制度の害毒を罵倒して、労働者の自覚を促がし、武田九平君は、自己の経験に訴へて「職工組合の必要」を説き、次に森近運平君は恐慌の話と題して、快弁縦横、熱誠の意気を表はして、現今経済組織の矛盾は、必然産出すべき恐慌の母なり、恐慌の来襲は生産の過多より生ずるにあらずして、消費の不足に起る理由を秩序的に経済学上の解釈を試み、次で大石禄亭君起て、「財産とは何ぞや」と叫んで、財産の性質歴史を述べられ、井上秀天君は、宗教と社会主義の題の下に、自己の立場より社会主義の主張を説明された。中にも一異彩を放つたのは、英国同志の列席である。講演されるはずであつたが時間の都合で、次会に譲つた。神戸には隠れたる各国の同志が居るであらふ。他日此の会が、拡張して、支那、印度、露国、米国の同志が集ることになつたら、所謂万国的の会合が見らるゝであろふと思ふ。

（『日本平民新聞』第一三号　一九〇七年一二月五日）

36　公然の大賭博場　中村桐舟

△労働者が、五銭十銭の賭博をやればすぐ監獄にぶち込まれる。紳士閥や、資本家の奴が、何万円の大賭博は白昼公然と行はれても、決して警察の干渉がない。寧ろ色々な名称の下に、却て奨励されて居る。何んと奇なる社会の現象ではないか。

△馬匹改良の美名の下に、年々行はるゝ競馬は

公然たる大賭博だ。かくの如き賭博に関係なき吾人平民は、彼等が労働者の血と涙を絞り尽した財産を奪はれて、縊ふが自殺しようが、少しもかまう所でない。却て自業自得だと、祝杯を挙げるかもしれないが、紳士閥のかたもつ政府が、黙許するのか禁止の手段がないのか、それが癪にさわるのだ。

△饑と凍えに泣く貧民を友として、悲惨の叫声に心痛めし我は、彼等紳士が賭博やる顔見たさに一日鳴尾の競馬を見た。

△鳴尾村海岸の田と畑は、賭博会社の手に買い占められて、公然たる賭博場に変じて居る。ぞろ〳〵と押し寄せる人の後について、入口に立つた。広い通路には殆ど一町毎に、巡査が立番して居る。賭博場の立番とは好い面の皮だ。彼等も金があらば一つやつて見たい様な顔付して居る。入場券は一等が二円、二等が一円。一円も出して、人の賭博見に行く我れも、余程物好きだと可笑しくなつた。

△入つて見ると驚く様に広い。宏大な二棟の見物所も建つて居る。こんなに広い場所と、大きな建物を、労働者の娯楽場、無料宿泊所にせんと、我等同志は、奮闘しつゝあるのだと、思はず心躍つた。

△馬は呼吸苦しく走る。人はどよめいて、馬の競争を見て居る。彼の若草薫る自然の園に、相互扶助の美を守つて楽しく嘶くべき彼等は、残酷なる人間の手に縛せられて、慾悪の犠牲に供せられ果ては血ある肉まで屠らるゝのだ。見よ、竹鞭乱打、を流し呼吸苦しく走る馬と同じく、吾等労働者も、資本家の鉄鎖に縛せられて所謂商業の大賭博に使用せられつゝあるのだ。

△一回の競争が終る毎に、勝つた連中は、配当金を取りに行く。我れも傍に立て見て居た所謂

紳士紳商の野獣的本性は、よく茲に表れて居る。押し合ひ、へし合ひ、先を争ふて、「配当金は何程だ」「早く渡さぬか」と騒ぎながら、馬券と引きかへに現金をつかんで走る。獰悪な野犬の肉を争ふのもかくまではあるまい。

△一回の金渡しが済むと、馬見所に集つて、次回の競争に出る馬を見るのだ。一番…二番…三番…と賭博の手引帳を拡げて、いやな目付て立つて居る。馬見がすめば我れ先きにと馬券を求め再び見物所に登る。

△かくの如くして、公然の大賭博は行はれつゝある。九回の競馬が終へて、閉場となつた勝つた奴は、躍る様に門を出て行く。負けた奴は泣き顔して帰るのだ。（一月八日稿）

（『日本平民新聞』第一六号　一九〇八年一月二〇日）

○『熊本評論』

37　神戸通信　羽山生

熊本評論記者足下

二月二十日より御恵送に預り万謝此事に候。何時もながら花々しき御奮闘の御模様主義の為に深く慶賀する処也。

偖て当地の模様に付ては『日本平民』紙上時々御散見の通り旧に依て旧の如く貴下等の活発々地なる御運動の前に殆んど顔色なく候。

神戸平民倶楽部は三十七年の十《ママ》月、時の『平民新聞』の在神購読者を以て組織したるものにして小松天愚、岡林愛《ママ》花氏等最も熱心に主義の伝道に勤められ毎月一回集会を開き茶菓を喫しつゝ、当面の問題を捕捉し討究を加へ居り候ひしかど常に十二三名の会集《ママ》に過ぎず、而かも世に云ふ其筋なるもの迫害追窮は刻一刻甚だしく同士は何れも角袖を従卒として従ふ如き奇観を呈し候へき。

　而かも岡林氏等は此間に処して泰然集会を継続し今日に至り候。殊に昨年秋よりは講演会を発起し先輩の出席を請ふて之が講演を聴く事とし昨年十二月には時の『大阪平民』紙上所載の通り森近氏外数氏の出席もあり稍や気色を添ふの感あらしめ候。

　今日に至りては御承知の通り当地に天然痘の猖獗を極めた職掌柄岡林、小松両氏共に寸簡なく遺憾ながら平民倶楽部の例会も講演会も一二両月共に流れと相成候へ共来月よりは一層勇奮して活動を試むる存念に候。

　序ながら申添へ候。来月上旬には同士高畠素《ママ》氏来神の筈に候。此仁は先年迄同士《ママ》社神学校に学び居り候へしかど同校を脱走して前橋に至り遠藤友氏と共に前橋平民倶楽部を設立し同地のクリスチャンに大恐慌を抱かしめたる愉快なる男に候。

　先は一寸当地同士の模様を、匆々。（二月二十七日）

（『熊本評論』第一八号　一九〇八年三月五日）

〇『我生活』（『無我の愛』）

38　神戸だより　野花氏

　先以て我兄には愛妻を迎へられ、御同棲の趣、まだ新婚の夢暖き事と、赤の他人の事でもないやうに嬉しく存じます。私の友に頗る霊的の人が有まして、結婚の意味がわからぬ、是が了解出来る迄結婚せぬと、力んでをりましたが、其実愛人がありましてね、その愛人が先日他の友と結婚しましたので、此頃は見る目もあはれにしをれてゐます。結婚の意味なんてね、霊的にわかる筈はありませぬよ。何といたしても、肉慾を中心として豈に他あらんやです。私も三十余年貞童主義を守りました、此点は自ら処する頗る厳格な方。一昨年不思議に愛妻を得て昨年小《ママ》供が出来たと云ふ訳です。おのろけ序になほ申しますが、私は親兄弟友人の前で、公式の結婚式を挙げて、愛妻と同棲しながら、それより数週間は、まだ貞童でありました、愛妻もまた私を信じてくれたのです。

昨年徳山より『時習』御送り下され『我信念』をば発表になりました。神戸の所謂思想家の会合が、親和女学校で、毎月十五日にありますが、その序に御取次いたしました。只、島地黙雷翁の息で、神戸中学に居られる島地雷夢氏が、一人御注意になつたやうでした。

『我生活』甚だ面白く楽しく残るくまなく通読いたしました。直に友人にも披露致しました。中兼ねますが、郵税に差支なくば、そして残本もあらば、各号共三四部づゝ頂戴出来ませんか。

我兄に照会する人があります。東京牛込区原町三、中桐確太郎氏方滞在、西田市太郎君です。とにかく、御閑もありますまいが、そのうちにご訪問なさつてご覧なさい。御話の模様により御誌上願ひます。

私は凡人の事、世の宗教家のやうな霊的方面をあまり重く見るのが不平で、肉を尊重するものです。理屈なら何とでもで云へますが、実際行へなければ何の役にも立ちますまい。またたとひ出来ても、西田君のやうな生活は、愚人に直に望めますまい。私の思想は極めて自由な方ではありますが、大体は一貫して居るつもりです。朝子夫人に敬意を表します。

野花君よ、僕も西田さんのことは疾くに聞いて居ました。そして一度お目にかゝりたい

〳〵と思つて居りましたが、計らず妻の病気のことで大変御厄介になることになつたのです。何れ改めて誌上で御紹介することもあらうと存じます（伊藤生）

（『我生活』第七号　一九一〇年一二月一日）

○『新仏教』

・岡林寅松

39　人間消息

岡林真冬君

私は、新仏教第一号よりの読者です。自ら新仏教徒を以て任じて居ます。森近赤人君は、よく通常会へ出ますねエ。神戸で新仏教の読者は、井上秀天君と、小松天愚君と二人知ツて居ます。

（『新仏教』第八巻第二号　一九〇七年二月一日）

40　私信数通

岡林野花君より

六月一日の一時間前、小生と妻と、合作の一男子を挙く。産声高く、全身赤色を帯び、頭髪密生し、爪また伸ぶ。貴諭、瀬川博士の育児法記載の如し。万謝々々。名を松彦と命す。これ「貧し児」と語呂合なり。爾来児は、欲も罪も全く無きが如く、又、大に有るものの如し。先は右御報道。頓首。

（『新仏教』第一〇巻第七号　一九〇九年七月一日）

・井上秀天

41　会員動静

井上秀天君　曹洞宗軍隊布教師となる。（第十一師団附）

（『新仏教』第五巻第五号　一九〇四年五月一日）

42　須磨病間録　井上秀天

◎東郷大将ある日本は確に名誉の国と云ふべきものならん。されど唯東郷大将のみを有する日本は亦確に不幸の国なり。蓋し世界の第一等国とは、自殺を以て名誉とし、菜食を以て誇とし、身幹の倭小《ママ》なるを以て高ぶり、不道徳大臣を上に戴き居ることをも意に介ぜず、平時に怯且つ不義にして、徒に戦時にのみ名誉?を博する国民を有する国の謂ならんか。

◎日本人は殺人の巧妙なる点に於てロシヤ人に優れり。されど其国民の宗教心の厚薄に至ては、確にロシヤ人に劣れり。これ其偉大なる所以なりとか。呆れざるを得んや。

◎日本軍の戦場を掃除するに当てや、負傷兵を先にして死人を後にし、ロシヤ人の戦場を掃除するに当てや、死人を先にして負傷兵を後にす。蓋し負傷兵は既に戦闘力を失ひし者にして敵の赤十字旗の下に安慰せらるべき権利を有す。さればロシヤ人は死者を先にして傷者を後にすること実に当然の道と云ふべし。予はこの意味に於てロシヤ人の人道を解し赤十字旗を神聖視することの重きを喜ぶものなり。ロシヤ人の人道を解せざる野蛮人なりとなすものは、日本に諂ひパンの切れを厚からしめんとする俗輩にあらざれば、ロシヤ人を知らざる片眼者流のみ。焉んぞ正学をなしたる者と云ふべけんや。

◎従軍布教師は無用の長物なりと云ふ者は一方向の担板漢なり。今の所謂従軍布教師中、其人を得たる者は蓋し希有ならん。されど日本軍人は宗教を要求する心の切なるほどにしかく高尚且つ神聖なるものならざることも亦予め知らざるべからず。幾万枚の春画が戦地に密輸入されたりとか云ふ風聞を見ても、日本軍人の精神的要求の種類と程度とを推知するに難からざるにあらずや。日本の大学者志賀重昂君は、従軍布教師を悪口せし人の一人なり。予は志賀君と毫も私怨あるものにはあらざるも、其論評の頗る偏見に失して、事実の表裏を究めざる僻説なることを見るが故に、他日筆を執つて謹で志賀君に問ふ所あらんと企図しつゝあるものなり。世人の多くも亦事実の真相を知らずして、志賀君一流の偏見に雷同せるものらし。笑ふべきかな。至て気の毒なり。釈迦、キリスト来るも、堕落せる日本軍人の前に於ては、その為す所、蓋し今の従軍布教師に同じからん。日本軍人の精神的要求は、落語家の落語以上に高からず。

◎数年の軍事費に差支なきほどの大金鉱を発見せしとか、夢想せしとかにて、大のぼせにのぼせたる国民は、講和条約の密輸入に周章狼狽せし国民なり。これも亦辻褄の合はぬ事なり。

◎予は今の政府当局者大官連の保持せる徳操と、彼等の敵視せる社会主義者の徳操と比較して見たく欲するものなり。「あゝ汝等罪なきもの、彼等を鞭打て」…咄。

◎大和魂のエキスを缶詰にして海外に輸出せば、三井、岩崎、大倉を眼下になし得る丈の利益を占有すること大請合なり。

◎嗟夫、戦闘的人物の輩出をのみ希望し、謳歌し、万歳申す日本国民の前途、豈多少の杞憂なかるべけんや。

◎須磨はなつかし、予が先輩老川古河兄の静養安住せし所なれば。あゝ、兄と藪イッ子の霊、今何処にかある。神は彼等二人を天上に於て相握手相接吻することを許し玉ふものにや。

◎野鄙なるかな大多数の日本人。眼あれど美術品を視るの眼識なく、耳あれど音楽を味ふの耳株なく、舌あれども大根と豆腐との味ほか知らず、手あれども人力車と下駄との外、より便利なるものを作製するの手腕なく、心あれども文学と宗教とを玩味黙想するの力なく、唯有するものは、下等動物通有の下劣根性のみ。斯くの如くにして日本は尚ほ世界最強最美の国民なりと云ふ。目出度かな諸君。

◎盛になり相で存外進歩の微々たるものは、日本に於けるキリスト教の伝道にして、滅亡すべくして案外寿命のつきざるものは、旧仏教寺院と僧侶なり。これ亦日本宗教界の奇跡か。

（『新仏教』第七巻第一号　一九〇六年一月一日）

43　晩春の小気焔　井上秀天

△予は只今神戸にをる。神戸は中々便利な処。内外文明の交叉点に位置を占め、実以て調法至極な都会ではあるが、これには「金銭の十分にある者には」と傍註を施しておかねばならぬ。

△金銭の為めに眼を黒白させてをるのは大日本帝国の政府様ばかりではなく、神戸の市民も金銭にかけては神仏以上の智慧を持つて居る。大日本帝国も戦争をしては借金をし戦争をしては国民を殺し、斯様な事を名誉がつて繰返して居れば遂には大君の為め、国家の為めに餓死せねばならぬ所謂一旦緩急あつて餓死以て公に奉ずる時が来るかも知れぬ。予輩はそれまでに極楽の桟敷を一枠位予約買入を申込んでおきたいものだ。

△神戸の空気は実に清潔で新鮮である。高島大兄の如き肺病の初等科に属する人は神戸で一二年もくらせば全治保険つきである。併し神戸の人は貧乏人には至つて不親切な方々であるから、銭のない肺病患者は決して来る可らずだ。文明の濁流は肺病患者には大の禁物。神戸に来れば寿命が三年位縮まつて極楽行のはやまること、これ亦保険つき。

△神戸の仏教界は中々活動して居る仏教青年会仏教積徳会その他色々な仏教団体がある。予はあまり神戸の仏教家とは交際せぬが、去四月三日に神港クラブで神戸の仏教家の催にかゝる釈尊降誕祝賀講演会があつたのでそれに出席した松本文学博士の「何が故に仏は尊きか」と云ふ講演は二時間四十分に亘り中々に内容の充実した者であつた。予は逐一速記しておいたからひまの時に其梗概を「新仏教」にのせるつもりである。

△神戸教会に渡瀬教師と金子副教師と二人で中々神戸の宗教講壇を賑はしてをる。両君とも宏量なる胸襟と深高な見識とを有し、時代の思潮に接触した公平無私な言論を自由にして居る所は実に感服である。渡瀬牧師は東洋的色彩を帯びた牧師で金子牧師は仏教的色彩を帯びた有為の青年伝道者である。殊に金子牧師の仏教的素養のある事はキリスト教界に於ては屈指の一人であらう。

△神戸在住の外国船来の宣教師は擾々として数多をるがその大多数は時代後れのカビ臭き脳のみを有し、時代の新空気には一向触れて居ないらしい。云はば田舎の芋掘和尚さんと難兄弟難の間柄で、斯様は宣教師が迚も新進青年輩の宗教渇を医し得ることは出来ぬ。絶対的不可能である。左様な宣教師を遠慮もせずに日本に派遣する外国伝道会社のお気が知ぬれ《ママ》次第である。随分日本の思想界を馬鹿にした仕打ではあるまいか。

△キリスト教万能主義は英米人の謬見たるを免れまい。

△船来の宣教師がヘボンの辞書以外に出でざる不十分なる日本語のヴヲケブラリーで、この急流の如き日本の思想界に活動せる青年に宗教的

満足を与へんとした所で、それこそ木に縁つて魚を求むるの類である。
△数年前印度の某氏が日本に来て、「印度に於ける英国の虐政」を演説したことがあつたが。世の中は妙なもので、コンドは予輩の方から「日本に於ける政府者の虐政」を演説しにゆかねばならぬ様になるかも知れぬではないか。
△ある外人が米国の末路はローマだらうと云うたが、日本の末路は何か、マサカ高天原であるまい。
△日本の政府者は中々かしこい。社会主義者と芸術家に対し盲滅法界に圧政を下賜する実に難有きことである。これも法律万能主義から割出したる結果であらう。
△「新仏教」にコンナ事をかきをると、圧政を下賜せらるれかも知れぬからこの位で御免を蒙ることにする。

（『新仏教』第九巻第六号　一九〇八年六月一日）

44　予の予、予の彼　井上秀天

「予の観たる…」とかくべき所だが、戊申詔書の御発布になつてをる今日、ソンナ贅沢な文字を並べて居てはならぬ。何もかも節約して、余計なものは可成軍艦や大砲をこしらへる材料に使用せねばならぬ。

『彼』の種類は色々ある。お目にかゝつたカレもあるし、未だ拝眉の光栄を有せぬカレもある。釈迦、孔子、耶蘇といふ様なカレには不幸にして未だその謦咳に接した事がない。がこの三個のカレは『彼』の中でもかれらしい―かれかれした（?）カレである。がこのカレはモー疾くに死んでしまつておる。死んでしまつて葬式まですんだカレに就て今更トヤカク云ふにも及ぶまいから、現に息をしておるカレを観てみる。予の頭脳に浮ぶまゝにかきたてるのであるから、さきにかいたからとてその人必ずしもエライ先生といふ訳でもなければ、あとにかいたからとて、その人必ずしも非先生と云ふ訳でもない。唯予の脳裏の裡にある「彼」と云ふ棚の上から手に任せてひきずり出したまでの事であるから、順序だの、位次だの、あつたものでない。『彼』棚の一番上の方にあるのは境野黄洋、加藤咄堂、高島米峰、杉村縦横、等の諸先生方だ。この面々の諸先生（先生だから先生と敬称するより外致方がない）は、各毛色（何れも日本人ではあるが）がちがつておる。黄洋先生はドー見てもプロフエソアー式で、芝居小屋や、お寺で演説や説教すべき人でない。マア大学講堂に祭るべき人である。誰やらが申した通、新出来の博士連が博士と云ふべきものなれば、境野先生は大博士と云ふべき先生だ。学識の深く且つ高いのには予感服せずにはおられぬ。咄堂先生は大著述家と云ふべき人で芝居小屋やお寺などで演説されると、却て価値が二三割さがる様に思はれる。口も八丁、手も八丁だが、口の八丁を手の方にまはして、手を十六丁にされた方が、先生の真価値をあらはす上に於て利益なやりくりだと思ふ。譬へば咄堂先生は大内居士に辶《シンニュー》をかけてそれを電車にのせた様な人で、今から二百年もたつと

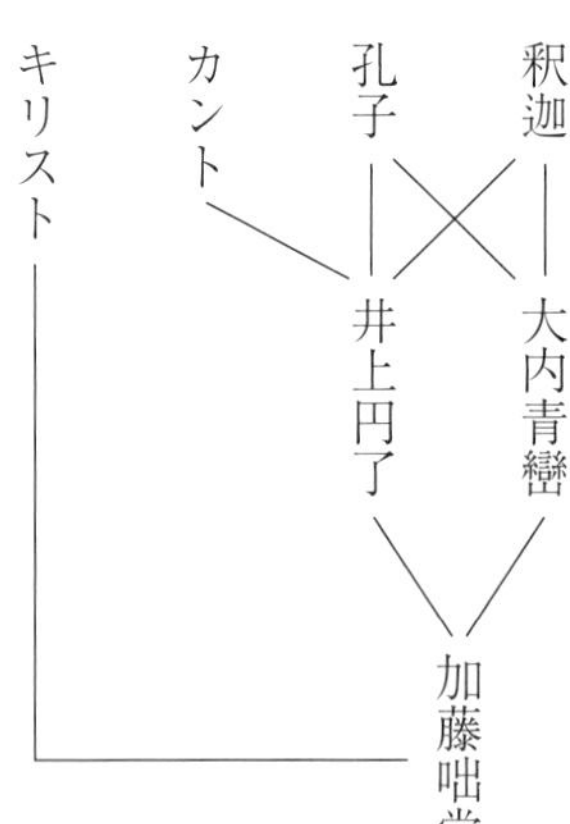

と云ふ風の系統が出来るかも知れぬ。その精力

（悪い意味に解釈されては困る）の旺盛で高壮で非凡なことは恐らく日本一でこれには心から感服する。今黄洋先生と咄堂先生を一口で批評すると、前者は識に於て優り、後者は才に於て優るとでも申すべきか。米峰先生も本屋をやめて筆と舌とを以て世に飛出されるなら、たしかに咄堂先生の頭を摩することが出来るのであるが、可惜乎、今やあつたら才と識とが帳場の机ごしにチヨイチヨイと出る位で、その真価値がまだ十分世人に認められぬらしい。呉々も残念なことである。縦横先生は面白い先生だ。この先生にはこの十一文字で沢山。来馬琢道先生は中々敵の多い先生で、人は大抵「来馬が」とか「琢道が」とか呼びすてにするが、予はこゝに先生と敬称する。これは七年前に『彼』の一人たる福井天章兄と、琢道先生の御邸宅で、御令閨のお手際の洋食とビールを御馳走になつた御礼につけた「先生」ではない。予にとつてはその年齢もその学識も先生だから先生と申すのみである。渡辺海旭、田中治六、林竹次郎、佐治実然、大内青巒、三宅雄二郎、鈴木大拙、島地大等、常盤大定、姉崎正治、陸鉞巌、山田孝道、橘恵勝、松本文三郎、忽滑谷快天等の諸先生は何れも予の真実敬服して居る先生である。海旭先生の梵学上の知識の豊富なることには実に三度も四度も敬服する所であるが、米峰先生宛の私信中に屢々第二人称の代名詞として「お主」と云ふ言葉を使用されるが、予は之を見る度に、何とか外にあつたものと思ふ。田中治六先生の哲学者然たる、佐治実然先生のセント、オーガスチン然（？）たる、姉崎博士の予言者然たる、松本博士の学者然たる、三宅博士の古聖人然たる、何れも予の赤心を以て敬意を表してある先生方である。陸鉞巌師は予の恩人であるから、それで阿る訳ではないが、学は孔孟、老荘の堂奥に入り、禅は達磨の髄を得ておる人であるが、擾々たる曹洞宗の当局者は師を容れて適処におく事が出来ぬ。師は容れらるべくあまり高潔である。師の方から申せば容れられざる焉んぞやまん…であるかも知れぬ。一言以て云へば実に親切な人である。山田孝道師は中々識見の高い人で、英学者としては少し古いかも知れぬが、和漢学の造詣は実に深い、たしかに一隻眼を具へてをる人である。快天師は英学者としても日本仏教界で屈指の一人であるし。仏教家中稀に見る所の西洋学術通である。文章も中々立派なもので、鈴木大拙居士と共に日本仏教界の双璧も三打璧もあるが、若手でホン物はマヅ快天師と大拙居士であると予は信ずる。マダ外にあるであろーが、予は寡聞にして未だ眼にも耳にもせせぬ。

高楠博士もエライが、その演説中に頗る鄙俗な語句を折々用ひられるのには、あまり面白くないもの丶様に思ふ。学識の深遠なことは敬服の至りである。南条博士、島地黙雷師、村上博士、前田博士、何れも宗教家らしい碩徳で、その道徳の高くして、学識の高遠深長なることは、予の茲にクドクドシク申すまでもないことである。海老名牧師、谷本富博士、加藤直士氏など、予はあまり好まぬ。海老名牧師はそーでもないが、他の二先生はドコとなく、学識を衒ふ、自ら自らを高くせんと試みると云ふ風がすき透つて見へて、多少、イヤ気がさす。悪く云へば学者臭い学者、よく云へば大学者である。井上円了博士の哲学や、妖怪談は、それ自らが既にバケかけておるほど古いものであるが、博士が日本仏教界に与へられた感化と功績は実に著大なものであつて、現日本仏教の発展は、ある意味に於て博士の警策、指導の賜であると云ひ得るのであるから、予は博士を明治仏教史上の一大偉人と明治仏教の開拓者として敬称したい。博士の靴の音が一歩一歩にギウ（寄附）〳〵と鳴るとかならぬとか、それはドーでもよい。金のある人は宜しく仏教界の大恩人たる博士に寄附すべしである。『彼』の棚にはマダカレがのこつておる。（三月十五日）
（『新仏教』第一一巻第四号　一九一〇年四月一日）

45　予の予、予の彼（下）　井上秀天

咄堂先生は明治式の大内青巒居士とでも（無理に云へば）云へぬ事はないが、青巒居士と咄堂先生とは似て而も大に似ざる所がある。青巒居士は筆も口もたしかに通俗的であるが、その態度には少しく大家ブルと云ふ不通俗な風（併しこれが却て通俗かも知れぬ）が見へる。咄堂先生の方は筆も口も通俗的である上に、その態度も頗る通俗的で、所謂下か﹅りな所がある（併しこれが却て不通俗な政策かも知れぬ）。この相違が不幸にして後者を軽躁に見へしめ、幸にして前者を寛重に見へしめる。モー一つ比較をして見ると、青巒居士は○○宗管長○○大禅師猊下に適し、咄堂先生は随行○○大和尚にふさはしい、とは云へ随行大和尚必ずしも大禅師猊下に劣ると云ふ訳ではなく、大抵の場合随行の方が隠然として大に優つておるものである。結句として簡短に申すと、咄堂先生は身丈の高さに逆比例して頭が低く、青巒居士は身丈の短きに逆比例して頭が高い、と云つた所で今更頭のつけかえも出来ぬ事だから、その逆比例しておる所に各特長があると謂ふべきか、毛利柴庵先生、この先生は杉村楚人冠式に高島米峰式を加味した様な中々奇抜な、頗る面白い先生。寺を買つて新聞社を買うナンテー事は凡々した俗和尚の得て真似し能わざる事。併しこの牛を帯びるとか剣を売るとか、寺を棒に振つたとか、新聞社を手に丸めたとか云ふ事は、何れも睾丸抉出和尚船岡芳信大僧正（この大僧正も予とは君、僕の間柄であつた事もあつたが、今は昔に名高い高知の五台山竹林精舎の大僧正様であるから、茲に大僧正と申して敬意を表しておく）からきかされた話であるから、万一事実に相違が御座候ても、睾丸のない大僧正の話、おこりツポク正式に取消を請求するにも及ばない。この船岡大僧正も『彼』の一人だが、この大僧正の睾丸抉出の理由が中々僧正〳〵した頗る遠廻はしの論理だ。曰く、「天下の僧侶は何れも妻をほしがつておるから、その女好きの僧侶に妻帯をさせる為めに、拙僧は自ら睾丸を抉出して、天下に模範を示したのである」と。「天下の僧侶に妻帯をさせる為に、拙僧は父母伝来の二個の睾丸の上に、更に二個の睾丸を増補（?）して、天下に出歯亀式模範を示した」と云ふのなら聞へぬこともないが（無理に聞けば）、ドーモ予輩の如き末法の凡俗には、乍残念、大僧正の御説法は声の如く唖の如しで、華厳会上の声聞よりもひどい。大僧正の論理は恐らく田中我観先生でも一寸説明に苦しまれるであろう。新渡戸博士は大好きであつたが、博士に商買《ママ》気がさしてから、予も博士に嫌気がさして来た。堺利彦、幸徳秋水、この二先生も予の敬愛する思想家である、が悲しいかな、日本の様な旧式な、自分よがりの、窮屈な所謂皇統連綿万世一系の世界無比な国に生れたが因果で、当局者に罪人視されて居て、誠に気の毒な次第である。『彼』棚の中で一寸意気な『彼』は、予に

『尼寺に色気話は禁ずといえど
　けさも衣の色さだめ』とか
『龍田川、無理に渡れば紅葉がちるし
　渡らにやきこえぬ鹿の声』

とか云ふ様な歌を教へてくれた彼である。この彼の原籍現住所氏名は茲にお預りにしておくが、コンナ事を教へる彼は無論男性でない。実は芸妓で、世の偽善者はこの彼等を醜業婦と云ふそーである。このタチの彼が、予の『彼』の中にすくなくとも二三人ある。これらは大内、加藤、高島、境野、毛利とかなんとか云ふ色つやのない彼ではなく、何れもつや〳〵した彼で、『彼』の中に於て、最も色気とつや気があるもので、偽善者の親近すべからざるものである。こゝにダルマパラーと云ふ彼がある。この先生、中々の運動家で、毀損褒貶相半した評判を肩にかけておるセイロンの紳士である。曽て陸師とセイロンに滞在して居た時に、この先生と馬車を共にして、霊智会から先生の邸宅に馳せたことがあるが、馬車の中で先生大に日本風を吹かせ、殊勝気に合掌して。南無法蓮華経…南無阿弥陀仏…南無法蓮華経…南無阿弥陀仏…をマゼコゼに連唱して大に閉口された事がある。本田洞龍君と云ふ彼は近頃大に（イヤ少しく）名を出しかけておる少壮仏教家であるが、予が曽て台南の曹洞宗国語学校で陸師の指導の下に所謂先生をして居た時に、本田君がヒヨツコリとヒヨツコリした風をして内地からやつて来た。予は本田君の様な将来有望の青年が学校の小使のやる様な事をやつておるのは、頗るつまらぬ事だと思つて、予と他の二三の同僚が勧めてヒヨツコリと来た本田君を今度はコツソリと清国に渡航させたが、アトデ「井上が本田をおだてゝ、その上自分の洋服まできさせて本田を支那にやつた。井上は実に悪いやつだ」と云ふ様な意味で、予は大に陸師のお叱りを頂戴した事があつた。この本田君（今の号は無外）と云ふ彼も予の『彼』棚に古い巣を造つておる。岡山孤児院に石井サンと云ふ彼がおる。この彼は堂々たる孤児院の院長サンであるが、予は一向感服せぬ彼である。と云ふのは、昔予が未だ悟を開いて成仏して居なかつた所謂修行時代に、暫くこの孤児院に居た事がある（自費で下宿して孤児院に通つて居たのである）。ある夏の夜、院長石井サンの依頼で院の職員の為めに、西瓜を食ひ乍ら仏教談をやつて、大に学者風を吹かして居た。夜の十時頃であつたと思ふが、当番の職員が「孤児の人員調べをした所が一人不足だ」と急報して来た。ソコデ予及び他の職員も西瓜ドコロでも、仏教談ドコロでもない、直に不足せる一孤児の捜索に出かけようとすると、石井院長は「イヤ、心配するには及ばぬ、あすの朝になれば知れるだろー、かまうに及ばぬ、ホッテおけ…」と云はれるものだから、院長の命令やんごとない。その儘にしておいた。トコロが翌朝になつて「孤児が一名孤児院の水泳場で溺死しておる」と云ふ凶報が来た。スルト石井院長は「溺死をしたと云つては世間体が悪いから、早く着物を持つて行つてきせて帰れ…」と。予はこの時この石井院長は夜叉気のある先生であると悟つて、間もなく孤児院にサヨーナラと宣言してしまつた。これは『彼』の中でも殺気のある頗る冷酷な彼で、一寸血色の変な彼である。予の友に伊藤春子嬢と云ふ彼がある。この彼、中々の才物で、田舎娘ではあるが、親類に伊藤医学博士と云ふ貺のキク先生がある加減でか、筆は中々達者な、紫式部的な筆と、清少納言的な才とをもつておる所はエライ。

和歌などは中々甘いもので金子薫園氏の門に入つておる様子である。年は二十前後で美人としても上の中位であろー。マダ面識がないから正確な相場はきめずにおく。『彼』の中で最も殺伐な奴は後藤新平君、この先生昔台湾の民政長官であつた時に、予輩の学校を参観に来た事がある。台湾では随分芸妓をなで斬にした男だが、定めて今日も案の通であろー。万事万端殺伐的であるから、その飼馬や、汽車までがシバ〳〵殺伐なことをやる。無我山房の先生方や、木下尚江先生など、予は大好きで、何となく慕はしい。大阪に松岡良友師と云ふ『彼』がある。この彼、中々の運動家で、数百円の借金を予期して、浜寺と云ふ様な大舞台で、仏教夏期講習会を開くなど、中々大胆なもので、今の仏教家中恐らく松岡師に比すべき大きな度胸を持つておるものはマタトあるまい。強いて悪様に評すると瓦斯の加減のよくない大自働《ママ》車の様な大人物であるとでも申すべきか。中本山来迎寺に栄転されたから今後は瓦斯の工合もよくなり、自働《ママ》車も大に動く様になるにちがいない。「予の予」より「予の彼」の方がかきよいものだから、さきに書いた所が、話があまり長くなつてのこりの「予の彼」と「予の予」はかけぬ様になつた。が「予の予」、別にかくほどの事もない。「予の彼」をかいたのが「予」であるから、「予の予」は「予の彼」の中に真言宗的に秘してある。具眼の士は見よ見よ喝。（四月二日）

（『新仏教』第一一巻第五号　一九一〇年五月一日）

46　不問答　井上秀天

△尾に従ふの野干だとか、野干の尾に従ふだとか、イヤ何だとか、蚊だとか、理窟ポイ事の

すきな先生達の多い世の中に、『不問答』と云ふ様なむつかしい未熟な熟字を担ぎ出すのは、少々危険であるから、蛇足ながら、第二義門に下り、大慈大悲のお情を以て、『不問答』の読方をかき添えておくことにするが、これは「フモンドー」と読むのでもなければ、「問答せず」と読むのでもなく、「問はざる答」と読むのでもなく、実は「問はざるに答ふ」と読むのである。併し喧嘩好きの先生達は如何様になりとも読みをつけて、何時までなりとも退屈するまで御勝手な理窟をこねて御座るがよい。

△七月二十日に神戸の諏訪山武徳殿で、朝日新聞社主催の『南極探検大講演会』があつた。予輩は平生講演会とか演説会とか云ふ所には、あまり足を入れぬが、それは足がないからではなく、ソンナ所に足踏みするのは、何だかひまつぶしの様な気がするからである。併しこの武徳殿に於ける朝日の大講演会には、特に三宅博士と杉村楚人冠（と呼捨ても妙でなし、先生とつけて叱られてもならず、居士でもあるまいし、和尚では無論なし、何と云ふ敬称をはかせるべきか一寸考がつかぬ）に敬意を表する為めに、ワザ〳〵参殿仕つた一寸妙な比較ではあるが若し万一、三宅博士が天皇陛下で楚人冠○○が皇太子殿下でもあつたなら、早速に不敬罪だとか、何だとか、妙な罪名で拘引される所であつたのに、それにもかまはず、門に待受け、演壇にねらひを定めて、都合三枚の撮影をした。出来上つた写真を高島米峰○○に送り、米峰○○之を楚人冠○○に送つた所が、その返しに、楚○○から米○○にエハガキが来た。そのエハガキは米○○の著語がついて更に予輩の手に渡つた。曰く、

『井上といふはあほうぢやのう　四日　楚

これは例の写真に対する楚が謝辞だ　米峰』

事件はこれで終結でない。この「あほうぢやのう」ののうがのうなれば、「あほうぢやぞ」と云ふより、よほどやさしい語調で、楚〇〇に不似合なほど頗る婉曲に出来ておるが、実は実物のエハガキにかいてあるのうは頗る不出来であつて、のうか?か、一寸判断のつかぬのうである。若しこののうが?であるならば、愈々以て楚〇〇に不似合な語調である。「井上といふはあほうぢや?」なんて、そんな事を人に尋ねなければ分らぬ様な合点の悪い楚〇〇であるなれば、予の方から米〇〇にあて、、「楚と云ふはあほうぢやか」と尋ねて見たい位である。況んや、皇統連綿万世一系の天皇を戴ける大日本帝国にはかと云ふ立派な文字がチヤントあるのに、物好きに西洋小間物の?を使用するに於ておやだ。予をして楚たらしめば「井上はあほうぢやぞ」と男らしく出るものを。加之、「井上といふはあほうぢや」なんて、あまり役にもた、ぬといふ三字をつけた為めに「井上があほうである」のか、「井上と云ふ言葉を使用する人があほうである」のか「井上と云ふ言葉を使用する事があほうの仕事である」と云ふのか何れの意味か一向分らぬ事になつてしまつた。兎に角楚人冠といふは頗る婉曲な句調に富む人であつて、西洋小間物然たる?・!などを、はがきの上にまでさらけだす様な小供らしい英学者でないことは勿論である。「井上といふはあほうぢやのう」

△日本には予輩の了解に苦しむ風習が頗る多い。況皇族を目的物として撮影する事が不敬罪に当るとは、予輩はその何故なるやを解し得ぬ。死んでモー葬式もすんでおる人に対する贈位叙勲なども欧米列国に例の鮮くない事でドーモ合点の

ゆかぬ事である。予輩は山行着物にステツキの出でたちで一平民の握手をも拒み給はざる大英皇帝を徳とし又聖と思ふ。電柱の上で工夫の叫ぶ声万歳をも微笑を以て嘉納し給ふ米国大統領を美とし又善と思ふものである。

△何時かの『大阪朝日』に訳載してあつた一米国人の日本観の記事中に「日本は憲法を有するにはあまり早過ぎる。日本に憲法はあるが、実は死文である」と云ふ様な意味の語があつの《ママ》を記憶しておる。日本の憲法が死文であるか否かは予輩の敢て断言し能はぬ所ではあるが、実際に於て言論の自由、思想の自由、出版の自由は日本にはないと申しても差支あるまいと予輩は思ふ。併し貴族乱交の自由、高等官吏淫行の自由はたしかに日本にはある。之を疑ふものは日々の新聞紙上に露はれ来る事実を見るがよい。一宴会の氷代に千幾百円の大金を費し、以て之を光栄とし、学校の校舎で芸妓にとりまかれて大酒宴を張り、以て之を名誉とする貴族大臣の存在する限り、国民に強いて戊申詔書の聖旨を体得実行せしむる事は、絶対に不可能であると予輩は確信するのである。民に臨むには聖人君子でさえもよくし能はざる規矩を以てし、自分等は禽獣に等しき行為を敢てなし、自ら高くとまらんとあがきつゝある為政者、サテモ憐むべきかなである。

△境野黄洋○○の『八宗綱要講義』の一一頁の二行目に八万四千の法門を数学の解式に示して

$350 \times 6 = 2100 \times (3+1) = 8400 \times (4+6) = 84000$

とあるが、随分思切つた盲滅法界な解式である。この式を予輩が学校の先生から教えてもらつた数学の法則によつて解くと。(350×6) の結果の 2100 は $\{2100 \times (3+1)\}$ の結果 8400 に等しい。而してこの8400は｛8400×（4+6）｝の結果84000に等しい。約言すれば2100と8400と84000とは何れも相等しいと云ふことになる。これは非数学家の説明なくては一向訳の分らぬ解式であると予輩は思ふ。この解式は却て予輩の如き初学者を迷はす道具たるに過ぎぬ、削除するにしかずである。想ふにこれは尋常小学校にでも通学して居た植字小僧が戯れに手製の解式を組込んでおいたのを、黄洋○○は夢にも知らずにおられるに相違ない。

△一家では主人が主、一国では君主が主である事は、東洋思想から申せば、当然の事であるから、予輩は之に対して少しも異議はない。日本に生れたもの日本人は当さに天皇陛下を尊敬すべきは勿論の事である。併し尊敬もその程度をすぎると、やゝもすれば虚礼となり、迷信となる。かの学校火災の時に、御真影を取り出す為めに、火中に飛込んで焚死する学校職員は、（最近思想の上から見れば）尊敬の門を通越して迷信の門に踏込んだ人に類似しておるではなかろうか。そんな熱狂な━云は、暴虎馮河の挙を敢てしたとて、決してそれで真正なる愛国者の標本にまつらる、ものでもあるまいし、却て大御心を悩まし奉る事になると予輩は信ずる。予輩は熱烈なる愛情を表面せん為めに恋人の尻をねぶる狂者を推称することはなし能わぬと同じく尊敬の門をくゞりぬけて迷信の挙動を敢てする忠君愛国者も推称したくない。予輩は、ある一派の学者の如く、忠孝は野蛮時代の遺風なりと云ふ様な大胆なことは、未だ自らの主張として云ひ得ぬのではあるが、トニカク、帝王、国家に対する日本人の思想中には、ある欧米人の申す如く、たしかに賞賛すべからざる━寧ろ排除すべき非文明非人道の分子が混入しておる

と思ふ。

△予輩は自ら標本的忠君愛国者を以て任じておるものである。而立の坂を一里ほど越してはおるが、未だ路傍に立小便をして巡査君の御大眼玉を頂戴した事もなければ、下宿屋の喰逃をした事もなく、自己の職責を放任したこともなければ、借金を踏倒した事もなく、営々として働き、孜々として勤め、朝は早く起る、夜はおそくまで勉強する、頗る衛生に注意するから病気にかゝつて薬を服用する様なこともすくない。之をしも理想的忠君愛国者と云はずして誰をか忠君愛国者と申すべきぞ。火焔の中に飛込んだり、鉄砲の丸に中つたりして死するもののみが忠君愛国者ではあるまい。然り而して予輩は昨夏から今夏にかけて、三人の探偵君に五六度訪問せられた。この至つておとなしい、悪気のない、完全に近い予輩を内務省では社会主義者の連類《ママ》者爆裂弾組の一人と見做しておるとの事。馬鹿々々しくて仕方がないが、こゝ真正なる忠君愛国者の本旨に依り、肝癪《ママ》玉の破裂は、まづぬきにして、頗る紳士的態度を以て探偵君に会見した。探偵君も亦至つて紳士的態度を以て、頗る探偵君らしからぬ、叮嚀此上なき言葉を以て予輩に接した。他日閑の時に『内務省廻はしの探偵君の訪問を受る記』をかいて見る積りであるから、探偵君の事に就てはマアこんな事でやめておく。

△小山内薫氏の『笛』が発売禁止になつた。予輩は之に発売禁止てふ鉄槌を喰はせた当局者の気が知れぬ。若しこの小説中に当局者のお気に触れた話があつたとすれば、それは同書二八一頁から三二二頁に至る「感謝」の一章であらうが、コンナ些細なことを大袈裟に風俗壊乱だなどと騒ぎたてる当局者聖人地味ておるのには予

輩実にホロ〳〵と感心仕る。一方では芸妓娼妓と云ふものは公許して、莫大な税金をせしめて居り乍ら、一方では芸娼妓を買つた事を書くのを禁止すとは、ホントーに辻褄の合はぬ話ではないか。風俗壊乱—聞いてあきれてものが云へぬ。実は風俗壊乱者は小説家中にはお上の檀那様方の方に比較的に多いのである。乍去、官吏に馬鹿と云へば、官吏侮辱罪に問はれ、人民は官吏に馬鹿と云はれ馬鹿にされても泣いて默つておらねばならぬ日本のことだから、真面目腐つてコンナ事をかいて見た所で、尽言を寛容する様な善人らしき好人物は当局者中にはマアないのであらうとあきらめて泣寝入するより外に致方はあるまい。

△七月三十一日に英国来の友人四人と共に保津川を下つた。前夜京都東山の左阿弥に宿つた時、日本流の便所で大便をする事を教えさせられたのには、実以て閉口した。三十づらを下げ乍ら、大便の仕方を知らぬと云ふ訳にはゆかず、愈以て尿たれ先生、やむを得ず真面目な顔をして大便の放下着を教えてやつたのには自分乍らおかしくてたまな《ママ》らかつたが、教えてもらつた先方では大に閉口の結果やむを得ず予の門に入つて教を乞ふに至つたのである。『不問答』もこの辺で切上げておく方がかしこからう。（明治四十三年八月九日稿）

米峰曰はく、この原稿、長さ一枚八寸五部位の原稿紙に書いて、それをわざ〳〵継ぎ合せること約二十枚、その全長正に一丈七尺。そのまゝでは、とても活版屋へやられないから、一々適当の寸法に切り放しこれを綴ぢ合せたが、イヤもう、面倒臭いこと限りなし。「井上といふは、あほうぢやのう。」

（『新仏教』第一一巻第九号　一九一〇年九月

一日）

47　平凡極まる平和論　井上秀天

「日本の今日は平和時代であるか否か」と云ふ問題に対しては、その平和と云ふ語の定義如何によつて、然りとも、否とも、答へることが出来るのではあるが日清戦争、日露戦争当時の日本を戦争時代の日本と称し得るものなれば、今日の日本は、確に平和時代の日本と称するべきであらう。

平和の日本は平和の説法をなすには差支のない国であつて、平和の日本における日本人は平和の説法にお祭騒ぎをなし、自ら平和を愛する国民を以て任じ、その意気揚々たる所、一見実に東洋の君子人である。

されど、戦争時代の日本は、平和の福音を宣伝するには、頗る危険千万、差支の多い国であつて、平和時代に於て無暗に平和々々を叫号する日本人は、戦争時代に於ては、毫も平和の福音に耳を傾けざるのみか、平和、非戦など、苟も人間らしき言語を口にし、耳にすることを厭忌し、平和主義、非戦主義の上に立つて、人道の大義を師子吼する者を、非人扱にし、国賊視して、自ら大忠臣、大愛国者を以て許す国民である。予輩は日本及日本人の大多数が、果して平和―正しき意味に於て真の平和を愛する国民であるか否かを疑ふものである。

予輩をして忌憚なく云はしめば、日本国民の大多数は、佞弁諂媚を甘受する性癖強き点に於ては小児に類し、尽言苦諫を敵視する点に於ては小人に酷似して居て、大人君子の如き胸襟度量は少しもないのである。これ予輩が日本の将来のために、実に悲しく思ふ点であり、又日本国民が常に外人を排斥嫌忌せらるゝ所以である。

平和博士の渾名をもてるジヨルダン博士が、遥々米国から来て、日本国民のために、平和の福音を宣伝せらるゝその御志は、実に難有きこと、それに対して、日本国民のある部分の人々が、外交的にお祭騒ぎをなして、歓迎するのも、殊勝千万、善根功徳この上なき事ではあらうか、若し不幸にして、ジヨルダン博士が、今日の如き平和時代の日本に来らず、日露戦争当時に、平和思想宣布の為めに、日本に来られたならば、今日博士を祭りあげつゝある日本人のある者は、露探、社会主義者、無政府主義者など…あらゆる悪名を博士にきせて、横浜上流を拒む様なことをしたり、博士の乗れる汽車に石を投げこむ様なことをしたり、したに相違ないと思へば、日本人の人道上に於ける真価値も少しく怪しまれ、欧米人が好戦国民として日本人を冷遇し排斥するのも、穴勝理由のない事ではないと思はれるのである。

戦時の日本に来らずして、少しく時節はずれに、平時の日本に来られた博士は、その身命の安全なる点から云へば、頗る幸運児と云ふべきではあるが、それがため、却て平凡なる平和論者、卑怯なる平和の使者となり了られたのは、博士の価値及び名誉の上から見れば、実に多大の損であるかも知れぬ。

予輩は平和の時代のみに在て、徒らに平和を騒ぎたてる人物を避忌する。戦時に在ては戦争狂に雷同附加して、殺戮を以て慈善事業の如く心得、戦争の罪悪に正義の文字を冠らせて、国民を挙つて殺伐非道に誘導し乍ら、平和の時世に処してのみ、根拠なき無意味なる平和を鴉鳴雀噪する所謂平和論者は、畢竟職業としての平和論者―露骨に云へば、パン問題より割出されたる平和論者であつて、決して尊重すべき、傾聴すべき性質のものではないのである。

　戦争は如何なる名称の下に行はれても、無上の罪悪である。戦争に正義の美称を冠らすべきものならば、娼妓にも亦貞操の称号を捧ぐべきではあるまいか。戦争は行為そのものが業に罪悪であつて、その目的と動機の如何によつて、正義不正義の別の存すべきものでない。要するに戦争は利を目的とせる不仁の行為、修羅の殺戮であつて、その人道を距ることは実に百億万由旬よりも尚遠いのである。

　仮令、今茲に甲乙二国が交戦中であつて、国家の自衛上その国民を駆つて戦場に向はしめねばならぬ不幸に陥つて居るにしても、一にその国民の士気沮喪せしめざらんがために、徒らに戦争万能を唱へ、戦争を正義の行為なり、仁義の処置なりと誣ふる事は、実に国民の獣性を挑発し、国民を非人道に導き、残忍酷薄を国民に奨励するの甚しきものである。よし、やむを得ずして、戦争に従事せねばならぬ様な場合に際会すとも、その国民に「戦争は罪悪の甚しきものなり」と云ふ事実を忘れざらしめんために、その国民の間に立ちて大に平和を高調することは、実に真の平和論者のなすべき当然の義務であり、守るべき本分ではあるまいか。

　然るに世の平和論者の多くは…絶対的平和主義の上に安心立命すべき宗教家まで―キリスト教の牧師連宣教師連も、仏教の僧侶も―戦時に在ては曲学阿世、無暗に主戦論者に雷同附加して、戦争の罪悪に正義の実冠をのせかけ、殺戮の惨劇を仁義の軍なりとコジツケて、世の没理漢の歓心を買ふことのみに心がけ、徒らに平時にのみ、心にもなき平和論を叫号して、以て自己の虚名を衆愚の前に広告せんとつとめをる。斯の如き者は、実に衷心平和を愛するものではなく、たゞ名聞利益のために、浮気半分に平和論を口になすものであつて、其平和論たるや、根蒂なく、生命なく、半文銭にも値せぬものである。這個軟骨なる平和論者が、幾百千万人あつても、決して地上に平和を期待することは出来ぬのである。

世には色々の平和論者があるが、彼等は何れも同一の論拠に立つてをるものではない。或は経済学者の立場から「戦争と平和」を論じ、或者は社会学者の立場から、或者は生物学者の立場から、或者は政治学者の立場から、或者は哲学者の立場から、その論ずる所、その主張する所、実に区々ではあるが、その「戦争を罪悪とし、平和を人類の理想となす」点に於て、蓋し相一致してをる。併し乍ら、彼等の所論主張が、真に地上に平和をもたらし、現世に真の天国を造るために、果して幾分かの貢献をなし得るものであらうか。これ大に熟考すべき大問題である。否、予輩の眼から見れば、彼等の多くは、的はずれの空論をなしてをるのである。

ジヨルダン博士は、明治四十四年八月三十日、信州軽井沢の公会堂に於て、避暑外人約一千余人のために「戦争と平和」と題する問題につき、四時間以上に亘る大講演をせられた。予輩は当時軽井沢に避暑中であつたから、親しく博士の講演を拝聴する光栄を有した。予輩の了解せし所によれば、ジヨルダン博士は、その宗教別から云へば勿論クリスチヤンではあるであらうが、基督教家としての平和論者ではなく、広き意味に於て、科学者としての平和論者である。随つて博士の一言一句は、確に科学的典拠の上に組立てられをるものであるから、その講演は、所謂科学的オーソリチーの存するものであつて、世人をうなづかせ得る丈の感化力は備はつて居たのである。乍併、ジヨルダン博士は、可惜乎、予輩の期待する所の理想的平和論者では決してない。

予輩は今、ジヨルダン博士の講演を以て、非宗教的平和論者の主張を代表せるものとして、少しく批評を加へて見たいと思ふ。

ジヨルダン博士は、平和思想の歴史を叙述し、「野蛮時代の人類は、常に戦争に従事して居て、父子兄弟夫婦の間にさへ、尚争闘の絶間がなかつた。実に野蛮人は平和の価値を知らず、平和を欲しなかつたのであるが、人智の進歩と文明の発展するに従ひ、平和の思想は次第に其領域を拡大して、夫婦の平和は一家の平和となり、一家の平和は一族、一族の平和は一村、一村の平和は一郡、一郡の平和は一県、一県の平和は一国、斯の如くにして、遂に世界各国おの〳〵その国境内に於て平和を獲得するに至つた。故にこれと同一の径路によつて、国際間の戦争―即ち一国と他の一国との争闘を遏絶して、世界の平和を期待することは、決して不可能の難事ではない…」と申された。これは一応御尤千万に聞える話ではあるが、決して充実した議論と申すことは出来ぬ。予輩の信ずる所より立論すれば、今日世界各国おの〳〵その領土内に於ける平和は、一言にて言へば、封建思想の破壊によつて獲たものであつて、必ずしも、人智の進歩、文明の発達のみより来た自然の結果と断言すべきものではない。果して然らば、今日国際間の戦闘行為を芟除し、世界の平和を獲得せんとするには、勢、国際的封建思想とも称すべき、今の所謂帝国主義なるものを犠牲に供せなければならぬものであつて、人智の進歩と文明の発達とのみに依頼すべきものではあるまい。這裡の消息に就ては、不幸にして、ジヨルダン博士は一言も明確な意見を公表せられなかつたのは何故であるか。世界列強が、今日の如く帝国主義の上に大執着大妄想を以て立てる以上、人智の進歩と文明の発達は、却て国際戦争を誘引し、その災害危難をして益々強大ならしむるものではあるまいか。之を疑ふ者は、今日の所謂「文明の利器」なるものが、如何に悪用に供せられてをるかを、精細に点検観察するがよい。

博士は「軍備は平和の保障でない…」と云ふ事を云はれたが、軍備は平和の保障でなくても、帝国主義の上に築かれてをる国家の平和は、常に軍備を要するのである。帝国主義は一名軍備拡張主義であつて、帝国の基礎を鞏固にするには、是非とも軍備の拡張を要するのである。帝国主義の信者に軍備の撤去を勧めるのは、猫の爪牙をぬき去つて、鼠を捕へさせんとする様なもので、じつに天下の滑稽ではあるまいか。軍備は帝国主義の爪牙であり、又生命である。

博士は色々な方面から、平和の効能と戦争の罪悪とを説明せられたが、可惜乎、好人平和博士は、一隻眼を欠如してをられる。博士は「平和とは何ぞ」と云ふ問題に就て、徹底した意見を持つて居られぬらしい。若し持つて居られるなれば、第一にその問題に解決を与らるべきではあるまいか。

博士は戦争の害毒を説いて「戦争は優秀なる国民、最良の人間を滅ぼすものである。ナポレオンの戦争に於ては四百万の生命を滅ぼし、近くは日露戦争に於ても五十万の生命を葬去つた。而してこの莫大なる生命は何れも最良有為の青年であつたのである。実に戦争は国家の生命、国家の神髄を奪去るものである。

住昔、希臘はその美術、その文学、その智育、その体育に於て、実に優秀なる国民であつたが、彼等は戦ひを好んだがために、今や昔の面影はなく、老朽せる一王国となつてしまつた。又、羅馬国民は、その智力と云ひ、その体力と云ひ、実に偉大なる国民であつたが、これも亦戦争のために、その精力を消耗して、遂に滅亡するに至つたのである。故に人類の平和を求めんには、是非ともこの戦争の大罪悪を断滅せしめねばならぬ…」と申された。

博士の所説は一応は御尤ではあるが、予輩の見地より申せば、かくの如き説は、実に浅簿なる皮相の見である。博士の如く、戦争が国民の精英《ママ》を奪去ることは事実に相違ないが、国民の精英《ママ》を奪ふから、それで戦争が罪悪になるのではなく、よし奪ふものが、国民の精英《ママ》でないにしても、戦争そのものは依然として罪悪であるのである。又戦争後に於ける国民の体力は弱くなり易いと云ふ事も、一応は道理であるかも知れぬ。(勿論この説は多少反駁の余地がある)が、国民の体力が優秀であつたからとて、それで必ずしも平和が獲得せらるべきものではない。体力の健勝なる事は、決して平和を意味するものではない。智脳《ママ》の発達した国民が、必ずしも平和を愛する国民でない。

若しジヨルダン博士の主張せらるる如く、地球上に体力の優秀なる、智脳《ママ》の発達せる国民をつくることが、世界の平和を維持する所以のものであるなれば、体育上、智育上に大進歩をなして居た羅馬人及び希臘が、戦争を好んで、遂に頽廃衰亡に至つたと云ふのは、実に自家撞着のはなはだしきものであるまいか。体力のすぐれ智力の非凡なる、所謂優良なる国民が、戦争を好むに至ると云ふのは何故であるか。体力知力の完美が平和の全意味であるなれば、希臘人羅馬人が戦争を好むにいたつたと云ふのは、ありうべからざる事ではあるまいか。這個の幾微なる重要問題に就て、ジヨルダン博士は一言の説明も加へられなかつたのは何故であるか。

ジヨルダン博士は、ある日本人の喧伝する所によれば、有名なる生物学者であと云ふ話である。予輩は生物学上に、あまり多くの智識を有してるものではないが、常識的に生物の有様を観察するに、戦争的現象（行為）は、機能の発達してをる所謂高等動物に多くて、機能の発達の遅鈍なるものほど、戦争的動作はすくないのである。これが果して事実ならば、博士の主張の如きは、博士自身の得意なる生物学上より見ても、頗る奇怪千万のものではあるまいか。要するに、ジヨルダン博士の平和論は、頗る根帯の弱き平凡至極のものであつて、予輩の眼にはあまり多くの価値あるもの、様に映ぜぬのである。

然るに、さきにコツポ博士に「鼠を捕るには猫を飼ふのが第一の良方法である」と云ふ天地開闢以来明白な事を教へられて、俄に不老不死の妙法でも伝授されたかの如く、難有涙を流して狂喜した日本国民の大多数が今や又博士ジヨルダン老から、平凡極まる不徹底の平和論をきかされて、騒ぎたてるとは、実になさけなき次第、日本人はどこまでも太鼓持風に出来てをるものかも知れぬ。

世人の多くは、ジヨルダン博士の平和論が、科学上に根拠を有してをると云ふ理由の下に、難有涙をこぼしてをるが、ある意味に於て、戦争は科学進歩を催進し、人智の発展に貢献する所が多いではあるまいか。世界の発展進歩はある意味に於て、戦争の恩恵ではないか。ジヨルダン博士の平和論が、科学上の基礎を有してをるので宣伝すべきものなれば、今日の戦争も確に科学上に根底を有し、科学の進歩に裨益する所が多いのであるから、主戦論も亦大に喧伝し渇仰すべきものではないか。

予輩は元来、非戦論者で又最も平和を愛するものである。併し戦争防止、平和の出現は、ジヨルダン博士一流の人々が主張せる方法手段によつて、得らるべきものとは夢にも思はぬのである。

ジヨルダン博士は、国際仲裁々判の完成を以て、世界列国の軍備を撤回し得るもの、世界の平和を維持する最良の方法と主張せらる、が、予輩の信ずる所より云へば、国際仲裁々判なるものは、国際的大制裁―即ちある国が仲裁々判の命ずる所に服従せざる場合に、仲裁々判の威権を維持するため、その権力を以て、その命令に従はざる頑迷な国を懲罰するために、世界的大軍備を要するものではあるまいか。世界列国が従順なる小児の如く唯命これ従ふ的国家ならざる限り、制裁力なき国際仲裁の権威は、決して行はるべきものではない。かくの如き明白な事実は、恐らくジヨルダン博士と雖も、否定し能はざる所であらう。されば、国際仲裁なるものは、決して世界に平和をもたらす所の平和の使者ではなく、却て戦争の区域を拡大し、軍備の拡張を要しこそすれ、絶対的に軍備の撤回をなし得るものではないと云ふ事は、決して何人も否定し能はざる所であらう。

要するに、ジヨルダン博士の平和論には、いかほど科学的事実の証明がならべてあるにせよ、いかほど俗人の注意をひくべき感化力があるにせよ、真に平和を求むる方法としては、あまりに浅簿な議論であつて、真に衷心平和を愛し、永遠の平和を求めつ、あるもの、眼から見れば、失敬ながら、夜店の玩具的議論を免れまいと思ふ。まして博士の議論には幾多の自家撞着が含まれてをるに至ては、不幸にして、予輩は博士の平和論をあまり高く買ひ彼《ママ》り能はぬのである。

平和は実に人心の偽りなき要求であつて、肉―物質上からのみ解決せらるべき問題ではない。世界の平和は世界人類の内心に、平和を樹立する事によつて完成せらるべきものである。科学者、政治家、経済学者などが、その職業上から、イクラ平和論を討議論争した所で、真の平和、人類の平和は、ソンナ事で獲らるべきものでは決してない。

平和は宗教の理想、目的であつて、宗教的根蔕なき平和論は、真に地上に平和をもとめんとする善良なる方法として、あまり価値のあるものでない。実に平和は宗教の最終目的である、宗教をはなれて、人類は理想たる―永遠の光明ある平和は成立せぬのである。よし斯の如き平和は幾百万年の後にあらでは、実現し得ざるものとしても予輩人類のつとめとして、宗教を通じて、真の平和を追ふて進むべきものではあるまいか。

仏教にせよ、キリスト教にせよ、宗教は何れも平和主義の上にたてられたるものであつて、その教祖は何れも人類の平和を理想としてをる偉大なる平和論者である。今日の所謂平和論者の如く、富国強兵の我執にとらはれたる、利己的我田引水的似而非平和論とは雲泥の相違があるのである。

宗教の上に国境はない。宗教の教祖の眼から見れば、四海はすべて皆同胞、人類はすべて兄弟姉妹である。真の平和論は、実にこの一大信条―一大信念―一大事実から湧出せねばならぬのである。この一大信念を除外としては、真の平和は決して求め得らるべきものでない。この宗教の立脚地を失へる平和論者は、極言すれば帝国主義の太鼓持であつて、人心の根底に潜在せるあるものに深き、強き光ある印象を迚も与へ得ざるものである。換言すれば、這個宗教的一大信念の上に立脚地を有せざる平和論は、唯これ軍備の弁護にすぎないのであつて、必ず後に至つて来るべきヨリ強大なる、ヨリ悲惨なる、ヨリ悲惨なる戦乱に伴はれてをるものである。

予輩は、世に擾々として溢れをれるキリスト教宣教師牧師、仏教僧侶の大多数が、自己の教祖の一大信念、一大理想を閑却して、徒らに宗教を以て生活の資を得る材料に使用しをれるを見て、実に人道のために浩嘆にたへぬのである。孟子曰「王曰何以利吾国、大夫曰何利吾家、士庶人曰何以利吾身、上下交征利、而国危矣。万乗之国弑其君者、必千乗之家、千乗之国弑其君者、必百乗之家、万取千焉千取百焉、不為不多矣。苟為後義而先利、不奪不饜。…王亦曰仁義而已矣、何必曰利。」（孟子梁恵王章句上）これ帝国主義の産出する自然の結果に対する一大警鐘ではあるまいか。

予輩は上来の理由を以て、ジヨルダン博士一流の平和論者を「平凡極まる平和論者」と云ふに躊躇せざるものである。他日閑を得て、予輩の理想とせる平和論につき、更に論述して見たいと思ふ。（明治四十四年十一月十六日）

（『新仏教』第一二巻第一二号　一九一一年一二月一日）

48　偉大なる平和論　井上秀天

英人FIELDING HALL氏の名著THE SOUL OF A PEOPLEの第四章THE WAY TO THE GREAT PEACEを原文の意味を損せざる様に、辞句を逐うて忠実に和訳し、茲に仮りに『偉

大なる平和論』と題す。（訳者附記）

仏教の教を了解しようと思ふならば、先づ第一に、仏教徒はかの婆羅門教徒と同じく、人間の霊魂は永久不滅のものであると信じてをる、と云ふ事を記憶しておかねばならぬ。

他の宗教の信仰、他の哲学に於ては、必ずしも左様ではないが、仏教に於ては霊魂は不死不滅であつて、吾人の霊魂は吾人が生れた時に他の肉体を離れた霊魂が、新たに吾人の肉体に現はれたものにすぎぬのであると説くのである。

仏教徒の信ずる所より云へば、霊魂は無始不終のものであつて、吾人の忖度すべからざるものである。吾人は何処より来たのであるか、勿論吾人は之を知る事は出来るのではあるが、吾人が生れた時に吾人の肉体に宿つた霊魂は、決して生れた時に新たに創造されたものではなく、久遠《エヴァラスチング》の彼方《あなた》から来たもので、現在吾人の生涯《ライフ》は、唯戯劇に等しき永遠無窮の存在に於ける一舞台に外ならぬのである。人間の真価値《アイデンチチイ》、善悪両性の和《サム》は実に人間の霊魂であつて、この霊魂は決して死するものではなく、永久に持続するのである。吾人の肉体は霊魂が暫く宿つた容器の如きものである。

而して、その霊魂の状態、即ち現に霊魂が善に支配されておるか、悪に支配されておるかは、偏に過去に於けるその霊魂の思想《ソーツ》と行為《アクションス》に関係しておるのである。

人間が生れながら、賢であり、愚であり、正であり、邪であり、強であり、弱であると云ふのは決して偶然の出来事ではない。人間の生活状態は、自ら蒔いたものは自ら刈らねばならず、自ら刈つたものは自ら又蒔かねばならぬと云ふ永久の法則の絶対的結果である。

それ故に若し人の慾望が生れながらにして悪

的傾向を持つておるならば、それは彼が過去に於て悪的に教育された生涯を有して居たからであるのである。之に反して、若し人が正義心と慈善心と忍耐力と同情心に富んでおるならば、それは彼が前生涯に於て、それらの諸徳を修養して居たからである。即ち彼が善性に従つた結果、それが彼の霊魂の習慣になつて、現在に於て美しき徳を具備するに至つたのである。

斯の如く人は自ら自己をつくるのである。それであるから人は、よし自己に不完全な点があつても、それは自らが造つたものであるから、その罪を他の人にされる事も出来なければ、又自己の有する諸の徳性に対して、他人に感謝する事もないのである。変易すべからざる正義の法則の範囲に於て、吾人は絶対的に自己の創造であり、又自己の運命《デスチニィ》の創造者である。それであるから、善人になるのも悪人になるのも、一に吾人の自力によつて、如何様らもすることが出来るのである。否、人間はたゞに善人ともなり悪人ともなり得る力があると云ふばかりでなく、実際自己を陶冶せなければならぬのである。人間はこの自己を陶冶することの外に、進歩発達する途がないのである。

人間は均等なる機運《チャンス》を持つておるのであるから、現在生活の実際に於て、多少不公平な事があるにしても、それは矢張自己の造つたものであるから、何も他人に罪を帰することは出来ぬ。而して又その不幸を転じて幸福を獲得する事も亦、その人の力で出来る事であるのであるから、よしこの短き生涯に於て禍患を転じて幸福になすことが出来ぬにしても、来るべき生涯に於て必ずその事を成遂げ得るのであると云ふ事を確信しなければならぬ。

人間は俄に完全無欠のものになる事の出来る

ものではない、貴重なる物品の製作に於ける如く、完全になるには完全になり得る丈の時間を要するのである。諸君は、一夜の間に樫の大木を庭に生やしたり、一日の間に正義の人を造つたりする様な事を考へるかも知れぬが、そんな事は出来るものではない。過去に於ける情慾《パッションス》、行為《アクツ》、思想《ソーツ》の加《サム》が現在吾人の生涯であるのみならず、吾人は現在日々の生涯に於て、来るべき未来—即ち如何なる人物になるかを決しつゝあるのである。吾人の一行為一思想は、唯外界のみに関係—影響をもつておるのではなく、吾人の内界なる霊魂に重大な（欠字）を及ぼすものである。若しも諸君が、悪に従ふならば、遂には諸君の霊魂が悪的になり、若し善に従ふならば、その一言一行は諸君の霊魂を美化する所の霊筆《タッチ》となるのである。

　現在の人間は過去に於て自ら造つた通りのもの、又未来の人間は現在に於て自ら造る通りのものになるに相違ない。これは実に単純なる教理である。であるから、この生死の問題に於ける仏教徒の立脚地を会得する事は、少しも困難なことではない。これはたゞ霊魂に適用せられたる進化論であるが、普通の生物進化論と異つてある点は、この霊魂進化論に於ては、進化の後程《レーターステーゼス》に於ては、無意識的《アンコンシアス》でなく、思索的《デリベレート》、意識的《コンシアス》進化になる事である。

　この説の演繹は亦単純なものである。仏教の教理によれば、吾人は吾人を造る所の木匠であつて、吾人は自己の思ひ通りに自己を造ることが出来るのである。人間の欲求する所のものは幸運であるが、人間は自己の意のまに〳〵自己を造ることが出来るのであるから、その方法さへ知れば、人間は自己を幸福になす力があるのである。於是、吾人は吾人の欲求する所の幸福とは何か、吾人の忌厭する所の悲惨とは何とか云ふ問題に就て熟考して見たいと思ふ。

現在の世界は悪の世界であると云ふ事は、多くの宗教、多くの哲学の定説である。否、多くの宗教、多くの哲学は、現世は悪の世界であると云ふ事を実際の基礎として、組立てられたものである。

マホメット教及びユダヤ教は、この世界は実に立派な処であつて、快楽をもとめるために住み甲斐のある処であると云ふ風に説くのではあるが、殆んど他の宗教はこれと丁度正反対な考をもつておるのである。実際、多くの宗教、哲学の真意義は、宗教や哲学はこの世界の罪悪と不幸福とをはなれておる大安身所であると云ふ点を高調するにあるので、その教説によれば、この世界は、罪悪、詐欺、戦乱、争闘、虚偽、憎悪、その他あらゆる悪物に充たされておる実に悲惨此上なき世界であると云ふのである。

何故にこの世界はかく悲惨であるかと云ふ理由を説明することの出来る学理は恐らくないであらうが、人間は不幸福なものであると云ふ事は事実として一般に承認されておる事で、世界中大抵の宗教はこの事実を事実として承認しておるのである。実にこの事実は宗教の根帯をなせる信念である。若し世界が幸福であつたならば世に宗教と云ふもの、必要はなかつたであらう。夏の平穏温和なる海上を航する船舶には、何の避難所の必要はないではあるまいか。

前述の如く、この世界が悲惨であると云ふ事は、説明なしに一般に承認されておる事実である。乍併、仏教徒はそれをこのまゝに放任しておくことに満足せず、この重大なる事実の正当なる説明さえすれば、その中に包含されておるすべての真理が明白になると考へ、生命《ライフ》は悲惨と名くる病毒によつて苦しめられておるのであるから、その病毒をとりされば生命の苦しみはなくなる。さればこの悲惨の根源は何であるかを先第一に探索せねばならぬ。その根源がわかればその病毒を治癒する方法も随つてわかるのであると云ふのである。

この説明は仏教の特殊なる教義ででママあつて、この点に於て仏教は他のすべての宗教及哲学と異つておる。

何故に人間は不幸福であるかと云ふに、それは活きておるからであると云ふのが仏教の説く所の理由である。生命《ライフ》と悲哀《ソロー》とは離すべからざるもの―否、この二者は畢竟二にして一のもの、同一のものである。この世に活きておると云ふ事実が、すでに悲惨である。諸君が一隻眼を開き、この真理を吾了する時には、諸君は何の疑惑もなく、生は悲なりと云ふ事を知るであらう。

誰人が「今予は完全円満なる幸福を享受しておる。何時までも変化なくこの幸福なる境界に居りたい」と云つて坐して居たものあるであらうか。世界広しと雖も、ソンナ人は一人もない。人間の欲する所のものは変化である。人間は常に現在に飽き未来を求め、而して未来が現在に来て見た所で、過ぎ去つた現在は、現在来て居る未来より、優つておるとは少しも思はぬのである。幸福は常に昨日と明日に存じ、決して今日にはないのである。青春時代には未来を望み、老年に至つては過去を回顧するのが人の常である。現在の死の外に何物か変化と名くべきものがあらう。生命《ライフ》は変化《チエンヂ》であり、変化は死である。人間は死に対して戦慄し恐怖するが、死と生とは畢竟同一物で、離すべからざる、区別すべからざるものであつて、常に悲哀《ソロー》と相伴つておるものである。吾人の如く生のみを欲するものは、恰も渇して大海の水を飲んでおる様な人で、吾人が飲んでおる生存と云ふ毒海の水は、飲めば飲むほど渇を増すのであるのに、吾人は盲目的に飲み続け、常に渇しておるのである。

　これは仏教のなす説明であつて、この世界は活きておるから不幸福である、なぜならば吾人は吾人の欲するべきものは生命でなく、変化でなく、躁急でなく、不満足でなく、死でなく、即ち平和―偉大《グレート》なる平和《ピース》であるのに、吾人はそれを知らないで活きておるからである。偉大なる平和―これ吾人の達すべき決勝点である。これ仏教徒の吾人に教ふる所である。

　於是、吾人は仏教とキリスト教とは非常に相違しておることを知らねばならぬ。キリスト教の説く所によれば、吾人の生涯は現世と来世との二つに分れておる。現在の世界は悪魔の帝国《エムパイヤオヴデヴィル》で、所謂肉慾と悪魔の巣窟であるから、現世は実に悪しきものであるが、来世は神の支配の下にあるので、無論悪魔の闖入する様なことなく、実に麗はしきものであると教へるのである。

　併し、仏教に於ては唯一つの生命《ライフ》を認めるので、この生命《ライフ》は久遠《ファエヴァ》から来て、久遠《ファエヴァ》に亘る所の一大存在《エクヂステンス》である。この生命《ライフ》が悪であるならば、すべて生命《ライフ》は悪である。而して幸福はこの凡夫世界の慾悪煩悩を断滅して平和の境界に達せねば決して得られるものでない。幸福はすべての宗教の究竟の目的であるが、人若しこの幸福を欲するならば、第一に奮発して平和を求めねばならぬ。これ亦決して了解に苦しむ様なむつかしい観念《アイデア》ではなく、能く聴きさえすれば、小供にでも了解の出来る単純なものである―それを信《ビリーフ》じたり、それに帰依《フォロー》したりする事が出来るとは云はぬが、それを了解《アンダスタンド》すること丈は小供にも出来るのである。信仰《ビリーフ》は一種の別問題であつて、その法則《ロー》は中々深く、それを知りそれを信ずると云ふ事は実にむつかしい事であり、又非常に崇高《サブライム》なものである。であるから唯熱心《アー子スト》なる黙想《メヂテイシヨン》によつて悟得することが出来るのである。実に仏教は小供の宗教ではなく、大人の宗教である。

　仏教は如上の教理を有するので、世に厭世教と称せられておるのである。吾人はすでに他の宗教に、生と死とは全然別種のもので、両者相容れざるもの、来世に於ける生命《ライフ》は美しきもの、死はおそろしきものであると教えられておるのであるから、今仏教によつて悪を根絶すると云ふのは、つまり吾人の生命そのものを根絶するのである、生と死とは一如であると云ふ様なことを考へると、実に戦慄するのである。併し吾人が活眼を開いて肉欲《フレッシュ》の虚偽《フオールス子ス》なること悟得し、真理に接触する暁に於ては、すべての恐怖苦痛は即時に消滅して、茲に美しきたのしきあるものが現前し、心は喜悦を以て充たされるにちがいない。

　であるから、仏教徒の終局の目的とする所のものは偉大《グレート》なる平和《ピース》、即ちすべての悲哀を脱却せる広大《マイチー》無辺なる解脱である。人間はこの大なる平和に向つて向上発展せねばならぬ。人一度その終局の目的地をきめたならば、その結局の目的地に到達する道、即ちその手段《ミーンス》を発見しなければならぬ。その究竟の目的地なる偉大《グレート》なる平和《ピース》に到達するには、吾人は如何に思索し、如何に行動すべきであるか。この問題に対する仏教の説明は、曰く善行《グツドテーズ》と善思《グツドソーツ》、この二つのものが、実にその目的地に到達し得る唯一の門である。誠実であれ、親切であれ、憐み深くあれ、真理を愛せよ、不正を避けよ――これ実に幸福に達する第一歩である。他の人々に対して善をなせ、されど他人から善をせられたいからと云ふ利己心からしてはならぬ。他の人々善をなすと云ふ事は、即ち自己の霊魂を善になすのである。慈善心に富み、施しをなせ。施者は人に欠くべからざるものである。これらの事は勿論太切《ママ》ではあるが、茲に何よりも太切《ママ》なものは、愛と同情である。他の人々の心を思ひやり、他の人々の心を了解し、他の人々に同情することをつとめよ。そこに愛が存在するのである。実に仏教徒は自己の心中に

Tout comprendre, ce´st tout Pardonner.（すべてを了解することは、すべてを寛恕することである）

と云ふ金言を銘記しておるものである。世の中に、自分を思ひやってくれる他の人の愛ばかりでなく、源分が他の人を思ひやる愛の如き愛ほど、人の心を和らげたのしましむるものは他にないのである。自己に関係あるもののみでなく、全世界、地上に匍匐せるすべての生物、空中を飛翔せるすべての鳥類、草叢に住めるすべての昆虫、あらゆるものに対して愛憐の情を持てよ。すべての生物は人間と同族である。人間の生命《ライフ》は他のもの、生命《ライフ》と相離れたものでなく、同一のものである。であるから、人は自分の心《ハート》を完全にするには、自分の周囲にあるこの広大な世界のすべてのものに同情し、それを了解せねばならぬのである。されど、茲に常に記憶しておらねばならぬことがある。それは、何事をなすにも先づ第一に自分からはじめねばならぬと云ふ事である。他の人々を正しくしたいならば、必ず先づ自己を正しくしなければならぬ。他の人々を幸福にしたいならば、必ず先づ自分が幸福でなくてはならぬ。他の人々に愛せられるには、必ず先づ自分が他の人々を愛せねばならぬ。自分の霊魂を麗はしくするには、常

に自分の霊魂に就て多大の考察を要するのである。これ実に仏陀の教訓である。併し仏教の教ふる所が唯これ丈のことであるならば、仏教は畢竟他のすべての宗教や哲学の陳腐《コムモンプレーセス》なる談義を繰返したものに過ぎないのである。この教に於ては、正義に就て、何も別に新らしき事が云つてない。この正義は、古来幾多の聖賢が教へたものであるが、正義なるものは、結局幸福、平和に達する確実な道でないと云ふ事は吾人の既に知得しておる事である。而して仏教は百尺竿頭更に一歩を進めて、正義以上の事を説くのである。名誉、正義、真理、愛などは、勿論美しきものではあるが、これらのものは、唯目的地に達する行程の第一歩、その入門たるにすぎぬのである。これらのものは、実際に於て、吾人を偉大《グレート》なる平和《ピース》に導くことは出来ぬもので、その中には、現世の煩悩に束縛されておる吾人を救済する力はないのである。吾人は唯正義であるばかりでそれですむものではない、正義であること以上に何物か尚大なるものを要するのである。神聖《ホーリ子ス》も亦幸福に達する門ではない。神聖に依て幸福を贏《か》ち得んと試みた人は、何れもその不可能であることを悟つておる。人間が神聖であつたからとて、それで苦悩を解脱することが出来るものではない。人間は愛によつて自分の心を潔められておる時に、善行善業によつて邪悪を離れてはおるもの丶、それ丈で満足するものでなく、尚一歩進めた所に、更に進むべき前途のあることを発見するにちがいない。即ちその時に於て、実に生命《ライフ》に遠離すべき罪悪そのものであつて、生命《ライフ》は悲哀《ソロー》である。罪悪と悲哀を脱せんと欲するものは、必ず生命《ライフ》そのものを解脱せなければならぬと云ふ一大真理を悟るであらう。乍去、生命そのものを解脱すると云ふのは、必ずしも死を意味するものではない。なぜならば、この生命《ライフ》の死は恰も一方に於てせきとめられたる河流が、直に他の方に向つて流れ行く如く、畢竟来るべき他生の発端である。それであるから、人の生命をとると云ふ事は、自分が自分を刑罰して、自分の生命を、より長き、より悲惨なものになすのに外ならぬのである。悲惨の絶滅は偉大なる平和によらなければならぬのである。

　故に人は悲哀みちておる所のこの世界を遠離せなければならぬ。奮闘、争乱を憎厭し、この眼前に現はれておる不安不定の世界に在ても、常に平和を愛し、自己の霊魂を修養錬磨しなくてはならぬ。而して自己の心《ハート》が偉大なる平和の上に安住するに至れば、茲にはじめて霊魂がその偉大なる平和に帰着するに至るのである。人一度この境界に達すれば、地球上に於ける幾多の煩悩に疲れたる霊魂も、今やあらしなく苦悶なき、実に言語にて云ひ尽し難き大平和の宿れる避難所に到着して、一大安心を獲るのである。これ決して死にあらず、実に偉大なる平和である。

Ever pure, and mirror bright and even,
Life among the immortals glides away;
Moons are waning, generations changing,
　Their celestial life flows everlasting,
Changeless, midst a ruined world's decay,

　これ実に涅槃《ニルヴァナー》であつて、これ吾人の須らく精進奮励して到達せねばならぬ目的《エンド》地、世界の煩悩塵欲を解脱し能ふ唯一の結局《エンド》である。吾人は各自にこの大目的を実現せねばならぬ。吾人は一刻も猶予なく、確にこの目的に向つて、前進し、遂に平和安楽の避難所に帰家穏坐せねばならぬ。これ実に単純なる信仰《フェース》であつて、秘密によらず、教理《ドグマ》によらず、儀式によらず、方便によらざる、地上に於ける唯一の単独の信仰《ビリーフ》である。この美しき信仰を知らんと欲するものは、宜しくその信者の平生によつて、その信仰の美を鑑賞し得るであらう。若し人が自己の信仰に満足し、その信仰を愛し、その信仰を以て高しとし、その信仰を有することを以て自らの恥辱とせず、却てその信仰が、その人を崇高にし、その人を幸福にしておるならば、その信仰の偉大な価値を示す上に於て、これほど立派な証拠は外にないではあるまいか。

古来幾多の学者が無数の書物を著はして就き、幾多の論客が、多くの論議をなしたるこの信仰の教を、予はあまりに簡短《ママ》に縮小して論じてしまつた様ではあるが、よく考へて見れば、決して左様ではあるまい。予が今茲に記し終る一章は実に短きものではあるが、仏教に於ける重要なる事柄に就て、何物もかきおとした様に思はぬ。実は仏教の信仰は頗る単純なものであつて、たゞ数言にでも云ひつくすことの出来るものである。勿論、仏教の教訓のある点は、文采粉飾を施して立派に見える様にする事は出来るのではあるが、信仰《フェース》の真実の証拠《プルーフ》は、その名称の下に於て、人々が実際になす所の結果、行為そのものに存するのである。如何に議論をした所で、これらの証拠によつてきめられた真価値が、兎や角、左右され得べき筈のものではないのである。（明治四十四年十二月六日夜訳稿）

（『新仏教』第一三巻第一号　一九一二年一月一日）

49　仏教と戦争（上）　井上秀天

FIELDING HALL 氏の名著 THE SOUL OF A PEOPLE の第五章第六章 WAR—I.—二《ママ》を忠実

に逐字的に翻訳し、仮りに『仏教と戦争』と題す。（訳者附記）

予は仏陀の教えし教訓を説明する目的でこの論文を草するのではなく、仏陀の教訓を信奉してをる緬甸《ビルマ》人の信仰を説明し論述して見たいと思つて、茲に筆をとるのである。緬甸人の日常生活の一挙手一投足に、仏陀の感化が明白に強く露はれてをるとは云へ、仏陀の教訓と緬甸人の信仰とは、全く同一のものであるとなすことは出来ぬのである。故に予は、緬甸人が人生の大問題に就て如何なる感想を有してをるかを簡短《ママ》に叙述し、仏教が如何なる程度まで、彼等の心理状態に影響を及ぼしてをるかを明らかにしたいと思ふのである。予は第一に勇気（COURAGE）と云ふ事に就て論じて見よう。予の考ふる所のよれば、この勇気ほど一国の盛衰に大関係を持つてをるものは外にないのである。如何なる国と雖も、勇敢《プレーヴ》ならずしては、向上発展することも出来なければ、その独立を維持することさえも出来ない。勇気《カレーヂ》なくては人生の如何なる行路に向つても猛進することは出来ない。実に腰抜《カワーズ》けばかりの国家《ネーションス》は、滅亡に終るより外しかたがないのである。

一国家の勇気《カレージ》は、他の性情《クオリチース》と同じく、多くのもの関係を持つて居る。仮令ば、その国が他の国に対する位置《シチユエーション》、その国の気候、その国の作業《オツキユペーション》など、何れもその国民の勇気《カレーヂ》に関係を有してをるのであるが、斯の如き事柄は一言半句では説明し難い大問題であるから、今は論及せぬ事にする。唯予が茲に論じて見たいと思ふ事は、国民の勇気《カレーヂ》の上、国民の戦闘力《ファイチングケーパビリケース》の上に及ぼす宗教の影響《エフエクト》である。宗教と云ふものは、是であれ非であれ、非常に厳粛《シリアス》な感化力を以つ《ママ》てをるものであると云ふことは、何人も疑ふことは出来ぬのである。予は一八八五年から一八八九年までの、併合戦争《ゼウオアオヴアンネクゼーション》（訳者曰く、これは英国政府が緬甸を併呑するためになしたる戦争なり。）中、軍職を帯びて戦争に従事して居たのであるから、予は茲に予が実際に目撃した活例を記述して見よう。

　我軍が上部緬甸《アッパービルマ》に於て開戦を布告し、一八八五年の十一月に、イラワデイ河を遡つて進軍した時に、緬甸人は少しも我軍に抵抗しなかつた。唯ミンフラの国境保塁で小合戦があつただけで、それ以外に何も戦争らしいものはなかつたのである。封鎖してあるべきはずの河は開放し《ママ》あり、土工《アースウワークス》には一の砲も据えてなく、兵卒は一の銃も携えて居ないと云ふ始末であつて、斯様な沈衰虚脱の有様は、かつて見た事がなかつた。編制《オルガニゼーション》もなければ、材料《マテリアル》もなく、金もなし。兵卒は訓練し指揮し得べき権威と材能を欠き、人民は当路の役人達がこの侵入者供を撃退してくれそうなものだがと心待ちに待つて居り、役人供は人民がこの侵入者達に何かしそうなものだがとからだのみをしておるばかりで、官憲と人民との間に理解《インテリゼンス》もなければ、意思《ウイル》の疎通もないと云ふ始末であつて、一から十まで欠勝ちであつた。斯様な次第であつたからマンダレイ（Mandalay は緬甸の首都）は一発の弾丸も費やさずして陥落し、年若き無能の親切なる王様 THIBAW はみす〳〵捕虜となつてしまつたのである。

　第一の幕は是の如く簡短《ママ》に刃に血ぬらずして終りを告げたのである。暫くの間、緬甸人は知覚を失つたふぬけものの様になつて居て、何がおこつたのやら合点がゆかず、これからどうなるのやら一向想像がつかぬ様子であつて、彼等は英国人は直に退却するであらう、そうすれば緬甸の官憲は直に政府を再組織するであらうと予期して居たらしく、暫く彼等は何も騒がずに沈静の態度をとつて居た。

一八八五年の十一月から、一八八六年の六月までと云ふのは、国内は実に不思議なほど平穏であつた。がそれから一大騒乱が起つて来た、と云ふのは、一八八六年の六月頃になると、寒村僻地の人民までが、英国人は永住するつもりでおるので、逐ひたてられさえしなければ、自分で退却する考へはないのであると云ふ事を了解する様になつたのである。従つて彼等は首都マンダレイの官憲に望みを属して居ても、モーやくにたゝぬと云ふ様な感じを抱く様になつた。英国人の方では又、租税を徴《ママ》集する計画をしたり、地方政治の些な事にまで干渉したりして、英国人はこれから緬甸人を制御するのであると云ふ態度を示す様になつた。而して彼等緬甸人は人に制御せられる事―すくなくとも、外国人に制御支配せられると云ふ事は、確に好まなかつたので、彼等はソロソロ敵対の行動をはじめた。最初に彼等は地方の首領株《リーダース》の助力を望んだがのであるが、所謂地方の首領株《リーダース》にはあまり働きのある敏腕家がなかつたので、遂に彼等は匪徒《ブリガンス》や野武士《フリーランス》などの加勢を獲、これらの無頼漢の下に隷属して騒ぎだし、バアモーからミンフラに至る一帯、シヤン高原地方からチン山脈に至る一帯の地方はすべて英人に反抗して蜂起した。実に上部緬甸《アッパービルマ》は挙つて反逆の熱火に扇動せられ、またに国を奪略せんとしておる外国人（英人）に対して、実に劇烈なる狂熱的謀反を企てたのである。我官憲の権威は唯我銃砲の弾程《レーンヂ》地界に限られ、我軍の砲台は何れも敵（緬甸人）の襲撃を受け、我軍の警衛兵《コンヴォイス》は敵の待伏せを喰ひ、我汽船は至る処の河上に於て敵の砲火をあび、その危険なることは言語道断、我軍隊の戦線以外に於ては、英国人も印度人も一寸の安全地を得ることが出来なかつたのである。而してその我軍隊たるや、頗る少数の兵員を有して居たのであるから、この大なる危険に対して、あまり安全なる防禦にはならなかつたのである。国王THIBAWを始末することは実に容易であつたが、その国民を制服することは案外一大難事であつた。

一八八六年に於ける上部緬甸《アッパービルマ》の状態を詳説することは殆ど不可能であるが、茲に記憶しておかなければならぬことは、緬甸に於ける中央政府たるものは、あまり勢力の強いものではなく、租税を徴集《ママ》すること丶、地方官を任命することを除いては、中央政府の存在は首都マンダレイとイラワデ《ママ》河沿岸の大都会以外には認められて居なかつたと云ふ事である。緬甸人は非常に自治心の発達した国民であつて、彼等は村落政治《ヴィレージガヴァメント》は非常に立派な組織《システム》のあるものであつて、殆どすべての地方事務《ローカルアッフェアス》は、その村落政治によつて処理して行つたのである。であるから、地方官《カヴァナー》が中央政府と国民の間に介在して、僅にその関鎖をなしておるまでゞあつて、地方官がなかつたら、中央政府と国民とは、殆ど交渉のないものであつた。緬甸には過去に於ても現在に於ても貴族社会《アリストクラシィ》と名くべきものは、絶対に皆無であつて、緬甸国民は同輩《イークオル》の団結《コンミユニティ》と云つても、緬甸に於ける様な真に同輩《イークオル》を意味する同輩の団結は、恐らく他国にはないのである。故に彼等の施設《インスチチユションス》はすべて封建制度《ヒユーダリズマ》に正反対をなしておるのである。元来、封建制度なるものは、戦争に有効であると云ふのではじめられたものである。緬甸の慣習行事はすべて彼等国民が平和な時代に於て、安逸歓楽を享受するために仕組まれたもので、彼等は万事平和本位に立ておる国民であるから、イザ戦争となると、何のやくにもた丶ぬのである。他の国々には国民を先導すべき先輩格《ナチユラルリーダー》があるが、緬甸には斯様な人物が絶無である。地方官《カヴアナー》と云つても、ある期間を限り首都マンダレイから赴任した人物であつて、彼等は自己の職務に就ては、何も知らぬのが常である。国内には大なる金満家、大なる制度《インスチチユーション》即ち宗教の組織《オルガニゼーションオヴレリジヨン》は完備して居るが、緬甸人は宗教を戦争に利用する様な事はしない。緬甸仏教の宗制寺法は、かなりよく制定せられて居て、迚も政府の組織の比ではない。即ち僧院の長もあれば、GAING—DAUKS もあり、GAING—OKS もあれば THATHANABAING もある。而してこの THATHANABAING が緬甸仏教の大統監である。

（訳者曰く、GAING—DAUK;GAING—;THA-THANABAING は緬甸の僧綱の位階である。詳細に就ては H.OKCKMANN の著 BUDDHISM AS A RELIGION.PP.130,131, を参照）国王 THIBAW は顛覆されても、この僧綱は緬甸全国民に密接なる関係を持つておるものであつて、彼等は老若男女を論ぜず、すべてこの僧綱を尊敬し崇拝しておるのである。今この無政府、混乱の戦慄すべき舞台に於て、国家の危急存亡の禍難中に於て、この僧綱に属する僧侶は何をして居たのであるか。

予輩は、宗教は如何なる事をなし能ふものであるからと云ふ事、宗教は国家と国防《リヂスタンス》との福音を如何なる方法で宣伝し能ふものであるかと云ふ事、一万人の僧侶が一万の村落に居て、軍国主義を鼓吹し、国民の剛毅《デタミネーシヨン》なる精神をつよめれば、その国民を大胆無敵のものになし得るものであることを知る。予輩はかのラ ヴォンダ LA VENDEE を記憶《ママ》しておる。（訳者曰く、ラ ヴオンダ LA VENDEE とは、仏蘭西共和に反対せし勤王戦争 WAR OF LA VENDEE の事ならん）予輩は我が清教徒《ピュリタンス》の事を記憶《ママ》してある。かのスウダン SOUDAN に於ける予輩の経験の如き未だ記憶《ママ》に新らしきものである。予輩はキリスト教、ユダヤ教、マホメット教、その他数多の異教《ベガニズム》がしば〳〵なしたる忠勇なる戦闘的事実を知つておる。

欧羅巴の宗教の教ゆる所を念頭におき、近世の歴史上に現はれた事件を記憶《ママ》し、仏教に就ては何も知らないものが、突然緬甸にやつて来たならば、この戦争に宗教なるものは如何なる立場《ブレイス》も有して居ない事を見て何より驚愕したにちがひない。この戦争なかばに、何処に行つて見ても、国内は堂塔伽藍で一杯、堂塔伽藍は所謂僧侶《プリースツ》―世捨人《モンクス》で一杯、国民は自分達の宗教（仏教）に熱烈に皈向し、彼等の日常生活は仏教が彼等国民の心の奥底に確乎《ママ》不抜なる信念《フェース》を樹立しておると云ふ事を明確に証拠立てゝおることを見ては、実際何人もおどろかずにはおられなかつたのである。併し緬甸《ママ》人がいかに熱心なる仏教信者にあつたにせよ、彼等はこの戦争に対しては、少しも信念《フェース》を持つて居ないであらうと云ふ事は彼等の行動によつて何人にも想像のつく所であつた。

その理由と云ふのは外でなく、仏陀の教訓は戦争そのものを絶対に禁じて居るのであるからである。仏陀の教によれば、すべて殺すと云ふ事は悪である。すべて戦争は憎厭すべきものであつて、何が残酷悲惨であると云つても人類相互に殺戮し合ふと云ふ事ほど非人道のことはほかにないのである。苟も仏陀の教を奉ずる者は、絶対にこの戒律即ち「殺す勿れ」と云ふ教訓以外に脱出することは出来ぬ。仏陀は、人は自己の霊性《ソール》を完美にするために向上発展せねばならぬと教へ玉ふた。仏教の倫理観から云へば不殺生は万行の第一であつて、生物の命をとらぬと云ふ事は、何より先づ第一に心がけねばならぬ事柄である。世の中には、戦争によらなくては、創造《クリエイト》し、薫陶《ナリシュ》し得ざる徳性《ヴァチユース》があるのであるが、仏陀の教は左様な事には一向関知せぬのである。純潔であれ、親切であれ、慈善心に富め、愛憐に富め、而して他のものに対して善をなせと云ふのが仏陀の教である。仏教僧侶には誓願《ヴァオス》と云ふのがあつて、彼等はこれを守つておる。それであるから、一朝国家に危急存亡の秋が到来しても、その偉大なる、宗教機関《オルガニゼーション》は愛国的戦士には畢竟無用の長物たるにすぎぬことになつた。たゞに無用の長物たるのみならず、無用の長物よりか却て一層無益のものとなり、剰え愛国的戦士に反抗するものとなつたのである。一方では戦乱争闘で沸騰しておるのに、一方仏教僧侶は泰然として平日同様に日々の勤行作務に従事し、家から家に行乞し、戦争、憎厭、復讐などには毫も心を乱されず一心に平和、親愛、慈悲の福音を宣伝して居ると云ふ当時の緬《ママ》甸の国状は、予輩外国人には全く不可解の現象であつて、如何にしても解釈のつかぬ事であつた。予の戦友に戦争中色々な経験を共にした騎兵士官があつたが、この士官が一日頗る軽侮の調子で、緬《ママ》甸の宗教の有様に就て話して居た事がある。この士官は軽騎兵士官の典型《モデル》とも云ふべき人物であつて、一個中隊の騎兵を統率して居たが、予と共にある非常に困難な地方を平定する目的で出かけたことがあつた。

予輩は常の通りある僧院に宿営して居た。この僧院は高壮なる黄金の塔《パゴタ》の附近にある小丘の上にたつて居た。この僧院附近一帯の地方は匪徒の首魁の配下に属して居たが、その首魁が非常に跋扈跳梁して居たので地方の村民は非常に苦しめられて居た。村民は半《なかば》四散し、田畑は耕耘せられずに放棄され、居残り居る人民は不安に襲はれておると云ふ有様であつたが、その地方の僧院は常の如く何れも僧侶満員で、日暮の鐘は何時も変りなく、これまで通りに、ゴーン、ゴーンと夕の空に響き渡つて、無常の福音を伝へておる。小児等は相も変らず寺子屋教育を受けておる。庭園の樹木は常に如く水が灌がれておる。境内は常の如く掃き清められておる。実にその平穏なる有様―尽天地何の変動も起らざりしかの如く、国王は矢張マンダレイに宮居して黄金の宝座に坐し居れるかの如く、戦争はかつて国内に起りしことなきかの如きこの奇異なる実景を目撃して、予輩はこれらの僧侶、これらの僧院は、実に不思議千万のもので、殆ど常識を以ては判断すべからざるものであること悟つたのである。斯の如く体得《プローフエスト》せられた仏陀の宗教は、実に奇妙なものである。

かの騎兵士官が予に云ふには「マアこのザマは何か、コンナ宗教、コンナ宗教家が何のやくにたつのか。併しマアこれが猶太教徒も印度教徒で回々教徒でもないので幸だが、万一この緬甸人が猶太教徒か印度か回々教徒でもあつたならば、この戦争は随分ちがつた芸当《ビヂネス》になつたに相違ない。この黄衣をつけておる坊主供は僧院に安閑としておるドコロのことでなく、一生懸命に国内を遍歴し、我英軍に対抗して戦争の福音を宣伝し、国民の敵愾心を鼓舞する筈であるのに、誰一人としてソンナ利口な事をするものはなく、唯宗制寺法を制定してそれに固執しておるのみである。彼等が聖旗をひるかえして国民を指導し、軍国的気象を扇動して、国家のために打死するものは極楽往生疑ひなしと高唱したり、国民を挙つてガアジース GHAZIS となすことにつとめたりするなれば、彼等の宗教も宗教と名くる価値があるであらうに、現在緬甸僧侶がしておることとは、何のザマか。元来仏教は何の役にたつ宗教であるのか。（訳者曰く、GHAZIS とは、回々教徒の使用する語にして満たされたる老将士とでも云ふべき意味を有する語なり。）緬甸の僧侶は何をしておるのか。僕は彼等が戦闘に従事しておるのを見たこともなければ、国民の士気を鼓舞して何か抵抗らしい事を計画しておると云ふ事も聞たことがない。彼等がソンナ事をせぬは却て僕等にとつては仕合せであるが、それにしても元来仏教は何の効能のある宗教であるのか。」

予の戦友は先づこう云ふ様な事を、いかにも軍人らしい口調で予に語つた。予輩は各自己の立脚地から議論をたてたのであるが、予の戦友は立派な軍人であつて、彼の宗教は剣である。何か戦闘にまにあふものでなければ彼は宗教と思つて居ない。彼は宗教の第一の役目は戦争にまにあふと云ふ事と信じておる。彼は仏教に就ては皆目知らぬ、又知りたいと思つても居ない。唯彼が仏教に就て知りたいと思つておることがありとすれば、それは先づ仏教は戦争のために何か効能のあるものであるか否かと云ふ位事のものであらう。若し仏教が戦争に効能があるなれば、それで仏教は善い宗教であるが、戦争にやくにたゝぬなれば仏教は駄目な宗教であると云ふのが彼の主張であり信念である。

彼は宗教と云ふものは、何か困つた事の出来した時には、慰籍《コンフオト》となつて人を助けたり、倒れか丶つた時には、支柱《ステイ》となつて人を支へたり、敵にせめられた時には、剣となつて敵を防禦したりするもの丶様に思つておるのである。彼自身は外国からやつて来た侵入者でありながら、緬甸人が自分に抵抗するのは、何も悪い事をしておるのではない。唯自分が彼等に対して戦を挑んだのであるから、若し彼等の宗教が役にたつものなれば、彼等を助けて戦争をさせる筈である。善良なる目的のために死するものは極楽往生疑ひなく、さきの世に於て平和と幸福を享受するに相違ないと云ふ様に説法して、彼等を駆つて戦場にやるべきものであると云ふのが彼の所信であるが、これは唯彼の所信であるまでのことで、実際当時に於て仏教がなした事ではない。当時仏教は如何なることをなして居たか、信者の危急の場合に於て如何なる補佐《ヘルプ》をなしたかと云ふに、曰く仏教は何事もなさず何物も与へなかつたのである。かの陰鬱なる薄暗き山林に隠れて予輩を待伏せておる農夫を見るがよい。彼等は如何なる処に安心立命して居るであらうか。恐らく彼等は、国王は英人に拉去せられたし、村落は英人にあらされたし、朋友知人は英人に殺されたし、彼等自身は遠国の女王の隷属にひきさげられたし、絶体絶命、詮方なしに、彼等自身の宗教的信念には反する事ながら、戦はねばならぬ事になつたと云ふ様な事を考へつ丶戦ふのであらう。彼等の戦闘は実にたよりないものであつて、まさかの時分になつても、腕を強める力もなければ、的を狙ふ力もないのである。

戦闘酣なる時に当つて、心臓は弾丸で破られ、胸は剣槍で貫かれて、まさに死なんとするに際しても、希望を来世に属して安々と瞑目し得る様な地を彼等に与ふるものは絶対にないのである。否、彼等は「殺す勿れ」と云ふ大禁戒―正義のおきてに反して戦闘に従事し、重大なる罪を造つたのであるから、死後に於ては自然の結果として必ず地獄に墜ちねばならぬのであると云ふ一大恐怖を抱いて死するのである。この仏陀の訓戒には一も例外《エクセプション》はなく、よし国家のために愛国的戦闘に従ふ場合に於ても、その殺生の大罪に軽重はないのである。「よし汝等の国王、汝等の国土の敵たりと雖も、汝等は絶対にこれを殺してはならぬ」と云ふのが仏陀の大戒である。彼は如何なる口実の下に於ても、仏陀が人類に示した求遠の法規《エヴラスヂングロース》を破ることは出来ないのである。この法規訓戒は万世に亘つて改変すべからざるものであつて、人類はこの訓戒を厳守遵奉せねばならず、平和《ピース》は無上の善《グット》にして、争闘戦乱は無上の罪《シン》であると云ふのが仏教信者及び僧侶の確信する所である。緬甸の田夫野人が侵入者（英人）の頭上に一大打撃を与へたりと思つて何か偉大なる助力《ヘルプ》をさがして居ても、大偉人仏陀の聖徒は「殺す勿れ、悪に敵する勿れ」てふ禁戒以外に何物も彼らに与へないのである。この禁戒は実に普遍的のもので、除外なくすべての人の守るべきものである。苟も宗教的権威を有する訓戒は自他の差別によつてその内容を異にすべきものでなければ、時の推移につれて改変せらるべきものでもない。真理《ツルース》は永久尽未来際《ファーエヴーアンドファーエヴー》に亘つて真理でなくてはならぬ。人がまさかの時に、自己の便利のために、改変し得る様なものなれば決して真理とするに足らぬのである。血に渇ける英国兵士、如上の信念を有する緬甸の田夫野人、斯の如き大なる対照《コントラスト》がどこか他にあるであらうか。

　緬甸人の有するが如き信念は、真に軍人の守るべき信条《クリード》ではない。否如何なる種類の戦士《ファイチングマン》もかくの如て《ママ》信念を信条《クリード》となる訳にはゆかぬ。なぜなれば、軍人の要するものは常に自分にくみし、常に自分と利害関係を共にし、他の者に反対して、自分のみを補佐してくれる人格《パアソナル》ある神《ゴット》であつて、「殺す勿れ」と云ふ様な訓戒は軍人の大嫌ひのものである。即ち正《ライト》は常に正《ライト》であり、邪《ロング》は常に邪《ロング》であつて改変すべからざるもの、如何なる理由の下に於ても正を邪となし邪を正となすことは出来ぬもの、如何なるものも殺戮《キリング》を正義視《ライチヨス》し、暴虐《ヴァイオレンス》を名誉視《オノラブル》する事は出来ぬものであると云ふ様な事を教ふる訓戒は軍人の守るべき信条《クリード》ではない。而して仏教は実に如上の訓戒を教ふるものであるから、仏教なるものは曽て俗論に雷同したこともなければ、慾垢凡夫の手に玩弄せられたこともない。実際仏教は左様な芸当はなし得ないのである。仏教に戦争の手伝をたのむのは、地球の引力《グラヴィチィ》に向つて、「僕は今この石を持あげたいのであるからドーカ暫く君の働きを休息してくれ玉へ」と云ふ様なものである。仏教は改変すべからざる正義の法則であつて、絶対に悪《イヴィル》と提携することは出来ず、如何なる事情を以ても、悪《イヴィル》が善《グツト》になることもあると云ふ様な横理窟を以て、説伏《ときふ》せることの出来る宗教ではないのである。（明治四十五年一月十四日夜訳稿）

（『新仏教』第一三巻第五号　一九一二年五月一日）

50　仏教と戦争（下）　井上秀天

予輩の軍隊は一小村落に近き森林の中にある僧院に宿営を構へた。この僧院の前面には一流の河が走つて居る。この僧院にはヨーヨーの事で、将校の宿営に充つる丈の室はあつたが、迚も兵卒を入れる事は出来ぬので、兵卒はその僧院の下にある小屋に野営することにした。ある日のこと、午后二時頃、非常に暑い日であつたが、丁度予輩が昼飯をはじめようとして居た処に、武装した一隊の人々が予輩の陣営の少し北の方を通過して居たと云ふ通報に接した。彼等は凶悪の巣窟として有名なるラーカー村に行つて、そこに陣を構へるものらしかつた。そこで早速集合喇叭《ブートアンドサットル》が響く、数刻後に予輩は五十の槍兵を率ゐて出かけた。丁度出発と云ふ間際に予の友なる指揮官の従僕で、年老いた印度人のキリスト信者《ヒンドスタニークリスチャン》が友の処にやつて来て、小さな紙片を彼に渡して、「これをアナタのポツケツトに入れておきなさい」と言つて去つた。友なる指揮官はそれに応答する暇がないのみか、その紙片が何であるかを見る暇もなかつたので、彼はそれを受取るや否や、胸かくしの裡に押込んで、直様馬を走らせた。予輩の嚮導《ガイド》はその地方の知事の息子であつたが、彼は予輩を導いて、クネクネ曲つた小径を通つて、低い丘陵の峠につれて出た。通路は随分狭いもので、予輩は深林を押分けて進んだ。たまには河流を横切つたが、河には極少量の水しかなかつた。而して予輩の通る所は暫くはその河岸に沿うて居た。田園の風景は実に美しいものであつたが、予輩は今は見物する時ではなく、大急ぎの場合であつたから、美しき自然の風光も賞し得ず、処かまわず乗廻はしたのであつた。斯様な風で五六十哩行き、小山を回転すると、河流に沿へる小さき林中の草原に出て来た。而してこの河流の遥向ふの端に一小村落が見えたが、これが例のカーラー村であつて、予輩の捜索して居るものどもは、この村落に隠れておるはずであつた。彼等は森の端にある高い木の上に見張番をおいて居たが、予輩の前衛が草原に現はれた時に、見張番が合図の発砲をした。トートー予輩は彼等に見つけられたのであつた。合図の銃丸が怒号の如き音響を以て、丘陵遥かに反響したかと思ふや否や、村落は俄に沸騰し、男子は銃やら刀やらを用意して戸外に走り出で、婦女子や小供《ママ》は怖気け戦慄《おのの》いて狂奔する様、随分悲惨至極のものであつた。彼等は村落の墻壁から予輩に向つて発砲したが、彼等はあまりあわてゝ居て、早く門を閉めなかつたものだから、予輩の騎兵《ソーアース》はトクニ門内に乗込んだ。そうすると彼等はイヨイヨあわてゝ、森や薮の中に逃げ込み、恰も発狂者の如き有様で予輩に向つて発砲した。而してトートー彼等は村を明放して、予輩の騎兵が達し得ぬ安全地に逃げてしまつた。そこで予輩はこの村落をすつかり掃蕩して、再び陣営に引返すことになつた。と云ふのは、この谷は頗る狭隘であつて、両方の高地から見下すことの出来るほどの低地で、おまけにその高地は樹木の茂つた深林であつたものであるから、グズ〳〵しておる事は出来ぬ。村落の向ふにはまた深林があつた。予輩は全力を尽して出来る丈のことをなし、随分ヒドク彼等をやつツけたのであるから、この上グズ〳〵しておるのは、却て不利益と見て、トートー帰ることにしたのである。彼等は森の中に隠れて居たり、岩の上に止まつて居たりして、始終予輩に向つて発砲した。森林に隠れて居た男女は、予輩の嚮導《ガイド》をなした彼の知事を呪詛し、その呪詛の声が恐ろしく森林を動揺させて居た。彼等は嚮導の名を呼び、「我等の村落を廃滅せしめたものは汝だから、よく覚えて居れ」と云ふ様なことを云つて、彼を呪ひ、岩石の頂に彼の形体を模造して、彼を呪ひなどして居た。奇体にも彼等は予輩を呪はずに、却て予輩の嚮導をなしたもののみを呪詛したのである。先づ斯様な風で途中多少困難を経て、予輩はもとの陣営に引返したが、彼等は再び予輩を襲撃する様なことはなかつた。

予輩が馬から下る時に、予の友なる指揮官はポケットに手を入れて例の紙片をとり出して、それをながめて居た所が、かの従僕がやつて来たので、友は意味深長なる微笑を湛えてその紙片を彼にかへした。すると、彼は両眼を曇らせ乍ら「御覧ナサイ、アナタは無事息災で御帰りなさつたのではありませんか。弾丸一つもアナタに中らなかつたのは、一に神様の御蔭でありますホントーに神様の特別なる御蔭にちがひありません。アナタ、この紙を肌につけて居て下さいませんか。」と云つたが、予の友は「イーヤ、お前ダツテ、またこの戦役中にそれが入らんとも限らぬから、これはお前が保存しておくがよい」と云つて、例の紙片は従僕に返してしまつた。

而して其紙片とは抑も何であつたか。それは天主教の教会で使用する、紙片に印刷してある祈祷文であつた。紙片の上端には十字《クロス》が赤く印刷してあつたが、紙は古びてボロ〳〵になり、皺だらけになつて居た。これで見てもよほど多くの人が色々の場合に使用し、色々の人が読んだものに相違ない。斯くの如くにして僅一片の護符《チャーム》が一軍人の災難除けとなつたのであつた。

其頃の気候は、太陽が西に沈んでしまふと随分寒くなるので、夕食後には森林から拾集めた木片で篝火を取囲んで雑談に耽つたのである。そうすると騎兵隊の士人将校もやつて来、又二三の緬甸人もやつて来て、雑談仲間になるのが常であつた。それでこの談話会は中々複雑なものであつた。

忘れもせぬがある夜のこと—たしか、ラー

カーの戦闘の翌夜であつた。予輩は例の通り篝火を囲んで談話会を開いて居た。半月は西の空に懸つて、幾多の丘陵の上にやさしい光を放つて居る。而してその月光が銀色の絽の如き白みが、かつた霞になつて稲田の上に垂れか、つて居る。予輩の陣営の真向ふには小川を隔てて小さき丘陵がある、丘陵の背《リッジ》が、麓を走つておる小川の中に流込んでおる。而してその山背《リッジ》には樹木が茂つて居て真黒に見え、その真黒な樹木の山背《リッジ》と天涯《スカイライン》とは銀色の縁で結びつけられて居る。そこから予輩の陣営を射撃しようとしても、緬甸人の燧石銃では射程外であつたから、それで予輩もそんな処に陣営を構へて居たのであつた。四方は一面稲田であつて、その稲田の向ふには森林が茂つて居た。予はラーカーに予輩を案内した知事の息《ママ》と将来の作戦計画や、ウンソーの王様《プリンス》に対する意向など話して居た。例のラーカーはこのウンソー地方の一部である。予は話の序にウンソー地方の人々が彼を憎悪してをることや、丘陵に逃げ込んで居た緬甸人が彼を呪詛して居たことなどを彼に話してきかせたが、彼は確にそうであると首肯して、「実際御話の通り、私の友人外のものは総て私を嫌悪して居ります。併し彼等は私が何をしたと云ふのでしようか。私は父を助けて彼を再び知事にならせなければならなかつたのです。彼等は最初自分達が私共を襲撃したことは忘れてしまつておる様です。」と云ひ、尚言葉を続けて、彼が予輩に与《くみ》したと云ふので、彼は毎日彼等に脅迫せられ、ある時は屹度殺害されるに相違ないと覚悟して居た事ども話し「彼等はいつか屹度私を殺害します」と云ひ、恐れてはゐなかつた様ではあるが、たしかに悲しい様な浮立たぬ様な気配が見えた。

斯様な事を話合つておる中に、予は護符《チヤームス》の事に就て「鉄砲でうたれた時にでも剣できりつけられた時にでも、少しも身体に傷害を与へぬ様に、人を守護する護符《チヤームス》と云ふものがあると云ふ事であるが、ソレは真実か。予輩は不可傷的《インヴアルナル》人物、仮令ばかの国王の親衛兵《インモータルス》の如きものがあると云ふことを聞いておるが：：」と質すと、彼は答へて「ハイ、この国に護符《チヤームス》と云ふものがある事はありますが、田舎者の外、誰もそんなものは信ずる者はありません。苟も教育のある者は決して信じません。勿論愚夫愚婦は非常に有難がつて居ます。護符《チヤームス》（呪禁《まじなひ》）にも種類が色々あります。ある神秘《ミスチツク》な文字で文身して貰つて居ると、鉄砲でうたれても弾丸が決して的中《あたら》ないと云ふ呪禁もありますし、又ある仙薬を飲めば長命すると云ふ呪禁もありますし、又ある石でこしらえた小亀を持つて居れば災難除けになると云ふ呪禁もありますし、又椰子の葉に奇妙なことを書いてそれを呪禁につかう様なこともあります。」と云ひ、尚彼は話を続けて、「この国にはその様な護符《チヤームス》（呪禁《まじなひ》）をこしらえる事を知つておる人が居ます。併し私自身はソンナものは信じません」と頗る漠然と言葉をつけ加えた。

それから予はこの呪禁が何か仏教と関係があるか否かに就て、彼にも質して見たし、又他の人々にも問うて見たが、ドーモ仏教がこの呪禁と関係を持つて居ると云ふ事は発見することが出来なかつた。元来この緬甸人の使用する護符には仏陀の形造がかいてあるでもなければ、仏教の聖典から引用した文句が記してあると云ふでもない。予の取調べた所によればこの呪禁《チヤームス》には少しも宗教的意義《レジリアス、シグニフィカンス》はなく、大体に於て、唯玄妙不可思議《ミステーリアス》なものである。又緬甸人自身も、彼等の難有つておる呪禁なるものが、自分達の宗教に関係のあるものと思つて居ないらしい。否、実は彼等の宗教（仏教）は妖術や呪禁は絶対に厳禁してゐるのである。仏教僧侶の厳守すべき起誓《ヴアオ》の一は「呪禁妖術に関した事、超自然的事柄《シユーバーナチユラル》には一切干与せぬ」と云ふ事がある。であるから仏教は護符を与へて信者に気休めをさせると云ふ様な些細な役《アッシタンス》にたゝぬとはせぬのである。仏教信者が護符を持つておると云ふ事は業に彼等の信仰《フエース》に反したことであり、又仏陀の教訓の神聖《ビユリテイ》を破滅することにあたるのである。元来呪禁と云ふものは唯超自然界又は摩訶不思議界に対する人間の本来的憧憬《ヤーニング》たるにすぎぬものである。人間の情性《パッション》は頗る猛烈なものであるから、若しイヤ応なしに戦闘に従事しなければならぬと云ふ場合に臨めば、戦闘中に自己を守護し防禦して貰ふ為めに護符を持つて居なければならぬと云ふのが人間の常である。であるから、自分の信奉して居る宗教が、自分の要求通りにその護符を与へないなれば、ドーシテモ、どこかから、それを探出さなければならぬのである。是に於て仏陀の教訓は戦闘を直接に是認するものであると曲解し得る様に巧妙に出て居るものでなければ、護符を授与したり、弾丸除けをやつたりして、間接に戦争を幇助し得るものでもない事を諸君は了解するであらう。

予輩はだん〳〵欠けゆく月の光を浴びつゝ、紅玉色の篝火の傍で、随分長く話して居て、その夜はトートー散会して眠に就いた。フト眼をさますと小さき河角《プロモントリー》から川を横ぎつて人声が聞こえた。夜も深く静寂の時であつたから、一語一語が呼鐘《ゴング》の如く明白にきこえた。その声は「ヨクお休み《スリープウエル》、ヨクお休み、ヨクお休み」と云ふのであつたが、予輩一同ビツクリ仰天した。緬甸語を知らない人はその声をあやしみ、緬甸語を知つて居た人はその意味をあやしんで。歩哨は敏捷にその音声を窺つた。暫くすると、「ヨクお休み、ヨク召しあがれ、ねたりたべたり出来るのもモー暫くの間、出来る間にヨクねておきなさい」と云ふ。それから少したつて例の知事の息子の名を呼んで、四方の丘陵がさけんばかりに、「売国奴《ツレータア》、売国奴《ツレータア》」と叫ぶ声がした。

　知事の息子は直におきあがつて、予に向ひ「御覧なさい、彼等はあの様に私を憎悪して居ます。護符と云ふものは斯様な時に何かの役にたつのです。」と云つた。

　人声はやみ、陣営は沈静に帰した。まもなく日は沈み、夜は全く暗黒になつた。

　知事の息子は中々勇敢な人物であつた。緬甸人の中には彼ばかりでなく、勇気の優れた人物が中々多く、杖や小石を以て豹や虎をたゝき殺すと云ふ様な豪傑もある。又大洪水の真最中に、かよわき小さい独木舟に棹して、怒り逆巻くイラワデイ河を横ぎると云ふ勇者もある。彼等緬甸人は決して物理的勇気《フイジカルカレージ》が欠如しておると云ふ訳ではないが、彼等は勇敢なることを決して尊重しない。又彼等にはそれを尊重しなければならぬ必要も生せず、勇敢なる事が人間最上の徳性《プライム、ヴアチユア》であると云ふ事を悟る機会もなかつたのである。緬甸人は落着き払つて「私《アイ》は《ウオーズ》こわかつた《アフレード》」と云ふ事が度々ある。斯様な事は予輩英国人の言ふを憚る所であるのに、緬甸人は平気で云ふ。而して仏教の教えはかくの如きやり方を可とするのである。仏教は如何なる場合にも進取的勇気《アググレツシヴ、カレージ》を賞揚しない。苟も軍人たるものは熱心《フアヴエント》なる仏教信者になることは出来ぬ。苟も仏教信者たるものは善き軍人になることは出来ぬ。なぜなれば、仏教は勇気《ヴレエヴエリー》を教えこまない、のみならず服従《オビーデエンス》も教えこまないのであるから。仏陀の教えによれば、人は人々自己《にんにんライフ》の主宰者《ルーラー》であつて、自己以外にヨリ高き者はない。好戦士に極めて緊要なる軍規遵奉《デスミプリン》、隷属《サブゼクシヨン》と云ふ様なことは仏教の皆目知らざる所である。故に緬甸人の固有《インヒーレント》の勇気《カレーヂ》は決して彼等の信仰からは何等の補力《アツシタンス》を得て居ない。否、彼等の信仰はその勇気に反対して居るのである。

元来仏教には撓性《フレツクシビリチイ》がない。仏教は一の掟《ロー》であつて、何人もそれを改変することは出来ぬ。掟《ロース》は永久不変に存すべきもので、掟には例外を許さないのである。而して仏陀の掟は戦争―如何なる種類の戦争にも絶対に反対するものである。緬甸人は予輩に対して戦つたことは戦つたが、彼等はそれに従つて彼等自身は現に堕獄の因たる大なる罪悪を犯しつゝあるのであると云ふ事を自覚して居た。彼等は醒覚《ママ》して戦つて居た。自分等の非行を隠蔽するために仏教に除外例を設ける様なことを空想しもしなければ、天空にかゝる星辰を仰いで自分等の非行を是認してくれる神をもとめる様なことも決してなし得なかつたのである。予輩の銃剣や長槍は彼等のために極楽の門を開く鍵ではなかつた。戦場に倒れてまさに死なんとして居る時にでも、如何なる僧侶と雖も、彼等のために来世の果報を約束して、やすやすと瞑目せしめ得ることは出来ないのである。なぜなれば彼等は戦争に従事して無量の罪業を作り、正義《ライチヨスネス》の法則《ロース》を破棄したのであるから、自然的結果として尽未来際怖るべき地獄の苦を受けねばならぬのである。

斯くの如きものが国民の信仰《フエース》であり、而して彼等がその信仰を持つて居る以上は、彼等が如何なる戦闘に従事するにしても、その信仰は彼等の戦闘力の上に戦慄すべき障害となることは明白なことであつて、要するに彼等はその信仰によつて敵手に引渡されるより外仕方がないのである。これは実に仏教の所説より来る自然の結論である。

乍去、茲に一つ忘れてはならぬ事がある。若しこの信仰が Defence の場合にその信者を補佐しないなれば Offence の場合に於ても亦同一である。世に宗教の戦争ほど恐ろしいものはないが、仏教の戦争と云ふものは絶対にあり得ぬのである。仏教は戦争の役にたつ様な塵俗欲界の宗教ではない。

他国に侵略された国々に就て調べて見れば、仏陀の信者に勇猛力《ブラウエス》のないと云ふ事は明白である。仏陀及彼の信仰には血の汚点《ステイン》はない。仏陀は偉大なる平和《ピース》、愛《ラヴ》、仁恵《チャリティ》、慈悲《コムパッション》の宣伝者であつた。而して彼の教訓は非常に明確なものであるから、何人と雖も誤解することは出来ぬ。緬甸人も暹羅人も他国人の侵入を受けて戦争をやつたけれども、彼等は人間として戦つたので、彼等の宗教によつて戦つたのではない。若彼等が自己の信仰を堅く保持して居たなれば、彼等はトクニ滅尽してしまつて居るに相違ない。彼等は戦た《ママ》、併《ママ》それは彼等の信仰の名に於て戦つたものではない。彼等の信仰に従へば彼等は決して戦ふことは出来ぬのである。（明治四十五年五月十五日夜訳稿。叙述の冗長をさくるため、文意を損せざる限に於て、多少の訳筆を省きたり。訳者附記）

（『新仏教』第一三巻第六号　一九一二年六月一日）

Ⅱ

「幸徳秋水　大逆事件の同志　岡林寅松と語る」

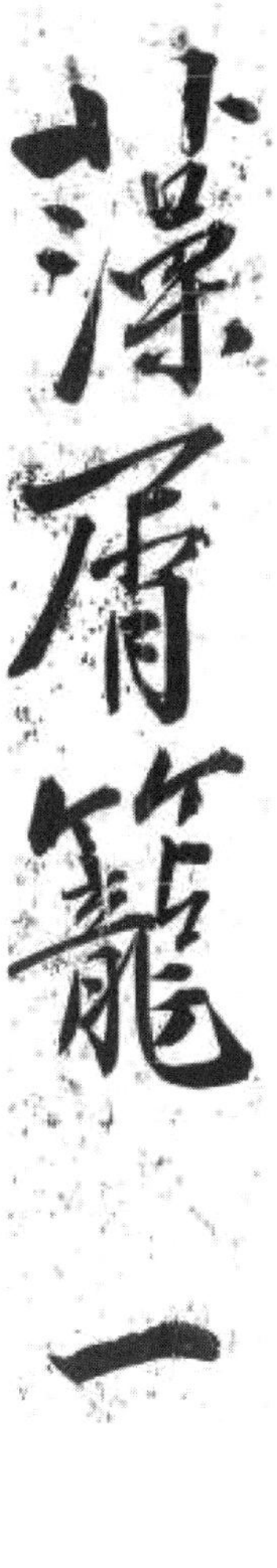

幸徳秋水

大逆事件の同志 岡林寅松と語る【一】

投獄されて二十一年目に 更生した彼の述懐

幸徳秋水大逆事件の岡林寅松君が帰つた。二十一ケ年の長い苦しい牢獄生活に憔悴した姿を、昨三日、突然、生れ故郷の高知市に現した。人目をさけて、世をはばかる如く市八軒町の隠れ家に身を寄せたが、彼の心中には、今、如何なる煩悶と追懐が蘇つてゐるであらう。秋水の主義思想に共鳴したのが動機となつて、思ひがけなき大逆の罪に連坐して、人生の働き盛り二十一ケ年を獄に眠り、五十六歳の晩年を、獨り寂しく故郷に運んだ。見るもの、聴くもの、一つとして涙の種ならざるはない。彼は今、その忌はしい過去の衣を脱ぎ捨てゝ、赤ん坊の如く更生の第一歩を踏まんとしてゐる。この人生の一大転機に際し、記者は親しく岡林君と膝を突き合はせて、彼が涙の述懐を聴いた。（高知生）

岡林寅松君の隠れ家は、高知市八軒町理髪業竹崎卯太郎氏方である。同氏は寅松君の姉の夫に當る。

記者が彼を訪ねたのは、三日の午後八時頃であつた。車を通ずる街より

と『ほんの今、高須から帰つた許りです。』

と、いつて、僕を二階の一室に招じた、一通りの挨拶がすんで、

『お墓は何處ですか。』

『小高坂山です。』

『やう一人で墓が參りますね。』

『訪ね〜して行きました。今日はこれで同じ墓に三度お詣りしました。』

『誰のお墓ですか』

『父母や祖先の墓です。』

『何年目の御出獄ですか』

『二十一年目です。三十六の年に事件に連坐して、五十六の今日、漸く娑婆の光に會ふことが出來ました。』

『嬉しいでせう。』

『嬉しくて、嬉しくて、ひとりでに涙がこぼれます。私が死刑を宣告された時の氣持と、今日、かうして、恩典に浴して假出獄した時の氣持とを對比すると、ひとりでに涙がせいてきます。』

『奥さんはありましたか。』

『女房はありました。子供もありました。しかし、私が事件に連坐して投獄されると、女房は實家へ戻され、子供は姉に世話になつてゐたが、眼疾に犯されて死にましたので、今は全くの一人ぼつちであります。』

『お寂しいですね。』

『二十一年目に出て來ても、親も子も女房もゐないので、がつかりしました。頼る者のない孤獨の死顔です……。』

と、寅松君は、早や涙ぐんだ。

『社會に出て來て、何が一番眼につきましたか。』

『女の服装が非常にハデになつてゐることです。二十一年間も女氣のない牢獄に暮してゐたので、特にこの感が深くあります。』

『男の服装はどうですか』

『男はそんなにでもありません』

『刑務所では何をされてゐましたか』

『新しい思想が出來ないので、歌を詠んだり、網を織つて暮しました。』

『健康状態はどうです。』

『比較的健康でした。しかし、いろ〜煩悶に懊悩した時もありました。』

『あなたが、幸徳事件に連坐した動機は、どう云ふ事からです。』

記者は斯う云つて寅松君の顔を見守つた。（つゞく）（寫眞は隠れ家の岡林寅松君）

幸徳秋水

大逆事件の同志　岡林寅松と語る（二）

幸徳とは一度も逢つた事がない　何にも知らずに連坐

『事件に連坐した動機ですか。特別、取り立てて御話する程のことはありません。』

『しかし、何か無くては……。例へば、幸徳秋水と親しいとか、主義上共鳴した處があつたとか、文通をしたとかいふ動機が無くては、こういふ事件には関係する機会が無いものですが。』

『思想上では、私は当時、幸徳の主義主張に共鳴してゐました。私が一番幸徳の主張に感動したのは日露戦争の直前、当時、萬朝報に在社してゐた幸徳が黒岩涙香と非戦論と主戦論に分れて論陣を戦はしました。幸徳は非戦論でした。それで、黒岩と意見の衝突を来たし、萬朝報を退社しました。その時分、幸徳の書いた非戦論の主張や人道上の見地から戦争の悲惨なことを読んで、大に共鳴し、爾来私は幸徳の主義主張に知らず識らず引き込まれて、互に文通するやうになりました。』

『幸徳は、無政府共産主義を奉じてゐたやうですが。』

『さうです。』

『あなたは幸徳氏と逢つて語したことがありますか。』

『いえ、一度もありません。』

『それは全く意外ですね。あれほど大きな事件に連坐され、死刑まで宣告されたあなたが、事件の首魁である幸徳と、一度も逢つたことがないとは、真実とは思えないのです。』

『どんなに見られても、私は幸徳と一度も逢つたことは無いのです。思想の先覚ではあつたけれど…。しかし、公判廷ではじめて逢ひました。公判廷では、幸徳は前の方にをり、私等は後の方にゐましたが、その時に、幸徳も私のことを知つてか、度々、私の方を向いて何かいひたさうに口をもご〳〵さしましたが、そのまゝ、何にもいはなかつたのです。この公判は、明治四十三年十二月十日から大晦日まで開きましたが、私はこの公判廷で幸徳に会つたのが、最初であり、また最後であつたのです。』

『さうすると、幸徳氏の主義主張を他處ながら読んで、共鳴してゐたといふ譯でありますか。』

『さういふ譯でもありません。幸徳と私とは互に文通して意見の交換をやりました。』

『あなたは、その当時、高知縣にゐましたか。』

『いえ、京都にゐました。私が初めて、幸徳の思想に共鳴したのは、京都にゐる時です。それから神戸に移りましたが、手紙の往復は中つてゐました。』

『現在、あなた様、昔のやうな思想を抱かれてゐますか。』

『私の身は、二十一ヶ年の牢獄生活で消耗しました。出来れば、私は五十六歳の赤ん坊として生れ変りたいと思つてゐます。』

『あなたと一緒に出られた小松丑治さんは、神戸に止まられたさうですね。』

『さうです。小松は神戸に自宅があります。彼には妻もあつて留守をやつてゐるやうですが、彼の妻は二十一年間孤閨を守つて、夫の帰りを待つてゐたのですが……。人の運命は解らぬものです。私もせめて、子供が死なずに成長してゐてくれたら、今年二十三歳になります。男の子ですから。もう少しは役に立つてゐる時分です。』

岡林君は、こういつて再び暗然たる面持になつた。記者も岡君の心事には心から同情されたが、更に突ツ込んで、

『幸徳とあなたとが、一度もあつたことがないのに、どうして、あの大事件に連坐されましたか。』

『それは、私も意外に思つてゐる所です。何のために自分が大逆犯人となつたかと今でも不思議に思つてゐる位です。しかし、前述私の不徳と、説明の足りなかつた結果でありまして、今更、取りかへしもつきません。』

『すると、あなたは、この事件には何にも関係しなかつたのですか。』

『関係といふよりも、そんな大きな恐ろしい計画があるといふことは全く知らなかつたのです。』

『それが、どうして、事件に連坐されるやうになつたのです。』

『幸徳の同志に、内山愚童といふ僧侶がありました。彼は幸徳等と、この○○○○を計画して全国を行脚して同志を募つたのです。その内山が、曾て私の處へ訪ねて来て、一ぱん泊つたことがあります。内山は死刑を執行された人ですが、その内山に私は爆薬のことを聞かれたのです。その当時は、それをどうするためやら、また、何の目的を以て、私に聞いたやら全く知りませんでしたが、幾分は多少の知識を以てゐた私は、それに答へたのです。後から考へると、それが○○○○に使用する爆弾のことでありました。』（写真は首魁幸徳秋水）

（つゞく）＝岡林生

幸徳秋水

大逆事件の同志
岡林寅松と語る（三）
事件に連坐した廿六名の氏名
製材所裏の怪音

記者は、岡林寅松君が、如何なる動機によつて、この大逆事件に連坐したか、幸徳秋水等同志の術策はどういふ風であつたか、また彼の数奇な変化多い五十六年の過去の生活、思想から現在の心境に至るまでの物語りを、更に詳細に書くに当り、先づ順序として、この幸徳秋水大逆事件が如何なるものであつたか書く必要がある。

◇

この事件は、明治四十一年から明治四十四年にかけて起こつたものであり、一言にしていへば、刑法第七十三条の罪に該る被告事件である。刑法第七三条には「天皇、太皇太后、皇太后、皇后、皇太子又ハ皇太孫ニ対シ危害ヲ加ヘ又ハ加ヘントシタル者ハ死刑ニ処ス」とあるのである。即ち〇〇〇〇〇〇の罪を犯したものであつて、その一味の氏名、年齢、職業、原籍は

死刑

幸徳伝次郎（四一）著述業　高知県幡多郡中村町
管野すが（三一）無職　京都市外朱雀村聚楽
森近運平（三一）農　岡山県後月郡高屋村
宮下太吉（三七）機械工　山梨県甲府市本町
内山愚童（三八）僧侶　神奈川県足柄下郡温泉村
新村忠雄（二五）農　長野県埴科郡屋代町
古河力作（二七）園丁　福井県遠敷郡雲浜村
奥宮健之（五三）著述業　東京市神田区五軒町
大石誠之助（四五）医師　和歌山県東牟婁郡新宮町
成石平四郎（三〇）雑貨商　和歌山県東牟婁郡請川町
松尾卯一太（三三）新聞記者　熊本県玉名郡豊水村
新美卯一郎（三二）無職　熊本県飽託郡大江村

無期懲役

岡村寅松（三六）事務員　高知市鷹匠町
小松丑治（三六）事務員　高知市帯屋町
坂本清馬（二六）文選職　高知県安芸郡室戸町
高木顕明（四四）僧侶　和歌山県東牟婁郡新宮町
峰尾節堂（二七）同　同
成石勘三郎（三二）雑貨商　和歌山県東牟婁郡請川村
崎久保誓一（二七）農　三重県南牟婁郡市木村
佐々木道元（二三）僧侶　熊本市西坪井町
飛松与次郎（二三）無職　熊本県鹿本郡広見村
武田九平（三七）彫刻業　高松市南紺屋町
三浦安太郎（二四）ブリキ細工業　大阪市東区本町
岡本穎一郎（三二）無職　山口県吉敷郡大内村

有期懲役

新村善兵衛（三一）農　長野県埴科郡屋代町
新田融（三一）機械工　小樽市稲穂町

である。この二十六名の中、無期懲役に処せられた岡林外十一名は、最初幸徳等と同時に死刑の判決言渡を受けたが、聖旨により特に減刑されて無期懲役となり、他一名も減ぜられたのである

◇

本事件は、明治四十一年中より〇〇〇〇、〇〇〇〇〇〇との陰謀をなし、且つその実行の用に供するため爆裂弾を製造し、以て陰謀実行の準備をなしたものであるが、事件発覚の端緒は明治四十三年五月下旬同志の一人宮下太吉が爆裂弾を製造して、これを所持してゐたのを、長野県の警察署が探知して検挙したことに初まつてゐる。

◇

宮下は、最も熱心な無政府共産主義者であつて、身は一職工でありながら幸徳を師友と仰ぎ、全国各方面に熾烈な活動をつづけて、[illegible]同志を募つたのであるから、彼等主義者の中では、押しも押されぬ闘士として、非常な潜勢力を持つてゐた。

当局にては、彼等の思想宣伝を厳重取締ると同時に、また、その行動を厳重に監視した。

しかるに、同志の中に隠然たる勢力を有する宮下太吉が、明治四十二年十月十日、愛知県知多郡亀崎町の鐵工所から失踪をけして行衛をくらましてしまつた。

愛知県の警察当局は、大に狼狽して長野県に照会した。同県からは早速全県各警察に通牒して、その所在を突き止めんとしたが、どうしても判らなかつた。

◇

その後、一ヶ月余して、長野県松本の警察署にては、その管内なる同県東筑摩郡中川手村字明科の長野大林区署明科製材所の裏山において、頻りに奇怪な爆音が響いて附近の住民の耳を驚かした。それは、ダイナマイトの爆発するやうな、猛烈な音響であるが、何処の何人が、爆発せしめてゐるか、また、それが爆発して、爆発物の音響であるか、どうかも、正体を突き止めぬうちは判らなかつた。製材所員の「怪音響」として附近の人々は、何れも奇異の想ひをなした

（写真は当時本紙に掲載された谷殿家文の大逆事件公判の写生）

（つゞく）＝黒潮生

幸徳秋水

大逆事件の同志 岡林寅松と語る【四】

製材職工となつた宮下太吉 爆裂彈を押收さる

「雷鳴や、木材伐採にしては、どうも變だ。合點のゆかない爆音だ」

所轄松本警察署には、それとなく内偵をつづけ、附近の住民や、製材所職工の行動を、一つ〳〵詳細に捜査してゐる中、計らずも、お尋ね者の宮下太吉が、明科製材所の職工となつて住み込んでゐるのを發見した。

同署では、意外な拾物をしたのを喜んで、早速、この事を警保局に急報する一方、その行動を嚴重に監視する事になつた。彼は仕事の余暇には、主義の宣傳に熱中し製材所の職工は勿論、土地の者にまでも大ビラな露骨な運動をなしてゐた。

今まで、平和で、危險思想など聞きも無かつた同地方の住民にも知らず識らずの間に、太吉の抱いてゐる無政府共産主義の思想が浸潤してゆくやうに見られたので、同年（明治四十二年）の九月に至つて、松本の警察署長は、製材所の責任者に依賴して嚴重なる警戒を加へて貰つた。責任者はいつた。

『君がここで、そんな危險思想を宣傳して、住民を惡化さすやうであつたら、今日限り首にするから製材所を出て行つて貰ひたい。警察からも嚴重なお達しがあつてゐる。』

しかし、太吉はこれに對して、

『製材所を首にされては、忽ち私は生活に困ります。私は主義よりも食ふことであります。今後は決して、主義の宣傳などはしませんから、このまま製材所に置いて下さい』

と、嘆願した。人のよい責任者や松本警察署長も、これを聴いて、主義の宣傳をしなければ置いてやつて良からうといふ事になつた。太吉は職工として立派な腕を持つてゐた。

けれども、この職業は太吉が爆藥の研究を續く手段であつた。彼はその後、表面的の主義宣傳は差し控へたが、裏面的に潜行式の運動をはじめるやうになつた。さうして、依然東京の同志と秘密文書の交換をなし、且つ、同主義者であり、幸徳に師事しその主義に心醉してゐる青年主義者新村忠雄と頻繁に往來したり、また同じ製材所に勤めてゐる製材機械職工新田融を同志の中にかり込み、秘密に爆裂彈を製造して自宅や、製材所の裏山に隱匿したりした。

遂にこの事が發覺して、明治四十三年五月二十五日、太吉は刑事訴訟法第五十六條により、爆裂彈を所持する現行犯として、松本署に逮捕された。

製材所裏山の怪音響は、太吉の仕業であつた。彼が爆裂彈の威力を試驗してゐたのであつた。

◇

明治四十一年、大杉、堺、荒畑、山口といふ闘士が、東京神田の錦輝館で、有名な『赤旗事件』を起こして以來、當局の主義者に對する取締は、嚴重となり、猛烈となつてゐた。太吉はその一派に屬する闘士であつたから、松本署長は、太吉の爆裂彈に對して、疑ひの眼を放つた。といふのも、赤旗事件以後爆彈同志はテロリズムで挑む申合をなしてゐたからである。

『この爆裂彈は、どうするために製造したのだ。』

署長は、嚴然と訊問した。しかし、太吉は

『これですか。これは明川で爆發するために製造したものです。外に何等の目的もありません。』

と、キツパリいひ放つた。

◇

しかし、そんなことで、取調の手を緩める署長ではなかつた。

太吉、既に引き續いて、新村忠雄と其實兄である新村善兵衛、同製材所職工清水多一郎等を初め、日頃、太吉と往來してゐた人々を片端から、松本署に召喚して嚴重なる取調をなした。處が、何れも太吉と主義上の交際はしてゐるも爆裂彈の使用については一切知らぬと陳述した。

が、たゞ一人、清水多一郎のみは、警察に引つぱられると、最初から、オヅ〳〵した落付かない態度であつた。刑事の眼は彼の身の上に注がれた。

『お前はかうして太吉と一緒に親しくしてゐるが、彼は危險思想を抱く主義者であるのだ。お前も今にして改心しないと、一歩踏み違へば、監獄へ行くやうになるかも知れぬぞ。』

と、説諭した上、嚴しい訊問をすると、多一郎は、

『それでは申上げます。私がかうして警察に引致されたのも太吉のためです。私は決して惡いことをしたのではありません。それに、太吉は恐ろしい計畫をしてゐます。古河力作、管野すがといふ同主義者と共に○○に對して○○を○○ん事を秘密に謀議してゐます。』

と、口をすべらした。

この自白によつて、松本署は事の意外なのに驚き、直にこれを長野地方裁判所檢事正に報告した。檢事正はまた、その報告をもたらして、時の松室檢事總長の指揮を乞うた。

刑法第七十三條の罪は、未だ嘗て無き重大事件だ。檢事正も檢事總長も、最初は自分の耳を疑つた。

しかし、取調の進捗するにつれて、事件を立派に裏書する證據が發見された。

◇

管野すが子は、幸徳の情婦であつた。（[illegible]）（つゞく）

‖黒岡生

幸徳秋水

大逆事件の同志 岡林寅松と語る【五】

決死の同志五十餘名を集め 燒打や暗殺の陰謀

菅野すが子は、最初、荒畑寒村の愛人であつた。さうして、寒村と同棲するかたはら、幸徳、堺、大杉等の宣傳と縛りに往來して女ながらも主義のために活動した猛者であるが、後に至つて彼の女は幸徳の主義に心醉し、寒村を措いて幸徳と戀愛關係を生ずるに至つた。それは寒村が赤旗事件に連坐して入獄中の出來事であつた。

長野地方裁判所檢事局の活動によつて古河力作、管野すが子等がこの大逆事件に關係あることを知つた當局は、當時、東京監獄に入獄中のすが子を檢事局に引出して嚴重なる取調をなした。檢事の訊問中には、すが子が關係してゐるなれば、彼女の愛人である幸徳が關係してゐないはずはないとの、見込みをつけゐた。

けれども、すが子は、

「幸徳は私の愛人であり、私の師であります。しかし、私は自分たちの計畫に幸徳を引ずり込んで、迷惑をかけるのは罪です。幸徳は斷じて、この事件に關係はしてゐません。たゞ、私等同志の者が、幸徳とは無關係に〇〇事件を陰謀してゐた事は事實であります。もう、かう斷言したからには包み隱しは致しません。私たちの計畫は全國の同志が今秋の裁判期に〇〇の〇〇の際、〇〇様外に〇〇〇〇、私の指揮の下に、〇〇〇〇を決行する手はずでありました。その時には全國より少くとも五六十人の決死の同志が集まる豫定でありました。決死隊は二隊に分れ、一隊は東京市中の主なる官廳の燒打をなし、他の一隊は市内の富豪の家を襲撃し掠奪または放火し、時機を期して〇〇〇〇〇〇〇〇〇〇〇〇〇〇、さうして得たる財物は貧民に分與する計畫でした」

と何等坪する色もなく、計畫の一端を申立た。しかし、これに關する具體的方法や幸徳に關することと、同志の氏名等については、一切、口を緘し或は巧みにいひのがれて、一言も口外しなかつた。

◇

一方、長野地方裁判所檢事局にても太吉、忠雄、誠、新兵衛、力作等を嚴重に取調たが、これまた幸徳とは全く無關係であると、きつぱり否認した。

しかし、當局は、新兵衛が弟の忠雄が刑事に逮捕された時、急を知らさんとして、當時、神奈川縣湯ケ原に滯在中の幸徳秋水等と、和歌山縣串本町新宮町の醫師大石誠之助宛に出さんとして、押收された端書二通並に、太吉等の家宅捜査の結果得た往復文書等を、大逆事件の證據とみなして起訴したのである。押收された端書には、一本日突然ポリに踏み込まれ忠雄は松本に向け護送されたり、多分やられる事と思ふ御注意ありたし、幸徳は更に申上ぐべしと

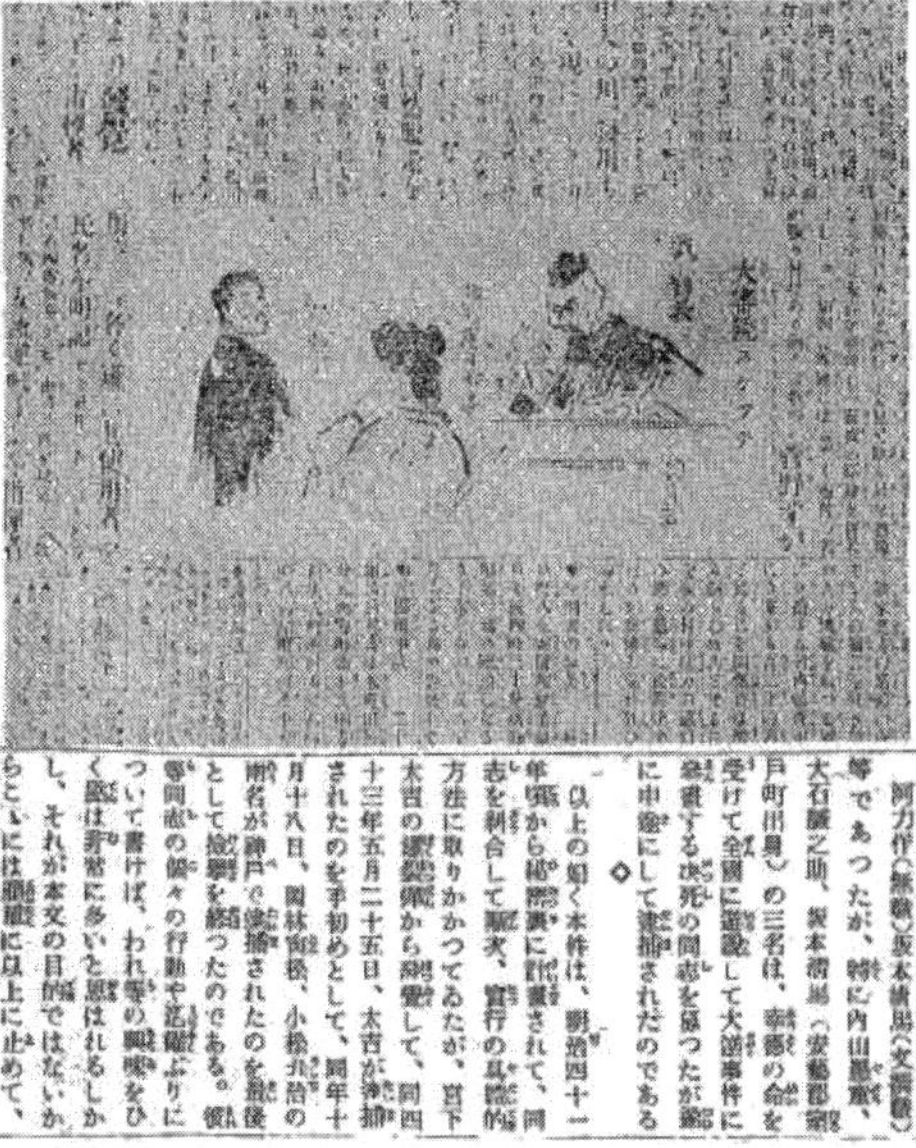

◇

かくして、事件の發端を掴み得た當局は全國各府縣に通牒して、嚴重なる警戒をなすと共に、檢擧の手を集めて全國的に頑強の家宅捜査や逮捕に全力を注いで、遂に既報の如く二十六名の被告を檢擧したのである。

この二十六名の中で、首魁はいふまでもなく幸徳秋水であるが、事件の中心となつて活躍せるものは

管野すが子、宮下太吉（機械職工）、内山愚童（僧侶）、大石誠之助（醫師）、新村忠雄（農）、古河力作（無職）坂本清馬（文選職）等であつたが、特に内山愚童、大石誠之助、坂本清馬（安藝郡安喜町出身）の三名は、幸徳の命を受けて全國に遊説して大逆事件に参加する決死の同志を募つたが、郷里に中途にして逮捕されたのである

◇

以上の如く本件は、明治四十一年頃から秘密裏に計畫されて、同志を糾合して漸次、實行の具體的方法に取りかかつてゐたが、宮下太吉の爆發物から發覺して、同四十三年五月二十五日、太吉が逮捕されたのを手初めとして、同年十月十八日、岡林寅松、小松丑治の兩名が神戸で逮捕されたのを最後として檢擧を終つたのである。僕は同志の個々の行動や活躍ぶりについて書けば、われ等の興味をひく點は非常に多いと思はれるしかし、それが本文の目的ではないから、こゝには概要に以上に止めて、岡林君との談話に移らう。（寫眞は大審院公判廷に於ける幸徳とすが子＝本文の寫生）

（つゞく）＝森[illegible]生

幸德秋水

大逆事件の同志 岡林寅松と語る【六】

海民病院を訪れた内山愚童 應接で爆彈の話

『さうすると、あなたは内山愚童に献へた爆裂彈が、何の目的に使用されるか、少しも知らなかつたといふのですね。』

記者は、念入りに岡林君に聞いた。

『さうです。私は全く知りませんでした。爆彈を製造するに、グリセリンを必要とすることを、化學の書物に書いてないのは無い位です、内山が爆彈のことを聞くからグリセリンの事を話したのみです。』

『では、そんな簡單な事が大逆事件發生の原因となつたのですか。』

『私には、ハッキリ解りませんが、私は社會主義者として、神戸では小松と共に同志を牛耳つてゐたのです。それで偶々、内山が訪問して、爆彈のことを聞いても、内山等に、そんな計畫があれば、私が知らなかつたといつても、これを信じてくれるものは、私の良心以外に誰もありません』

『しかし、當時の新聞や、世間では、内山愚童を、あなたと小松の二人が海民病院の應接室では、外部に秘密のもれる憂ひがあるといふので、傳染病患者の病室になつてゐる隱微な隔離室に連れて行き極秘裏に會見をなしたと傳へられてゐます。さうして、内山が大阪の同志に述べたやうな順序で〇〇〇〇の陰謀のあること、それには爆裂彈が必要であることを述べて、あなたと小松君に參加を求め、幸德がその首領であることを話すと、あなた方は直に承諾したといはれてゐます。あなたは醫師の前期の陳述をパスしてゐられる關係者小松君も同様、病院にゐて、製藥の方にかけては通じてゐられるので、詳細に爆彈製造の方法を教へたと傳へられてゐますが……。』

『そんなことは毛頭もありません。但し私と小松が、海民病院の二階の應接室で内山と會つて、爆彈のことを話し、また、應接室の一つへ、愚童を一泊せしめたことは事實であります。けれども、決して私たちは、〇〇〇〇の陰謀は耳にしてゐません。その際が私の今に苦しんでゐる處です。いへばいふ程、嫌疑がましくなりますが、當時は、〇〇〇〇のことは知らなかつたのです。』

『その日、内山はどういふ風采で參りましたか。』

『何んでも暑い日だと記憶してゐますが、内山は頭を坊主のやうに、つみつけにせず、五分刈でした。さうして、ざつとした麥藁帽子に、これも粗末な衣服を着て、ポケットに萬年ペンをはさんでゐましたその當時、萬年ペンは珍らしかつたので覺えてゐますが、内山は決して爆彈らしい物ではなかつたのです。』

『來る前に、何か通知がありましたか。』

『私は知りませんでした。しかし内山は神戸へ來ると、刑事の尾行つきとなり、海民病院に小松と私とを訪ねました。私等が二階の應接室で、内山と話してゐる時には、刑事は階下で見張りしてゐたやうに想ひます。勿論、内山とは爆彈の外にいろ〳〵の話をしました。主義上のことも、世間話もしたし、また、三人一緒に連れ立つて、神戸の或る主義者の家を訪ねたり、服部太子の演説會に出席して、その日を終りました。』

『海民病院で一泊した内山は翌日、何處へ向けて出發しましたか。』

『郷里へ歸りました。』

『どういふ譯ですか。』

『何んでも内山は自宅か何處かに、爆彈を製造して隱してあつたのですが、それを當局の手に探知され、裁判所より郷里の村長宛に通知があつたので、村長より是非歸れとの手紙が來たので、それを受け取つて、豫定を變更して歸郷しました。』

『内山は神戸で、まだ外に仕事がありましたか。』

『別に、これといふ仕事もないので、私と小松と共に、須磨、明石方面へ遊びに行くことになつてゐたのですが、それも中止して歸りました。』

『その爆彈は、どうするためのものでしたか、御存じですか。』

『知りません……。』

岡林君は當惑さうな顔をする。

『その爆裂彈は、當局の膽を擔打し、爆發しまた〇〇〇〇せんためのものであつたが、内山は能辯だつたので、巧に申開きして、單に爆發物取締規則違反として投獄されたやうですが……。』

『さあ、そんな話は……。お答へしかねます。』

『それ以後、内山とは逢ひませんか。』

『逢ひません。しかし、獄中から度々手紙を寄越してくれました。横濱の監獄に投獄されてゐました。』

『その後ですね。いはゆる、大逆事件の暴發したのは——。』

『さうです。』

『内山は、それまでに、各地を廻つて、主義の宣傳や、〇〇〇〇の同志を募つてゐましたね。』

『さうらしいのです。』（寫眞は大逆事件發覺當時の岡林君）

（つゞく）＝黒岡生

幸徳秋水

大逆事件の同志 岡林寅松と語る【七】

土佐平民倶樂部の幹部と 秘密文書の往復

『あなたは、何時頃から、社會主義の研究に興味を持たれるやうになりましたか。』

『京都にゐる時分です。』

『おいくつの歳ですか。』

『さあ、ハッキリ記憶に殘つてゐませんが、三十歳位でしたでせう。』

『それまでは、どうしてゐられましたか。』

『幼年時代から、青年時代まで、高知市で暮しました。師範の附屬小學高等科を卒業してから、間もなく、市北新町公人町にゐた中井藩士の家に書生として住込みましたが、同家と本丁の倉知病院とは隣合せになつてゐた關係から、後に倉知病院の書生となり、醫師としての勉強をやりました。』

『醫師の前期の試驗を何時とられましたか。』

『二十五六歳の頃だつたと思ひます。』

『京都へ行かれたのは、醫術研究のためでしたか。』

『目的は醫者になるつもりでした丁度、日露戰爭の初まる前でした前にも申し上げた通り、其頃、よんだ幸徳の非戰論や人道主義論に非常な感激を覺えて知らず識らずの中に、社會主義の讀物を耽讀するやうになりました。それから、幸徳や、堺、大杉、荒畑等の[illegible]と文通をして互に意見の交換をやりましたが、京都から神戸に移つてからの、私の主義者としての生活は相當露骨でありました。神戸では、私と小松君とが平民倶樂部を組織して、一味の者を統轄してゐました。』

『小松君は、その時、神戸でどうしてゐましたか。』

『矢張り、海民病院に勤めてゐました。』

『あなたは、小松君と、如何なる動機で知り合になりましたか。』

『小松君は、私の小學時代の同級生です。一緒に[illegible]小學校に机を並べて勉強をした竹馬の友です。五十六年の過去を苦樂を共にして暮して來た親友です。同君は早くから神戸に行つてゐたので、私は後から同君を頼つて神戸に行き、海民病院に勤めてゐた譯です。』

『小松君も當時は熱心な社會主義者でしたか。』

『さうです。』

『その當時、土佐にも、土佐平民倶樂部といふのがあつて、官憲の眼をぬすんでは秘密文書の往復をやつてゐたやうですね。』

『そんな事もありました。』

『アブリ出し』といつて、檸檬や[illegible]手紙をアブつたら、秘密文書が出るといふやうな遣り方や、[illegible]平凡な文章だが、或る特種の文字のみを拾ひ集めると、秘密文書が出たといふ方法を採つて、意見の交換をやつたといふ話ですが。』

『そんなことも、あつたやうに記憶します。』

『その時分、あなたは郷花と號して、和歌を熱心につくられ、土佐平民倶樂部の同志に送つたさうですね。』

『歌は好きでしたから、隨分つくりました。』

『小松君の號は、何といひましたか。』

『小松天愚といひました。』

『土佐平民倶樂部には、どんな人がゐましたか。』

『領袖が松岡[illegible]君で幹部としては西内正基君、〇〇〇〇君等がゐました。』

『松岡、西内兩君も逝去しましたね。』と記者が質すと

『松岡君の死去は知つてゐますが西内君も死にましたか。』

『西内君は、〇〇を〇〇して投獄され、獄に瘐死したさうです。』

『それは意外でした。初耳です』と、岡林君は驚く。

『あなたは、安藝郡室戸出身の坂本清馬君を御存知ですか。』

『事件に連坐し、私と同じく死刑から無期になつた人ですから知つてはゐますが、公判廷以外に、まだ一度も會つたことはありません。』

『坂本君は、まだ假出獄にはなつてゐないやうですね。』

『なつてゐないと思ひます。』

『彼は、文學趣味ではあつたが、幸徳の直弟子として、東京で主義を鼓吹され、一味の中では立派な闘士として自ら任じてゐたやうですさうして、幸徳の命により會合に出席したので、彼自身にも死刑は免れないと覺悟してゐたが、恩赦により死一等を減ぜられ、あなた等と同様に無期になつたのを躍るかとばかりに喜び、感謝の餘り[illegible]な當時の事實を吐いたと言はれてゐますが。』

記者は斯ういつて、岡林君の顏を見守つた。

【寫眞は小松丑治(向つて右)と岡林寅松(同左)……事件發生前の寫眞】

（つゞく）[illegible]生

幸徳秋水

大逆事件の同志 岡林寅松と語る 【八】

死一等を減ぜられた坂本が 獄中で悲痛な懺悔

『死刑の判決は、公判廷で一緒に言渡されたが、減刑の御沙汰は、監獄で、各別々に受けましたので、私は坂本の事は知りません。どんな事をいつたのですか。』

岡林君は反問した。

『宮島といふ看守人がありましたでせう。』

『ありました。』

『その人が、坂本の担当看守人でしたが、恩命を拝した翌日、宮島看守が、坂本に会つた時。坂本は、双頬にハラ〳〵と涙を流しながら懺悔の述懐として

◇

――私は今度の事件で検挙され絶縁者の重罪を受ける事となつてから、一日々々と自分の指導してゐた悲劇の誤つてゐる事に心づき、われ〳〵わが心の恐ろしさに日夜悴々と痛恨の情に打たれました。ですから、十八日大審院で死刑の宣告を下された刹那も、自分はすでにかゝる大逆罪を企てたのであるから、一寸試めし、五分試めしにされ、仮令、如何なる極刑に処せられても、毛頭恨みはないと、ひたすら、諦観、悟心を懺んでゐましたが、昨夜、突然、典獄から呼び出しに来たので、さては死刑を執行されるのかと、心に泣きながら、看守に伴はれて典獄室に行くと、意外にも、減刑の恩命が下つたと申渡されました。その時の私の喜び――私は夢かとばかりに自分の耳を疑ひました。私は聖恩の忝なさに覚えずその場に泣き倒れました。それがため昨夜は、万感胸に湧き起つて、少しも眠れませんでした。坂本清馬は、断然今日限り主義を悔ひ改め、忠良なる日本臣民の一人となりました。私はこれがあなたに御目にかゝる最後の機会だと存じますので、私の一生のお願ひを、たゞ一つ、御聞届け下さい。夫は無政府共産主義を絶対の理想と信ずる徒輩は先づ神聖犯すべからざる三千年来の我国体について一考する必要がある。坂本は生れ変つて忠良なる臣民となつた。わが同志も我国体と相容れざる無政府主義を捨てて欲しい。我々の同主義者で、社会の一隅に生存してゐる大杉一派に坂本がさう勧告したとお伝へ下さい。これが私の最後のお願です。あゝ、私は、不孝の子でした。私の眼の前には、今、あの優しいお母さんの笑ひの顔がチラついて、眠れません。あゝ、お母さん――清馬はきつと生きて帰ります。お身体を大事にして下さい――。

と慟哭したさうです。』

◇

『なるほど、無理もないことであります。私も死刑を宣告された時の気持は忘れ得ません。死刑を宣告されて、この世におさらばを告げなければならぬかと思ふと、実に何んともいへない寂しさを感じます。妻や子のことが、頻に胸に浮んで来ます。私は、自分に死刑の宣告を受けたからといふのではありませんが、どう考へても死刑は廃止して貰ひたいと思ひます。人間の生に対する執着は、実に激しいものであることを知りました。』

『減刑の恩命を拝したのは、何時でしたか。』

『死刑の宣告を受けた翌々日でした。』

『どんな感じがしましたか。』

『宣告には、さう感激しません。恰度、夜でした。看守が来て、一寸、典獄が用事があるから来いとの命だといふので、私はハツとしました。一昨日、死刑の宣告を受けて、三日目の今夜、早や死刑を執行されるのかと思ふと、全く、何んともいへない寂しい頼りない気がいたしました。それで、私はもう観念して、夜具やその他のものを、キレイに片附けて、着物の襟方もなほして、心を取りなほして典獄室に行きました。すると、その室には、私の外に同志である武田九平、岡本頴一郎の二名も同様に呼び出されて来ました。さうして、三人並んだ上で、典獄よりたゞ今、恩命を拝して、死一等を減ずる旨を言渡されたのです。その時の喜び――嬉しさのため思はず胸が迫つて涙が、とめどもなく流れました。坂本が主義を捨てゝと同志に勧告したといふ気持も、私には良く解ります。』

岡林君はかう言つて、その当時を追懐するが如く瞑想した。

（写真は三才で逝去した岡林君の長男）（つゞく）東福生

幸徳秋水

大逆事件の同志　岡林寅松と語る【九】

同志を推薦したのみで死刑　森近運平のこと

『坂本は非常に頭が良かったやうです。原籍地は瀬戸になってゐますが、幼少の頃から高知市に住んでゐて、今の興業銀行の通りを、南に行った處で、床屋をしてゐたとのことです。學校は海南中學を一年で退學し、縣第二中學校三年まで修業したとのことです。前田[illegible]松井松吉君等と同窓でありますが一度思ひ立ったら、何んでも成し遂げなければやめぬといふ性格の男だったさうであります。學生時代から一風變った男でしたが、東京へ行く時、松井君から三圓を借つて出發したまゝ、何處でどうしてゐるか一度の便りも無かったさうです幸徳や堺の思想に共鳴し、師事するやうになるまでは、[illegible]の書生や、新聞社の文選工、[illegible]記者などしてゐたやうです。』

と、記者は、坂本に關する事を簡單に話すと

『さうですか、主義者には頭の良いものが相當多いやうであります。』

と答へた。次で、記者は更に

『同志の森近運平には會ひましたか』

『會ひました。森近は幸徳と同じく東京の巣鴨町に住んでゐたが、一時は大阪に出て來て、本部を置き、主義の宣傳に活躍した人であるから、私は度々、往來して親交しました。』

『森近は岡山の人ですね。』

『郷里はさうかも知れないが、[illegible]では、何んでも高知の附近、布師田方面に住んでゐたやうです。』

『死刑になりましたね。』

『さうです、死刑を執行されました。』

『しかし、森近は、大逆事件には直接關係してゐないといはれてゐますよ。』

『さうですか。私は獄中に暮してゐたので、同志のことは充分に知りませんが、どんなにいはれてゐますか。』

『當時の記錄によりますと、大逆事件の中心人物たる宮下太吉が、明治四十二年二月十六日、森近の家を訪うて、彼は〇〇を〇〇し、全國同志一齊に〇〇〇〇を敢行しようと計畫してゐるが、あなたもそれに參加して貰ひたいと、森近に相談すると、彼は『僕は妻子があるから參加は出來ない。參加したらどうせ生命がないものだ。妻子が可哀さうだ』といって拒絶したとのことです。すると、太吉は『それぢや、今までのあなたは嘘をいってゐたのですか。われわれを欺いてゐたのですか、それとも生命が惜い譯ぬけですか』と罵倒されたさうです。それでも、彼自身は參加する氣にならなかったので『それぢや、僕が參加しない代りに、證據にして理想的の同志があるから、それを僕の代りに推薦しよう』といって、同志の古河力作を太吉に推薦したさうです。古河は早速、快諾して、太吉と共に大逆事件の計畫をなし、爆彈製造中に逮捕された譯です。結局、古河も太吉と同じく死刑になりましたが、森近は、たゞ太吉に古河を推薦したといふ一點によつて、刑法第七十三條の罪に問はれて、死刑になったといはれてゐますが……。』

『なる程、或はさういふ事實があったかも知れません。森近は非常に思想の強い男であったから……。』

『それから、幸徳の愛人であった管野すが子に會ったことがありますか。』

『ありません、文通はしました。彼女は京都に親類を持ってゐるけれど、主として東京にゐたので、逢ふ機會がありませんでした。』

『新村忠雄はどうです。』

『彼にも逢ってゐません。但し、忠雄とは管野と幸徳の關係のことで、ある相談を手紙で受けたことがあります。後に東京の獄中で忠雄と逢って、〇〇の眼をぬすんで快く立ち話をした事がありますが、快活な男性的な若者でした。』

『當時二十五歳でしたね。』

『さうです。彼は私に、お前は土佐から來てゐるさうだが、土佐の人間が獄に入ると、凄くて困るだらう……などといって、自分のことなど考へず、私の事を心配してくれたやうな青年でした。』

（寫眞は森近運平（向って右）と幸徳秋水（向って左）……明治四十一年撮影）（つゞく）＝無斷轉載

幸徳秋水

大逆事件の同志 岡林寅松と語る

肺を病める幸徳の熱辯が 同志を感激さす 【十】

『あの頃、同志間における幸徳の信望は實にすばらしいものがあつたさうですね。救世主のやうな尊敬を拂はれてゐたさうですね。』

『思想に共鳴した結果でせう。』

『幸徳は肺が悪かつたさうですね併し大逆事件を企てたのも、多少はその不治の病に刺戟されて、どうせ死ぬるなら、歴史的記録を殘して死にたいといふ願望があつたからだともいはれてゐますが。あなたは、さう感じた事はありませんか。』

『或は、さういふ考へがあつたかも知れません。同志の者から聞けば、僕もさう長くはないが、やる位なら、うんと大きいことをやつて死にたいと話したさうです。それから考へると、或は事實であるかも知れません。』

『幸徳は、赤旗事件の時は、郷里幡多の中村に歸つてゐたさうですね。』

『さうです。病氣のため歸つてゐたやうです。』

『處が、赤旗事件に對する官憲の取扱ひ方が餘りにも苛酷であると憤慨して、その對抗策のため急遽上京しましたね。彼は、その途中和歌山の新宮町に同志大石誠之助を訪問しましたね。大石は醫師であり、米國のドクトルの學位を持つてゐる人で、河野利三郎とは親友だつたさうですね。さうして、餘りにも急激な無政府共産主義者となつて、幸徳の發行する平民新聞や菅野すが子の主宰する雜誌『自由思想』などにも寄稿して、主義の宣傳につとめ、多くの信者を持ち、押しも押されぬ頭領の一人で、一味の中の、僧侶高木顯明、僧侶峰尾節堂、成石平四郎、成石勘三郎、崎久保誓一等は大石の門下であるといはれてゐますね。この大石を、幸徳は上京の途中訪ねて、同志を集めて

◇

赤旗事件以来、政府はわれ〳〵主義者に對して、極端なる壓迫を加へる事になつたやうであるわれ〳〵は現在にも、耐え難い侮辱と壓迫とを被つてゐるが、尚この上にしぼられたら、われ〳〵同志は自滅の外はない。このまゝわれ〳〵が引込んでゐたら、社會に厳然として擡頭せんとしてゐる未成の同志も花を咲かせず終んでしまふに違ひないそれで、我々はこの際、自滅覺悟した何事かを斷行せねばならぬ。それにはいろ〳〵の方法もあるが、手ぬるいことでは駄目だ。少くとも一身を犠牲にして主義のため殉ずる覺悟で事に當らなくてはならぬ。われ〳〵が一旦旗擧げをすれば全國的に烽火が擧がることは火を見るよりも明らかである。總ての準備は熟してゐる。具體的方法については在京の同志とも熟議の上決定して、諸君の協力を得たいと思ふ。○○のため、われ〳〵は死を以つて奮闘したい

◇

と、肺患のため、息苦しい聲を振り上げて、熱辯し、熱狂した語調の雄叫を吐いたさうです。これを聴いた同志は、熱情的な血を沸かし、血書を交はして、○○斷行を誓つたとのことですが、あなたは、その當時のことを御存知ですか。』

記者はかう質問した。

◇

註＝赤旗事件とは、堺、大杉榮、山口などの巨頭が當局の御機嫌に抵觸した結果、出版法違反で投獄されてゐた彼等の同志山口義三が、漸く刑期滿了して出獄したのを機會に、官權に面當てのため、東京神田錦輝館で歡迎會並に演説會を開いたのである。明治四十一年七月の事である。主義者許りでなく一般の聴衆も入れるため、謡曲や浪花節なども催して、お茶を濁した末、堺、大杉、荒畑などの大立物が隨機に演説をやつた。すると、臨監の警官は片端から中止を命じ、遂には解散を命じた。處が、彼等主義者も解散は豫ねて覺悟の前であり、解散と聴くや隠し持つてゐた赤旗を打ち振つて、革命歌を高唱しながら、警官と對抗した。館内は見る〳〵中に大修羅場と化し、其處でも此處でも、警官と主義者の大格闘が演ぜられた。然し、應援隊を伴つた警官のため、彼等一味は、遂に捕へられた。これから、以後の當局の取締は嚴重になり、峻烈を極めたといはれてゐる。これが赤旗事件である。（寫眞は岡林寅松の獄中日記の一部）

つゞく＝黒潮生

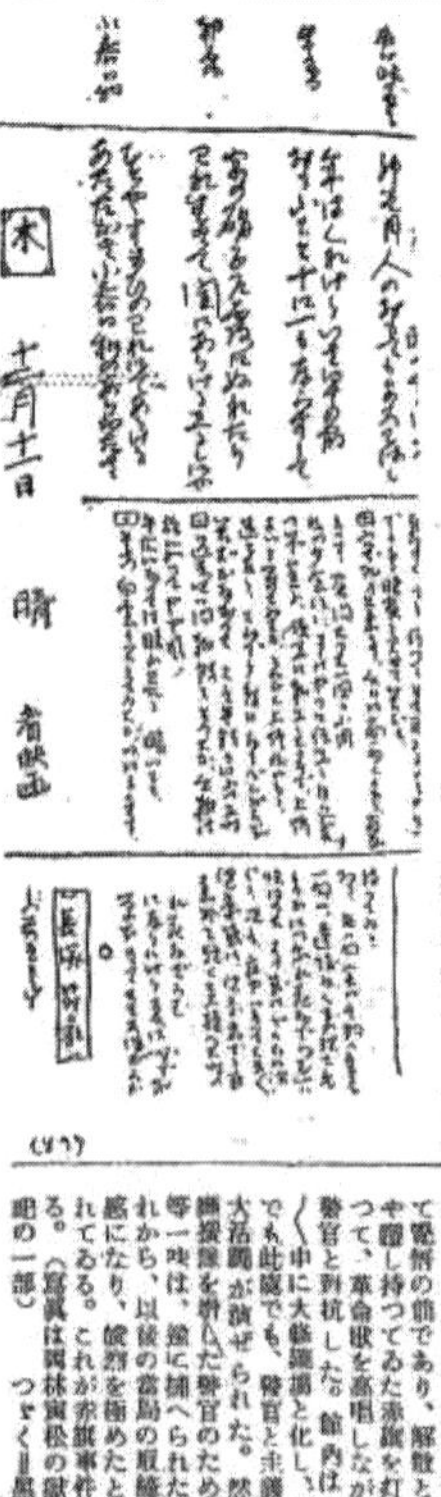

幸徳秋水

大逆事件の同志　岡林寅松と語る（十二）

死刑宣告後の幸徳の述懐

歌に慰さむ岡林

『さういふ事情もありましたでせう。監獄は人を臆病せしむるに充分な機能を持つてゐたやうですから……。しかし、私は終始、動搖しません。』

『幸徳は公判廷で、大逆事件の犯行を否認しましたか。それとも認めましたか。』

『もう二十一年も昔のことですから、ハッキリ覺えてゐませんが、さういふ計畫（大逆事件）は考へたことはあるも、後になつて面白くないと考へたから全部中止して、やめてしまつたと答辯したやうに記憶します。』

『判決の日に、公判廷で萬歳を唱へたものがあるさうですね。』

『あります。内山愚童は「社會黨萬歳」と叫び、新村忠雄、古河力作などの若い連中は、大きな聲で無政府黨萬歳を高唱しました。管野すが子は、退廷の時、「皆さん左様なら」と淋しいしかも力のこもつた聲で傍聽の同聲を吐きました。』

『幸徳は、自分のために、多くの門下生や同志を殺したり、傷つたのは可哀さうだといふ氣があつたやうですね。』

『それは確にあつたやうです。』

『幸徳が死刑の宣告を受けた翌日堺枯川に宛てた手紙の一節に、

先づは善人榮えて、惡人滅ぶ。目出度し〳〵の大團圓で、僕も重荷を卸したやうだ。今日は氣も心も伸びやかに骨休みをしてゐる。これから數日間か、數週間か知らぬが、讀めるだけ讀み書けるだけ書いて、そして死裝に從事することにしよう。一切人の世の面倒な義務も責任も脱却となる譯だ。ただ、豫期のなかつた大勢の御仲間、殊に幼い子供のある人や、世間を知らぬ青年など、いかにも氣の毒でならぬが、然し、どうする事も出來ぬ。地震海嘯にでも出會はしたつもりで斷念して貰ふ外はない。君等も、できるだけ慰めてやつてくれ、一度二度の作歌も、全く無駄ではあるまい。また、何等かの因縁になるだらう

とあつたのです、これを見ても、幸徳の心事が判りますね。』

『判りますね。』

◇

記者は更に話題を轉じて、

『あなたは、今後どうなされますか。』

『先づ、身體を壯健にして、何か働きたいと思つてゐます。食ふだけのことはしないと……。』

『將來的には、何かお考へになつてゐますか。』

『いゝえ、もう何も考へてゐません。五十六歳の赤ん坊です、時にこの間の本社の催し『赤ちやんの審査會』の優良兒に岡林寅松といふ私と同姓同名の赤ん坊がありましたね。』

『ありました。』

『私はこれを機會に、名を變へたいと思つてゐます。岡林寅松の名はその赤ん坊に譲つて置いて、私の方が、何か適當の名にしたら良いと思ひますが……。』

『なぜ、改名しますか。』

『別に理由はありません。生れ變つたといふ意味です。』

『あなたの妹さんや、その御一家は實に親切な良い方ですね。』

『親も妻も、子もない一人ぼつちの私は、妹の一家に身を寄せるより他に途がありません。こんな私でも、何の厭てもなく親切にしてくれます。しかし、これがために、妹一家へ世間の誤解をかけるのを惧れてゐます。』

『世間の誤解、——あなたが歸つたといふ事によつて、妹さんの御一家を破壊する人があつたら、その人こそ、考へ方が間違つてゐる人間であります。假令、その過去はどうであらうと、すでに更生して、一個の赤ん坊として歸つたあなたを、心良く迎へますのは、美しい兄妹親族の情ではありませんか。』

『私は、妹等の心盡しに感謝してはすまなく思つてゐます。』

◇

岡林君との會話はまだ、書けば限りがない譯だが、餘り長くなるから、これ位に止めて、左に岡林君の近作を紹介する。この和歌によつて、同君の心境を窺ふことが出來るであらう。

出獄の日（昭和六年四月二十九日）

一、またもまたけふにあふかな三年前に　二人の友がゆり出でしけふ

一、ゆめのことなほ思ひたどる思ひかな　この日ひとやをやり出でむとは

一、いのちありてありかたきかなうつそみの　人のこの世によみかへりけり

一、罪科よと世にはいへとも住みなれしひとやは　さらに去り難きかな

一、理想なき自由はかなしひとつゐて事業をはむまたも牢はも

一、ユニフオームの女囚徒あまた額はせはとり　となれど顔美しき

故郷に歸りし日（五月三日）

一、いのちひとつ家つとにして歸りたり泣きつわらひつ郷の山

父母の墓に詣て

一、父母のみ墓まうてをけふはててこの日までこそ命ありけれ

一、ちちものみ父のみ墓に月夜ふみて　けふはわれにみたひましてぬ

一、われに對て嚴くましくもたたひとつ　つはめは低くひくくを飛へり

一、ふるさとの山なつかしや唐澤城をうかみ出れは鶯のなく

（寫眞は父母の墓前に詣でた岡林君）

あとがきにかえて

思想史家の子安宣邦は、著書『「大正」を読み直す—幸徳・大杉・河上・津田、そして和辻・大川』（藤原書店　二〇一六年）のなかで、岡林と小松にふれて次のように述べている。

「大逆罪」は一二名の連座者の死を直ちにもたらしただけではない。仮出獄者に、出獄者だけではないその縁類者にも苦しい無残な死を強いて、最初の死刑判決をその周縁に拡大しつつ究極的に実行してしまったのである。大審院が二四名に死刑の判決を下したとき（略）小松丑治、岡林寅松はともに三十四歳であった。日本の社会主義はかれらの中に思想的成熟をもたらすことなく、ほとんど萌芽のうちに千切りとられ、縊り殺されたのである。「大逆事件」が戦後日本でなお「大逆事件」であり続けているように、社会主義を縊り殺そうとした国家犯罪の大きな傷跡はいまも癒えることがないように私は思われる。「大逆事件」から一世紀後の日本は社会主義をその政党とともにほぼ消滅させてしまったのである。

（同書　三二九頁）

大逆事件は、一九六一（昭和三六）年一月一八日に坂本清馬らによって東京高等裁判所に再審請求が提訴されたが、一九六五（昭和四〇）年一二月一日、東京高裁は事件の再審請求の棄却を決定した。これに対して、同年一二月一四日、坂本らは最高裁判所に特別抗告したが、結局、一九六七（昭和四二）年七月五日に最高裁での特別抗告も棄却された。一九四五（昭和二〇）年の終戦後、数多くの研究者によって調査がなされ、大逆事件は当時の国家が社会主義者・無政府主義者の自由・平等・博愛思想を「危険思想」とみなして弾圧した「権力犯罪」であることがあきらかにされている。しかし、坂本らの再審請求が棄却されたことにより、司法では事件から一〇〇年以上が経過した現在でも被告たちは有罪とされたままになっている。この再審請求の棄却で司法的な復権が閉ざされたのちは、市民的な復権へとかたちをかえて、全国各地で大逆事件連座者の名誉回復・顕彰運動が続けられている。

二〇〇〇年一二月一九日、当時の高知県中村市（現・四万十市）議会において、「幸徳秋水を顕彰する決議」を満場一致で議決した。その決議文には「郷土の先覚者である幸徳秋水の偉業を讃え顕彰することを決議する」と記されている。翌二〇〇一年九月二一日には和歌山県新宮市議会が、二〇〇四年一二月二五日には当時の本宮町（現・田辺市本宮町）議会が大石誠之助・成石平四郎・高木顕明・峯尾節堂・成石勘三郎・崎久保誓一らの名誉回復・顕彰決議に関する提案を決議した。いずれの提案も、大逆事件連座者は郷土の先覚者であると明記されている。このほかにも、管野須賀子の郷里・大阪、森近運平の郷里・岡山県井原市、内山愚童の郷里・新潟県小千谷市など、全国各地で大逆事件連座者の名誉回復・顕彰に向けた取り組みが進んでいる。岡林と小松についても、ふたりの郷里である高知では、「幸徳秋水を顕彰する会」と「高知市立自由民権記念館友の会」がふたりの墓所にアルミ製の墓標を新しく建てるなど顕彰運動を展開している。さらに、二〇二〇年一〇月には「大逆事件を明らかにする兵庫の会」が結成され、ふたりが活動を続けていた神戸でも顕彰に向けた取り組みがはじまろうとしている。

私が岡林と小松の名前を知ったのは、大学院修士課程一回生のころである。『大逆事件　死と生の群像』（岩波書店　二〇一〇年）の著者で知られる田中伸尚氏が、「とりわけ神戸で「神戸平民倶楽部」というものがあって、そこで病院勤務をしていた岡林さんと小松さんについては殆ど分からない。記録さえない」（伊奈一男「新宮「大逆事件の犠牲者を顕彰する会」本宮町「大逆事件」犠牲者の名誉回復を実現する会二〇〇八年活動報告」『大逆事件の真実をあきらかにする会ニュース』第四八号大逆事件の真実をあきらかにする会　二〇〇九年　二五頁）と述べていたことがきっかけである。そこから、週刊『平民新聞』などに掲載されている「神戸平民倶楽部」の活動に関する記録の調査や、岡林と小松についての先行研究の収集をはじめ、修士論文ではそれまでの研究報告をかねて「神戸平民倶楽部」の活動をテーマにした。

「神戸平民倶楽部」に関する先行研究は、管見によれば、兵庫県労働運動史編さん委員会編『兵庫県労働運動史』（兵庫県商工労働部労政課　一九六一年）、森長英三郎「大逆事件と大阪・神戸組」（『大阪地方労働運動史研究』第一〇号　大阪地方労働運動史研究会　一九六九年）、酒井一「大逆事件と神戸」（『兵庫県の歴史』第一〇号　兵庫県　一九七三年）、小野寺逸也「神戸平民倶楽部と大逆事件」（『歴史と神戸』第一三巻第二号　神戸史学会　一九七四年）、同「神戸平民倶楽部と大逆事件補遺」（『歴史と神戸』第一三巻第三号　神戸史学会　一九七四年）がある。倶楽部員のうち、岡林と小松は、森長英三郎・大野武夫・坂本昭・田辺裕丈・鍋島友亀・藤本幹吉談「大逆事件に連座した岡林寅松のことども―森長英三郎氏をかこんで―」（『るねさんす』第二〇一号　高知県教職員組合　一九六四年）、大野みち代による小松の妻・はるからの聞き取り「小松はるさんのこと」（『大逆事件の真実をあきらかにする会ニュース』第一二号　大逆事件の真実をあきらかにする会　一九六六年）、小山仁示「小松丑治はる夫婦のこと」（『歴史と神戸』第一一巻第二号　神戸史学会　一九七二年）、西尾治郎平による岡林の実妹・晃恵からの聞き取り「岡林寅松とその妹」（『大阪民衆史研究』第三二号～第三六号　大阪民衆史研究会　一九九三～一九九四年）、別役佳代「無期囚・岡林寅松、小松丑治のこと」（『大逆事件の真実をあきらかにする会ニュース』第五〇号　大逆事件の真実をあきらかにする会　二〇一一年）などがあげられる。また、井上秀天についても、吉田久一『日本近代仏教史研究』（吉川弘文館　一九五九年）、佐橋法竜『井上秀天』（名著普及会　一九八二年）といった単著をはじめ、福嶋寛隆「帝国主義成立期の仏教―「精神主義」と「新仏教」と―」（二葉博士還暦記念会編『仏教史学論集』永田文昌堂　一九七七年）、赤松徹真「井上秀天の思想―その生涯と平和論及び禅思想―」（『龍谷大学論集』第四三四・四三五号　龍谷学会　一九八九年）、近藤俊太郎「井上秀天の仏教と平和論」（『仏教史研究』第四〇号　龍谷大学仏教史研究会　二〇〇四年）、守屋友江「世紀転換期における仏教者の社会観―『新仏教』における鈴木大拙と井上秀天の言説を中心に―」（『近代仏教』第一二号　日本近代仏教史研究会　二〇〇六年）、石井公成「明治期における海外渡航僧の諸相―北畠道龍、小泉了諦、織田得能、井上秀天、A・ダルマパーラ―」（『近代仏教』第一五号　日本近代仏教史研究会　二〇〇八年）などがある。

私が岡林と小松について興味をもちはじめてから、本書を完成させるまで足かけ七年もかかった。とくに、二〇二〇年に高知県で新しく見つかったスクラップ帳『藻屑籠　一』に所収されている連載記事「幸徳秋水　大逆事件の同志　岡林寅松と語る」は、その最後のピースを埋めるような感じであった。本書が「神戸平民倶楽部」のことを知ってもらうきっかけになるとともに、岡林と小松の名誉回復・顕彰運動のあと押しになることを願うばかりである。

なお、初出をあげておくと次の通りである。

第一章〜第一〇章　二〇一五年度大谷大学修士論文

第一一章　「堺利彦と荒畑寒村の神戸訪問をめぐって」（『初期社会主義研究』第二七号　初期社会主義研究会　二〇一七年）

第一二章〜第一三章　「神戸の大逆事件余聞」（『大逆事件の真実をあきらかにする会ニュース』第五五号　大逆事件の真実をあきらかにする会　二〇一六年）

最後に、「大逆事件の真実をあきらかにする会」の山泉進先生と大岩川嫩さんには、故・森長英三郎弁護士が所蔵しておられた未公開資料である岡林と小松の大逆事件時の供述調書を提供していただき、感謝せざるを得ません。「森近運平を語る会」の森山誠一先生には、「弓削家森近資料」の岡林・小松書簡をはじめとする数多くの資料をご提供していただいたのみならず、懇切丁寧なご教示をいいただき、心から感謝申し上げます。「幸徳秋水を顕彰する会」の田中全さんには、資料のご提供や、ご教示をいただいたのみならず、岡林と小松の縁者・遺族の方をご紹介していただき、厚く御礼申し上げます。「大逆事件を明らかにする兵庫の会」の津野公男さん、飛田雄一さん、吉田俊弘さんには大変お世話になりました。とくに、吉田さんからは井上秀天についてご教示をいただきました。日本基督教団神戸多聞教会の近藤誠牧師には、突然のご訪問にもかかわらず、教会に保存されている貴重な資料を拝見させていただきました。出版に際しては大杉剛氏をはじめ風詠社の皆様のお世話になりました。合わせて心から感謝申し上げます。また、治安維持法犠牲者国家賠償要求同盟兵庫県本部の戸崎曽太郎さんには、神戸の大逆事件ゆかりの場所などをご案内していただきましたが、本書の刊行を前にご逝去されました。この場をお借りして謹んで哀悼の意を表します。

今年は大逆事件刑死から一一〇年にあたる年である。その年に本書を刊行できたことはうれしいかぎりである。

二〇二一年八月　大阪・箕面の自宅にて

上山　慧

上山　慧（うえやま さとし）

1992年、大阪府箕面市生まれ。2014年、大谷大学文学部歴史学科卒業。2019年、大谷大学大学院文学研究科仏教文化専攻博士後期課程修了。博士（文学）。

関西学院大学非常勤講師、管野須賀子を顕彰し名誉回復を求める会事務局長、大逆事件を明らかにする兵庫の会世話人、治安維持法犠牲者国家賠償要求同盟大阪府本部理事・池田箕面支部幹事。

大逆事件の真実をあきらかにする会、初期社会主義研究会、関西唯物論研究会、大阪民衆史研究会、神戸史学会などの会員。

専攻は日本近現代史、近代日本社会運動史、近代日本仏教史、被差別部落史など。

共著に『管野須賀子と大逆事件　自由・平等・平和を求めた人びと』（せせらぎ出版　2016年）。

神戸平民倶楽部と大逆事件 ――岡林寅松・小松丑治とその周辺

2021年12月28日　第1刷発行

著　者　上山　慧
発行人　大杉　剛
発行所　株式会社 風詠社
〒553-0001　大阪市福島区海老江5-2-2
大拓ビル5 - 7階
Tel 06（6136）8657　https://fueisha.com/
発売元　株式会社 星雲社
（共同出版社・流通責任出版社）
〒112-0005　東京都文京区水道1-3-30
Tel 03（3868）3275
印刷・製本　シナノ印刷株式会社

ISBN978-4-434-29817-2 C0031